D1221331

SHIDA BAZYAR

DREI KAMERADINNEN

DREI KAMERADINNEN

SHIDA BAZYAR

Roman

Kiepenheuer & Witsch

Jahrhundertbrand in der Bornemannstraße

Aggressiv und verblendet: Saya M. aus R. hat sich radikalisiert und die Welt schaute zu.

»Sie hat schon in der Schule Streit gesucht und ständig provoziert«, sagt eine ehemalige Bekannte über M., »Saya hat diese Wut einfach in sich, sie ist sozusagen Teil ihrer DNA.«

Ist es diese Wut, die gestern Abend so viele Menschen das Leben kostete? Während die Behörden noch auf die laufenden Ermittlungen verweisen und sich nicht zu dem Fall äußern wollen, sprechen die Zeugenaussagen eine eindeutige Sprache.

Frühere Nachbarn berichten, schon Anfang der Neunzigerjahre habe Saya M.s Familie mutmaßliche Islamisten, die per Besuchervisum nach Deutschland kamen, bei sich aufgenommen. Es sei allerdings unklar, welchen Untergruppierungen diese angehört hätten. Faktisch könne man jedoch von einer radikalisierten Ideologie ausgehen, mit der Saya M. aufwuchs.

Offenbar hat M. bis zuletzt versucht, auch andere zu missionieren: Unter dem Deckmantel der Berufsberatung gab die junge Frau seit mehreren Jahren Workshops an Schulen. So noch am Morgen vor der Tat, als sie den Schülern des Wilhelm-Gymnasiums predigt: »Lernt Arabisch, das ist die einzige Sprache, die eine Zukunft haben wird!«

Kurz darauf attackiert sie vor einem Café in der Bornemannstraße einen Mann unter »Allahu Akbar«-Rufen.

Volker M. befindet sich derzeit in ärztlicher Behandlung. Über seinen Anwalt lässt er mitteilen: »Wir waren lange genug tolerant. Es sind Menschen wie Saya M., die die Sicherheit unseres Landes mit ihren Ideologien gefährden. Wie viele Anschläge muss es denn noch geben?«

Die Attacke auf Volker M. ereignete sich nur wenige Stunden vor dem tödlichen Brand in der Bornemannstraße, den Saya M. vermutlich zu verantworten hat, und der bereits jetzt als einer der verheerendsten in der Nachkriegszeit gilt. Nach wie vor sprechen die Behörden nicht von einem islamistischen Terroranschlag. Die zur Schau getragene linke Gesinnung der Täterin scheint sie zu schützen.

Berichte darüber, dass in dem abgebrannten Gebäude ein Anhänger einer patriotisch orientierten Gruppierung wohnte, konnten bislang nicht bestätigt werden, verweisen jedoch auf ein mögliches Tatmotiv der Saya M.

Ich möchte fair bleiben, alle Missverständnisse aus dem Weg räumen und von vornherein kein Geheimnis daraus machen, was dieser Text ist und was er nicht ist.

Ich möchte das doch nicht.

Ich möchte fair bleiben, alle Missverständnisse aus dem Weg räumen und von vornherein erklären, wer ich bin und wer ich nicht bin. Ich bin nicht: die Ausgeburt der integrierten Gesellschaft. Ich bin nicht: das Mädchen, das ihr euch angucken könnt, um mitleidig zu erklären, ihr hättet euch mit den Migranten beschäftigt und es sei ja alles so dramatisch, aber auch so bewundernswert. Ich bin nicht: das Mädchen aus dem Getto.

Ich bin: das Mädchen aus dem Getto. Aber das ist eine Frage der Perspektive. Es gibt echte Mädchen aus echten Gettos, die lachen mich dafür aus, dass ich dieses Wort benutze, sobald sie erfahren, in welchem Kaff und in welcher schäbigen Ecke ich groß geworden bin, und es gibt Mädchen, die hätten es keinen Tag dort ausgehalten.

Ich bin nicht: ein Mädchen. Ich bin zu alt, um Mädchen genannt zu werden, denn ich könnte, wenn in meinem Leben einiges anders und einiges schlechter gelaufen wäre, schon Mutter von Mädchen sein, die sich nicht mehr Mädchen, sondern Teenager nennen lassen würden. Das bin ich aber nicht. Dafür trage ich einen Pferdeschwanz und einen Rock und beides, in Kombination mit den fehlenden Kindern, macht mich in dieser Welt zu einem Mädchen. So lange, bis ich ausspucke und losschreie und laut bin. Dann bin ich eine hysterische Frau.

Dieser Text ist der Versuch, mich eine Nacht lang zusammenzureißen. Eine Nacht lang niemanden aus dem Fenster zu schmeißen, kein Internet-Troll zu werden, zu warten. Der Versuch, auf meine Freundin Saya zu warten, die aus dem Knast kommen soll.

Ich sage Knast, weil ich lässiger klingen möchte. Weil ich schon als Kind die Wörter mochte, die lässiger klingen. Ich sage nicht Knast, weil es ein Relikt meiner Herkunft ist. Man kann in einem Getto aufwachsen, das kein Getto ist, wo Kriminalität und Prügeleien zum Alltag gehören, und trotzdem genauso wenig mit dem Knast zu tun haben wie die Pferdemädchen ein paar Straßen weiter etwas mit echten Pferden. Wenn ich Knast sage und dabei aussehe, wie ich aussehe und spreche, wie ich spreche, nicken mir die Pferdemädchen aber wissend zu. Klar, denken sie, der Knast. Der Ort, an dem du deinen Vater besucht hast, als Kind; der Ort, an dem dein erster Freund mehrere Monate verbracht hat, bevor er rauskam und plötzlich ganz verändert war; der Ort, an den du manchmal nostalgisch denkst. Dabei war ich noch nie im Knast und kenne auch niemanden, der schon mal drin war, zumindest nicht in Deutschland. Bis heute. Aber das Letzte, was ich will, ist, dass ich auch noch dort lande, deswegen setze ich mich hierhin, an diesen Schreibtisch, die Insel meiner Diplomarbeit, die Insel meiner, ungelogen, 83 Bewerbungen, die Insel meiner Hartz-IV-Bescheide, und schreibe.

Also zurück zu dem, was ich eigentlich sagen wollte: zum Versuch, eine Nacht auf meine Freundin zu warten, die aus dem Knast kommen soll. Sie wird zu mir kommen, sobald sie kann, denn sie wohnt gerade bei mir, für einige Tage, bevor sie wieder zurück in ihre Stadt und ihr eigenes Leben fliegt. Eigentlich nämlich wollte sie ja Urlaub bei mir machen und zwischendurch die Hochzeit von Shaghayegh feiern.

Es ist Freitagnacht, 2:28 Uhr, und ich versuche, vorne anzufangen. Das wird nicht klappen, denn vorne, das wäre in einer Zeit, als es uns noch nicht gab. Ich fange also weiter vorne, aber eher so in der Mitte an. Mit dem letzten Montag. Mit dem Montag beginnt ja auch jede Woche und tut dabei so, als wäre sie etwas Neues. Damit wir nicht merken, dass alles immer einfach weitergeht, elendig, elendig weitergeht, und dass nichts passiert. Montag aber war Saya noch gar nicht hier. Saya stieg Dienstagnachmittag in ihrer Stadt ins Flugzeug und landete Dienstagabend in meiner und Hanis Stadt. Fangen wir also beim Dienstag an.

^ ^ ^

»Ich habe ihn angelächelt, und zwar nett, eindeutig ohne Flirt, einfach angelächelt, und er hat zurückgelächelt, eindeutig mit Flirt, und hat mich angesprochen«, sagte Saya und reichte die Bierflaschen an uns weiter, »und zwar auf Englisch.« »Auf Englisch«, lachte ich, nahm die zwei Flaschen, und gab eine an Hani weiter, »wie einfühlsam!« Hani lachte ebenfalls, wenn auch etwas unsicher, gab mir die Flasche wieder zurück und hielt mir ihr Feuerzeug hin. Als einzige Raucherin von uns dreien hatte sie das nötige Equipment, aber trotzdem keine Ahnung, wie man eine Flasche damit öffnete. Ich gab ihr die geöffnete Flasche zurück, stieß mit ihr an und sagte, »Wahrscheinlich hatte er auch noch einen fetten deutschen Akzent.« Ich machte einen fetten deutschen Akzent nach, indem ich einen englischen Satz von mir gab, ich tat das gleich zweimal hintereinander, damit wir beim Anstoßen zweimal kichern konnten, so ein anfängliches, unbeholfenes Kichern, das man von sich gibt, wenn man schon oft miteinander gelacht, sich aber lange nicht mehr gesehen hat. »Sein Englisch hatte nicht nur einen fetten deutschen Akzent, sondern war natürlich auch noch voller Fehler«, fuhr Saya fort, stützte das Kinn auf ihren angewinkelten Knien ab und schaute über die Stadt. »Das ist doch das Peinlichste an so Leuten, die denken, sie müssten Englisch mit uns reden: dass sie es nicht einmal können.« »Ist doch okay, kein Englisch zu können, oder nicht«, sagte Hani, denn Hanis Englisch war natürlich auch nicht so gut, meines ehrlich gesagt auch nicht. Hanis war nicht gut, weil sie auf einer schlechteren Schule war, meines, weil ich es eigentlich erst brauchte, nachdem ich in diese Stadt gezogen war, in der es zum guten Ton gehört, sofort Englisch zu sprechen, wenn jemand von außerhalb mal mitfeiert. Sayas Englisch war Weltklasse. Sie hatte es zwar auch erst nach der Schule gebrauchen können, dafür aber war sie damit dann auch um die Welt gereist, hatte in dieser und jener Metropole gelebt, Beziehungen geführt, ein Studium beendet. »Keiner muss Englisch können, ist doch klar«, sagte sie jetzt, »aber das ist doch das wirklich Merkwürdige an diesen Leuten. Wenn man was nicht so gut kann, dann wartet man doch erst mal ab, ob man es machen muss oder nicht. Man textet doch nicht einfach so hilflose Leute zu. Typen wie er denken, unser Deutsch wäre so was von nicht vorhanden, dass ihr grottiges Englisch der bessere Weg ist, um mit uns zu kommunizieren.« »Und was hat er jetzt gesagt«, fragte ich, »hast du auf Deutsch geantwortet?« »Quatsch«, sagte Saya, »der Flug hat anderthalb Stunden gedauert und er saß direkt neben mir. Auf Deutsch zu antworten hätte ja bedeutet, dass ich länger mit ihm hätte reden müssen. Ich habe auf Englisch geantwortet, dass mein Englisch nicht so gut sei. Er hat dann ganz mitleidig geguckt und nur noch gelächelt.« »Und was, wenn er einfach nett war und dir nur entgegenkommen wollte?«, fragte Hani und schaute auch auf die Stadt, so ein bisschen über sie hinweg, als läge irgendwo hinter den Dächern und Kirchtürmen der Beweis dafür, dass die Menschen alles immer nur gut meinen. »Ihr wart doch im Flugzeug, da kann man doch nie wissen, wer von wo kommt. Vielleicht hätte er dich auf der Straße auf Deutsch angesprochen. Er wollte bestimmt nur plaudern.« »Ja, ja, egal, die Geschichte ist noch nicht zu Ende«, sagte Saya.

Sie war seit einer halben Stunde bei uns, hatte ihren Wanderrucksack in meinem Zimmer abgelegt, in der Küche kurz gefragt, ob sie meine aktuellen Mitbewohner noch kennt, geduldig gewartet, bis Hani mit dem Bier vom Späti zurückgekommen war, und musste dann unbedingt aufs Dach, weil es ihr in Wohnungen gerade zu eng war. Erst hier oben wollte sie erzählen, wie ihr Flug war. »Eine Katastrophe«, hatte sie angekündigt, sie habe neben einem nervigen Mann gesessen. Überhaupt würde sie immer, auf jedem Flug ihres Lebens, neben nervigen Männern landen. Sie erzählte dann also und sah dabei gar nicht nach Katastrophe aus. Sie sah aus wie jemand, der sowieso jede Katastrophe überstehen würde und dabei auch noch ganz genau wusste, wie man es sich hinterher so richtig gemütlich macht. Saya klang völlig normal. So wie man klingt, wenn man froh ist, etwas Alltägliches zu erzählen, um wieder miteinander warm zu werden. Sie hat das so beiläufig, so nebenher erzählt. Da konnten wir ja wirklich nicht ahnen, was alles passieren würde.

»Dann ist eine Frau ins Flugzeug eingestiegen, die ein Kopftuch trug«, fuhr Saya fort. »Auweia«, sagte ich. »Auweia, richtig«, sagte Saya, »die Leute um mich herum fingen an, nervös auf ihren Sitzen rumzurutschen und sich umzuschauen. Könnte ja sein, dass zu der Frau auch noch ein bärtiger Mann gehört, das Risiko besteht ja, und der würde vermutlich anfangen, alle anderen Frauen zu belästigen und danach eine Bombe zünden.« »Nee, davor würde er noch seine Frau unterdrücken«, sagte ich. »Richtig«, sagte Saya, »er würde erst kurz seine Frau unterdrücken und danach die Bombe zünden.« Ich wollte noch mehr sagen, ich wollte noch einen draufsetzen. Aber wir hatten uns noch nicht warm geredet. »Macht ihr euch jetzt über Terroristen lustig? Oder über die Leute?«, fragte Hani und sah uns an. Wir schauten weiter auf die Dächer ringsum, so wie andere ins Lagerfeuer schauen. Wir hörten Autos hupen, hörten leise Gespräche von den Menschen unten auf der Straße. Ich wollte nicht antworten, ich fand, dass Hani uns noch eine Weile hätte weitermachen lassen können. Doch seit Saya angefangen hatte, von ihrem Flug zu erzählen, fragte sich Hani, ob es eine Geschichte war, wegen der man sich ärgern müsste. Das war, was sie befürchtete, wenn Saya erzählte: dass die ganze Geschichte darauf hinauslaufen würde, dass man sich am Ende ärgerte. Dabei war in dieser Geschichte bis jetzt ja noch alles in Ordnung. Überhaupt, als Saya ins Flugzeug stieg, war die ganze Welt noch in Ordnung. Fast hätte Saya vergessen, dass die Welt ein Ort war, an dem sie sich ärgerte. Sie hatte einen Fensterplatz und war eine der Ersten gewesen, die einsteigen durften, ohne dass sie dafür mehr bezahlt hätte. Abends würde sie uns sehen und sich hemmungslos betrinken. Die schönste Stadt der Welt wartete auf sie, ohne dass Saya dabei über deren Mietpreise nachdenken musste. Als der Typ mit dem schlechten Englisch neben ihr Platz nahm, fand sie das eher amüsant als nervig. Dann stieg die Frau ein. Sie wäre Saya nicht weiter aufgefallen, wenn sie nicht etwas verloren auf ihr Ticket, die Platznummern, ihr Ticket und wieder die Platznummern geschaut hätte. Etwas schien nicht zu stimmen, ihr Platz schien besetzt zu sein. Sie sagte es mehrmals, sagte es den Leuten, die vor Saya saßen, so oft, bis sie gehört wurde und man ihr entgegnete, dass das nicht stimme, sie sitze nicht am Fenster, sondern am Gang und der Platz sei ja auch noch frei. Es gab einen kurzen Moment, in dem die Frau so etwas sagte wie »Aber es ist Sitz A, Sitz B, Sitz C!« und nacheinander auf die Sitze zeigte und die Frau vor Saya daraufhin antwortete, »Nein, es ist Sitz A, Sitz B, Sitz C!« und genau von der anderen Seite aus auf die jeweiligen Sitze zeigte. »Können Sie sich bitte hinsetzen, die anderen Passagiere warten hinter Ihnen!«, sagte die Flugbegleitern in ihrem Rücken. Sie war unfreundlich und hatte trotzdem recht, es hatte sich eine Schlange missmutiger Menschen gebildet, die sich in dem kleinen Flugzeug aneinander quetschten und warteten. Saya wusste, dass die Frau mit dem Kopftuch zwar richtiglag, was das ewige Sitz-A-Sitz-B-Sitz-C-Spiel anging, aber sie wusste auch, dass sich die Frau vermutlich gleich einfach auf den falschen Sitz setzen würde, anstatt jetzt auch noch mit der Flugbegleiterin zu diskutieren. So wichtig war ein Fensterplatz am Ende ja doch nicht. Außerdem war die Flugbegleiterin genervt, hatte den Ton einer Gouvernante und sah aus, als würde sie hungern, um ihre Figur zu halten. Mit hungernden Menschen diskutiert es sich schlecht. Die Frau aber, nennen wir sie der Einfachheit halber Yağmur, weil sie aussah wie Yağmur aus der Serie *Türkisch für Anfänger*, wandte einen für Saya ganz neuen, interessanten Move an. »Ich mache Ihnen einen Vorschlag«, sagte sie zu der Frau, die auf ihrem Platz saß, »wir tauschen einfach, dann müssen Sie nicht extra aufstehen und ich sitze auf Ihrem Platz am Gang.« Das klang wie das wohligste Angebot ever, Saya hätte so gerne das Gesicht der Frau vor ihr gesehen. Als Nächstes wandte sich Yağmur an die Flugbegleiterin und sagte, »Schön, dass Sie da sind. Können Sie mir mit meinem Gepäck helfen? Ich darf nichts Schweres heben.« Sie strich sich mit beiden Händen über ihren Bauch, um zu betonen, wie schwanger sie war. Man sah zwar überhaupt keinen schwangeren Bauch, aber das konnte man ja schlecht sagen. Die Flugbegleiterin hatte darauf natürlich überhaupt keine Lust und Saya keine Ahnung, ob das zum Job einer Flugbegleiterin gehörte oder nicht. Die Augen verdrehend hob sie den Koffer schließlich ins Gepäckfach, denn sie wollte ja, dass es weiterging. »Nur 12 Kilo im Handgepäck«, zischte sie Yağmur an, als sie unter dem Koffer ächzte. Niemand half ihr. Wahrscheinlich, weil alle Angst vor ihr hatten. Oder weil alle zusehen wollten, wie sie ihre Unfreundlichkeit ausglich, indem sie sich nützlich machte: eine schwangere Frau, ein Koffer, eine gute Tat. »12 Kilo«, wiederholte die Flugbegleiterin mit erhobenem Finger, sobald der Koffer verstaut war. Sie klang, als würde sie jeden Moment ihre Peitsche rausholen und die umstehenden Menschen zu sekundengenauer Fließbandarbeit antreiben. Yağmurs Stimme zitterte, als sie sagte, »Ich weiß das schon von ihren Kollegen, die haben den Koffer gewogen, bevor ich eingestiegen bin. Vielen Dank für Ihre Hilfe, das ist sehr freundlich.« Das »Sehr freundlich« brachte sie so zitternd hervor, dass Saya verstand, hier zitterte jemand aus keinem anderen Grund als aus Wut. Saya, eine Reihe hinter den drei Frauen, wurde von den beiden Gefühlen übermannt, die sie am besten kannte. Wut und Solidarität. Solidarität ist kein Gefühl, würde Hani einwerfen, wenn Saya das, was ich hier beschreibe, überhaupt in dieser Form erzählt hätte. Aber sie würde nichts erwidern, wenn ich das Gespräch daraufhin mit einem simplen »Doch« beenden würde. Denn wer einen Menschen so kennt, wie wir Saya kennen, der weiß, dass Solidarität ein Gefühl ist und Unfreundlichkeit ein Grund für rasende Wut. Deswegen ist es auch Quatsch, Yağmur Yağmur zu nennen, denn die Yağmur aus der Serie war nie so würdevoll wütend wie die Frau aus Sayas Flugzeug, und wenn euch eine andere Frau des deutschen Fernsehens einfällt, die ein Kopftuch trägt, ruft mich an, dann ändere ich den Namen.

Als Yağmurs Koffer also endlich verstaut war, setzte sie sich auf ihren falschen Platz und nahm das Kopftuch ab. »So ein Mistwetter«, sagte sie, als sie mit den Händen durch ihre Locken fuhr. Es hatte während des Boardings geregnet, doch ihre Frisur saß dank des Schals noch ganz gut. Die Menschen bewegten sich schließlich, wenn auch schleppend, weiter durch das Flugzeug und als sich die Frau näherte, die sich neben Sayas Sitznachbarn setzen sollte, sprang er sofort auf, um ihr den Koffer abzunehmen. Saya beugte sich vor, um zu sehen, ob diese Frau auch schwanger war, konnte es aber nicht mit Sicherheit sagen. Mit Sicherheit sagen konnte sie nur, dass er sie nun die kommenden anderthalb Stunden auf Deutsch volltexten würde.

»Und fand sie das gut?«, fragte Hani, denn jetzt, endlich, war der Moment gekommen, in dem sie die Geschichte für interessant befunden hatte. Ich hörte einen Moment lang nicht zu, ein warmer Wind umgab uns und unten brüllte jemand etwas, das ich nicht verstand. In der Luft lag der Dunst von blühenden Bäumen, dieser Wichsegeruch, der zu dieser Jahreszeit in der Stadt hängt, es roch nach Abgasen und Hanis Zigarette. Es roch so gut. Alles war so gut. Die Stimmen von unten wurden lauter, weil vorbeigehende Menschen dem brüllenden Menschen irgendwas entgegneten, und es war so schön, hier oben zu sitzen und damit einfach nichts zu tun zu haben. Nicht um sein Leben fürchten, engagierte Zeugin sein, aufpassen, einschreiten zu müssen. Alle Alarmmechanismen, die man sich in einer Großstadt so angewöhnt, sind auf dem Dach völlig unbrauchbar. Wir kriegen hier oben viel zu wenig mit, um irgendwie relevant zu sein. Das ist großartig. Sayas Stimme, Sayas Körper neben mir zu haben, ist großartig, und zu wissen, dass Hani alles abdämpft, was die Laune trüben könnte, ebenfalls. Dass alle das tun, was sie am besten können, und dass mein Bier lauwarm und trotzdem das beste Getränk der Welt ist. Saya erzählte vom missglückten Flirt zwischen dem Sitznachbarn und der neuen Frau neben ihm und kam endlich zur Pointe, auf die ich mich schon die ganze Zeit gefreut hatte, denn ich wusste schon, was passieren würde, ich hatte es mir die ganze Zeit gedacht, ich wusste, dass Saya genau das getan hatte, was ich in ihrer Situation gerne getan hätte. »Dann hat uns die Flugbegleiterin Getränke gebracht. Alle haben erwartungsvoll so Sachen gesagt wie ›Tomatensaft‹ oder ›Cola light‹ und alle haben dann enttäuscht geguckt, denn man hat natürlich nur so einen halb vollen, labbrigen Pappbecher bekommen, der einen eher traurig als glücklich macht. Der Typ neben mir, ganz Gentleman, hat mich darauf aufmerksam gemacht, dass Getränke angeboten werden, er aber geduldig warten kann, er hat sich zu mir gedreht und gesagt: ›Ladies first‹«, Hani und ich buhten ihn aus, aber nur kurz, um gleich zu erfahren, wie es weiterging. »Ich habe dann meinen Kopf vorgestreckt und zur Flugbegleiterin gesagt: ›Einen Kaffee mit Milch und Zucker bitte‹, laut und deutlich und sehr deutsch habe ich das gesagt.« Hani und ich grölten jetzt, applaudierten und fragten, »Und? Wie hat er geguckt? Hat er was gesagt?« »Natürlich nicht. Er hat so getan, als wäre nichts gewesen. Später, beim Aussteigen, habe ich im Vorbeigehen zu ihm ›Tschüss, schönen Abend noch‹ gesagt.« »Und hat er geantwortet?« »Nein. Er war damit beschäftigt, die Frau ohne Kopftuch vollzuquatschen.«

Saya wickelte sich in ihren Schal, der einer riesigen Decke glich, und ich dachte, dass ich eigentlich auch auf die

Idee hätte kommen können, dass diese Schals gut aussehen. Nur war ich wie immer zu faul gewesen, sie anzuprobieren. Wenn ich Klamotten in Schaufenstern sehe, ist mir das Risiko, sie anzuprobieren und festzustellen, dass ich meine Zeit verschwende, zu groß, darum verlasse ich mich auf das, was ich kenne. Saya scheut kein Risiko. Saya probiert an, legt weg, probiert an, kauft ein, schmeißt weg, tauscht, sieht am Ende gut aus. Selbst die schäbige Bank mitten auf dem Dach wurde durch Sayas Besuch besser. Weil sie mit einem Blick Potenzial und Probleme erkannt und dann sämtliche Kissen unserer WG hier hochgeholt hatte. Wie Rentner an der Nordsee, die einen eigenen Strandkorb besitzen, saßen wir jetzt auf diesem Dach der Stadt, die uns gehört. Daran hatte es früher nie einen Zweifel gegeben, für Saya und mich. Wenn wir irgendwann die Siedlung verlassen würden, käme für uns als neues Zuhause nur diese Stadt mit ihren vielen Versprechen infrage. Mit den Versprechen von Abenteuern und Freiheit, vor allem aber dem, dass wir hier endlich einmal nicht auffallen würden.

»Auf mehr Kilos im Handgepäck von Schwangeren«, sagte Saya und hob ihre Flasche, um gleich mehrere große Schlucke daraus zu nehmen. Hani griff irritiert nach ihrer Flasche, wusste aber nicht, ob wir darauf nun wirklich anstoßen müssten, ob das Sayas Ernst sein konnte und wir von nun an die Lobby für schwangere Frauen spielen würden, bis jemand anderes aus der Unterdrückung gerettet werden musste.

^^^

Als Sayas Mutter mit Saya schwanger war, saß sie im Gefängnis. Ich sage diesmal Gefängnis, weil es, wenn es politische Gründe für die Haft gibt, irgendwie nicht richtig zieht, lässig sein zu wollen. Und wer zu Zeiten eingesessen hat, in denen die Fotos nicht nur analog, sondern auch noch schwarz-weiß waren, hat umso mehr ein Anrecht darauf, dass man »Gefängnis« statt »Knast« sagt. Wir waren ungefähr 14 und saßen auf dem Teppich in Sayas Wohnzimmer, als wir uns die Fotos anschauten. Es kam bei uns allen eher selten vor, dass die anderen Familienangehörigen mit ihren ewigen Gästen geschlossen das Feld räumten, deswegen war es eine ausgemachte Sache, dass wir uns in diesem Fall in der Wohnung derjenigen trafen, die gerade sturmfrei hatte. Wir wurden innerhalb von Minuten sehr erwachsen, wenn wir uns an den Kühlschrank wagten, uns etwas zu essen zusammensuchten und hinterher selbst unser Geschirr in die Spülmaschine räumten. Wir waren aufgeregt, wenn wir uns auf die endlich freien Sofas setzten und ganz ohne die kritischen Blicke von Vätern und Müttern entspannt eine Folge *Beverly Hills* 90210 sahen. Wir tranken Saft aus Sektgläsern, die unsere Eltern ohnehin nie benutzten. Und Hani hatte immer das merkwürdige Bedürfnis, in den Werbepausen aufzustehen und sich auf den kleinen Balkon zu stellen, der in all unseren Wohnungen exakt gleich aussah, weil unsere Familien in den exakt gleichen Wohnungen lebten. Hani wohnte aber auch als Einzige von uns in einer Wohnung, in der es nach kaltem, versehentlich eingelassenem Zigarettenrauch roch, und der Unterschied zwischen ihrem und unseren Balkonen lag eben auch darin, wofür man ihn nutzte und wofür nicht.

Manchmal, wenn Menschen so was wie »Wochenende« oder »Feierabend« sagen, habe ich genau dieses Bild vor Augen. Ich, auf ein Sofa gefläzt, das sonst immer belegt ist, in der Hand das Sektglas, gebannt vom Rausch der RTL-Werbung, Hani, die sinnlos auf dem Balkon steht und über die Dächer der Stadt schaut. Der ewige Geruch dieser Wohnungen, der Geruch von Füßen, alter Tapete und getrockneten Kräutern, die sich, je nachdem, bei wem wir waren, noch mal unterschieden. So, wie sich die Sprachen unserer Mütter und der Geschmack ihrer Gerichte unterschieden.

Als wir also einmal bei Saya zu Hause waren und ihre Eltern unterwegs, zeigte sie uns das Fotoalbum und Hani und ich waren dabei nicht deswegen so andächtig, weil wir so gute Freundinnen waren, sondern weil wir ganz einfach wussten, dass dies ein privater Gegenstand war, in einem Raum, in dem die Erwachsenen kein Privatleben hatten. In dem übrigens auch die Kinder kein Privatleben hatten. In dem niemand ein Privatleben hatte, denn dafür war in diesen Wohnungen einfach zu wenig Platz und in dem Miteinander und den Gewohnheiten zu wenig Verständnis. Die meisten Gegenstände in diesen Wohnungen waren entweder nützlich oder dekorativ. Saya hatte das Fotoalbum erst vor einigen Tagen zum ersten Mal gesehen, weil ein Bekannter eines Onkels zu Besuch gekommen war und es mitgebracht hatte. In den vergangenen Jahren musste das Album auf verschlungenen Wegen von vertrauter Person zu vertrauter Person weitergereicht worden sein. Seit Sayas Eltern ihre Wohnung und das Land ohne Abschied verlassen hatten, hatte es darauf gewartet, zusammen mit dem anderen Hab und Gut der drei gerettet zu werden. Saya war vierzehn, als sie das erste Mal Bilder aus der Jugend ihrer Eltern sah. Dass das für sie eine einschneidende Erfahrung war, konnten Hani und ich nicht wissen, wir fanden bloß spannend, wie diese langweiligen alten Leute in jungen Jahren ausgesehen hatten. Saya zeigte uns ein Foto, auf dem ihre Mutter einen halblangen Haarschnitt und ein Militärhemd trug, einen Fuß auf einem Stein und eine Hand in die Hüfte gestemmt hatte. Für meine und Hanis Begriffe sah sie da zwar jung, aber auch ziemlich uncool aus, doch Saya zeigte stolz darauf und sagte, »Das war kurz bevor sie ins Gefängnis musste.« Dann fügte sie noch stolzer hinzu, »Also war das kurz bevor sie schwanger wurde. Vielleicht ist sie auf diesem Foto auch schon mit mir schwanger, aber weiß es noch nicht.« Ab da war ich ziemlich neidisch auf Saya. Wegen ihrer Mutter, die im Gefängnis gesessen hatte, und weil Saya dadurch irgendwie auch schon mal im Gefängnis war. Wer hätte gedacht, dass ich eines Tages so hier sitzen und mir wünschen würde, Saya wäre einfach nie im Gefängnis gewesen, damals nicht und erst recht nicht heute Nacht. Warum bitte muss sie denn ausgerechnet in diesem einen Punkt nach ihrer Mutter kommen?

Jedenfalls: Als wir auf dem Dach saßen und Saya sich in ihrer Erzählung gerade mit der Schwangeren im Flugzeug solidarisierte, klang sie, als wäre eine Schwangerschaft eine selige Zeit voller Glück, die auf keinen Fall getrübt werden darf. Das ist insofern absurd, als ihre eigene Mutter eben nur einmal schwanger war und in dieser Zeit eingepfercht zwischen zehn anderen Frauen saß, jeden Tag zum Verhör abgeholt wurde und nicht wusste, ob ihr Mann noch lebte. Meine Mutter war fünfmal schwanger und in jeder Schwangerschaft musste sie hoffen, dass das Kind in ihrem Bauch trotz ihrer nächtelangen Arbeit in der Wäscherei überleben würde. Solche Gruselgeschichten kannten wir in der Regel nur aus unseren Familien, darum orientierten wir uns von klein auf lieber an der Realität der anderen, als gäbe es unsere nicht. Was auch wichtig war, damit die anderen Kinder das, was wir erzählten, überhaupt verstanden. Also sprachen wir im Sommer davon, »in den Urlaub« zu fahren, obwohl das in unserem Fall nie Strand und Ferienwohnung, sondern immer nur mehrtägige Besuche bei Freunden unserer Eltern bedeutete, in deren kleinen Wohnungen wir dann den ganzen Tag Fernsehen guckten.

Heute machen wir das manchmal immer noch so, wir nehmen das, was uns als Realität verkauft wird, und übermalen damit unsere eigenen Biografien. Und in dieser Realität sind Schwangere nun mal glückliche Frauen, die eine tolle und intensive Zeit mit ihrem Körper verbringen und die man darin unterstützen muss, alle Störfaktoren aus dem Weg zu räumen. Wenn ihnen jemand keinen Respekt zollte, musste man also, ging es nach Saya, für sie eintreten und für ihre Rechte kämpfen. »Ist Shaghayegh schwanger?«, fragte Saya, und ich kam zum ersten Mal auf die Idee, dass so etwas möglich sein könnte. »Warum fragst du? Weil sie heiratet?« »Ja. Wieso heiratet sie?« »Ich weiß es nicht.«

Ich wusste nicht, warum wir auf dem Dach saßen und statt über schöne Dinge über so was reden sollten, und warum Saya ihren Kronkorken mit einem Mal auf die Straße warf, als wüsste sie nicht, dass sie da unten jemanden treffen und verletzen könnte. Ich hatte auf einmal kein gutes Gefühl mehr dabei, hier oben zu sitzen. »Habt ihr euch nicht gewundert, dass sie heiratet?« Saya klang, als wäre heiraten ein Unding, als bräuchte man gute Gründe dafür. »Doch«, sagte ich, »ich habe mich gewundert, dass sie uns überhaupt einlädt. Aber ich finde, es gibt Schlimmeres, als dass Menschen heiraten wollen.« »Ist doch kein Verbrechen zu heiraten«, sagte Hani, »ich freue mich für Shaghayegh.« »Ich weiß eben nicht, warum man sich da freuen sollte«, legte Saya endlich los, und ich hoffte, dass der anstehende Vortrag nicht allzu lange dauern würde, denn das Thema langweilte mich. Er ging aber eine ganze Weile, ich beschränke mich mal auf ihre Hauptthesen. »Menschen heiraten, weil sie im Kino gelernt haben, dass das zum Happy End dazugehört, aber in Wirklichkeit existiert die Ehe nur, damit Männer Frauen an sich binden, sie kontrollieren und von ihnen abhängig machen können. Dass das Konzept bis heute überlebt hat, liegt allein an den zwei Millionen Steuervorteilen für Verheiratete, was so was wie finanzielle, konservative Erpressung ist, und das ist ekelhaft und war nebenbei bemerkt in den letzten Jahrhunderten auch ein Mittel, um alle auszuschließen, die in einer heterosexuellen Welt nicht dazugehören sollen. Alle, die nicht ausrasten vor Glück bei der Vorstellung, wie ein klassischer Mann und eine klassische Frau zu sein haben, sollten und sollen auch weiterhin buchstäblich dafür zahlen und sich jeden Tag aufs Neue so richtig schämen. Das ist das einzige Ziel der Ehe. Ich freue mich ja auch, dass Shaghayegh uns eingeladen hat, aber ich will eben vorher wissen, was bei ihr schiefläuft.« »Schiefläuft? Das ist aber ein bisschen übertrieben, oder?«, fragte Hani. Saya schüttelte den Kopf, »In Zeiten wie diesen nicht. Sich in Zeiten wie diesen mit so was Banalem wie Heiraten zu beschäftigen ist ein Luxus, den man sich erst mal leisten können muss. Da muss doch was bei Shaghayegh schieflaufen, dass sie ihre Prioritäten so setzt.«

Das also würde Sayas Mission in den kommenden Tagen bis zur Hochzeit sein: herauszufinden, warum genau Shaghayegh heiratet, um dann feiern zu können. Denn wegen der Feier hatte sie ja überhaupt den weiten Weg aus ihrer Wahlstadt auf sich genommen.

Zwei Stunden später hatten wir den Pegel, den ich mir jetzt gerade wünschen würde, und unser dreckiges Lachen hallte in den leeren Straßen unter uns. Die Stadt tat, als wäre sie friedlich. Vom Dach aus wirkte sie wie ein behüteter, stiller Ort. Es war ganze sechs Jahre her, dass wir uns das letzte Mal gemeinsam auf einem Dach dieser Stadt betrunken hatten. Auf einem anderen Dach, in einer Silvesternacht, und selbst da war alles merkwürdig andächtig und friedlich gewesen. So friedlich, dass wir damals nichts gegen das in der Ferne tosende Feuerwerk hatten und auch nicht mitleidig an traumatisierte Kriegsgeflüchtete, Kriegsrentner und verstörte Hunde dachten, die angsterfüllt in ihren Wohnungen saßen, während alle anderen um sie herum einen Kriegslärmpegel imitierten, weil sie sich sonst nie gehen lassen durften. Vielleicht hatten wir aber auch deswegen kein Mitleid, weil in dem Stadtteil, in dem wir damals feierten, ohnehin keine Geflüchteten und keine Rentner mehr wohnten und sich unser Mitgefühl für die Hunde der Hipster in Grenzen hielt. Sechs Jahre ist es her, dass wir Silvester überhaupt zusammen und nicht mit neuen Freundeskreisen, neuen Partnern oder neuen Partner-Freundeskreisen feierten, sondern ganz selbstverständlich miteinander, auf dem Dach meiner damaligen WG. Und ganz selbstverständlich saßen wir jetzt zusammen, als wäre seitdem kein Tag vergangen. Hanis Lachen klang noch immer so, als wäre sie riesig, als käme es aus einem gigantischen Resonanzkörper, als würde es den Boden zum Beben bringen können. Sie schmiss den Kopf nach hinten und schlug sich auf den Oberschenkel, als wir über irgendwas redeten, das irgendwann passiert war und das Hani damals irgendwie kommentiert hatte. Sayas Lachen klang kehlig, als würde sie jeden Ton genießen, ich lachte auch, konnte dabei aber nicht aufhören, den anderen beiden beim Lachen zuzuschauen. Beim Lachen nämlich merkten sie nicht, dass ich sie anstarrte, um mir jedes Detail einzuprägen, denn es gibt wenige Menschen, die man so gut kennt, dass man immer wieder aktualisieren muss, wie sie gerade aussehen. Damit man sie später, wenn man an diesen einen Moment zurückdenkt, genau so vor sich sieht. Wie macht man das wohl, wenn man so richtig alt ist und sich an ein unbestimmtes Früher erinnert? Sieht man dann die Mode vor sich, die Frisuren, wie sie mal waren? Oder gibt man sich nur Mühe, das alles zu sehen, weil man es sich als möglichst wahr vorstellen möchte? Ich mache das beim Schreiben, beim Denken: Ich will keine merkwürdigen Schemen von den Menschen, an die ich denke, ich will sie so sehen, wie sie zu dem jeweiligen Zeitpunkt ausgesehen haben, und es ist ein Glück, dass ich das kann, denn sonst wäre ich nicht in der Lage, all das zu beschreiben, was uns passiert ist.

Hani dagegen kann meistens nicht so gut beschreiben, was ihr passiert ist, aber wir hören ihr natürlich trotzdem zu. Sie begann irgendwann zu erzählen, wie sie mal geflogen war und die Flugbegleiterin wirklich alles falsch gemacht hatte. Das dauerte ziemlich lange. Wir verstanden es nicht so richtig, deswegen dauerte es noch länger, denn Hani gab sich Mühe, dass wir den Punkt, den sie machen wollte, am Ende doch verstanden. Es ging um einen Mann, der auf dem falschen Platz saß, um Leute, die sich beschwerten, und eine Flugbegleiterin, die helfen wollte, aber nicht richtig zuhörte und dann den falschen Mann zum Aufstehen zwang, und Hani machte in der Luft eine kleine Zeichnung davon, wer wo saß und wer falsch saß und wo sie selbst saß. Sie ging unendlich, diese Geschichte, Hani merkte nicht, wie viel Raum sie einnahm, und Saya sagte irgendwann, dass sie bald schlafen müsse, und Hani sagte, »Moment, die eine Zigarette noch«, und am Ende rauchte sie noch drei Zigaretten, damit wir *irgendwas* verstanden, und wir gingen erst schlafen, nachdem wir Hani versichert hatten, dass sie damals im Flugzeug eindeutig recht hatte. Hani schlief bei uns und ich genoss, dass Saya bei mir zu Gast sein *musste*, weil sie in dieser Stadt zu Gast war, und dass Hani hier zu Gast sein *wollte*, um in unserer Nähe zu bleiben. Also war ich, was ich von klein auf hätte sein sollen: eine gute Gastgeberin.

^^^

Ich höre jetzt auf, weiterzuschreiben. Das hat keinen Zweck, denn ich versuche mir permanent vorzustellen, wer ihr seid, während ihr euch vorzustellen versucht, wer wir sind. Wir sind nicht so anders als ihr. Das denkt ihr nur, weil ihr uns nicht kennt. Weil ihr keine Kindheit hattet, die so roch wie unsere, und weil ihr keine Freundinnen habt, mit denen ihr diese stinkende Kindheit hättet teilen können. Ihr habt auf jeden Fall gerade verschiedene Gedanken. Ihr findet Hani jetzt schon unsympathisch und ihr stellt euch Saya jetzt schon hübsch vor. Ihr wartet auf den Moment, in dem ich erkläre, wer von uns aus welchem Land kommt. Das nämlich müsst ihr wissen, bevor ihr euch in uns eindenken könnt. Das ist für euch eine ungefähr so wichtige Information wie die, am Rand welcher deutschen Kleinstadt wir aufgewachsen und wie alt wir sind und wer von uns die Heißeste ist. Ich sage euch dazu nichts. Da müsst ihr durch. Ich weiß ja auch über euch nichts. Ihr werdet das hier lesen, vielleicht, je nachdem, wie die Presse mit dem Fall umgeht. Wenn die Presse nämlich versucht, mich zu erreichen, und das wird sie, dann werde ich keine Interviews geben, denn ich weiß, wie Interviews funktionieren, ich habe oft genug Zeitung gelesen und die Polit-Talkshows der Öffentlich-Rechtlichen gesehen. Ich werde dieses Manuskript ausdrucken. Ich werde mir in den Finger schneiden und mein Blut darübertropfen lassen. Ich werde es der BILD-Zeitung geben und dann könnt ihr loslegen, über uns zu schreiben. Ich beschreibe Saya hier so, wie sie ist, und ihr macht aus ihr das, was ihr aus ihr machen wollt. Wenn ich die Geschichte fertig geschrieben habe und die Nacht noch immer nicht rum ist, schreibe ich sie einfach noch mal. Dann vielleicht aus eurer Sicht. Wie die Geschichte ginge, wenn einer von euch sie geschrieben hätte. Halt, stopp, um das zu wissen, muss ich ja nur in ein paar Stunden die Zeitung aufschlagen oder ins Internet gehen. Ich höre jetzt also doch nicht auf zu schreiben. Ich schreibe weiter, obwohl ich nur Leitungswasser und Tee zu trinken habe und aus dem gekippten Zimmerfenster der kalte Zigarettenrauch des Nachbarn hereinzieht und ich es schöner fände, Bier zu trinken, und es heute sogar schöner fände zu rauchen. Aber für beides müsste ich erst einmal das Haus verlassen. Das tue ich ohnehin schon ungern und das möchte ich heute erst recht nicht mehr. Draußen sind die Leute völlig unberechenbar, ich will nicht vor ihnen davonlaufen müssen, nur weil ich mir etwas zu trinken kaufen wollte. Im Späti gegenüber sagt der Verkäufer außerdem jedes Mal zu mir – und er verkauft es wie eine Frage –, dass ich immer hübscher werde: »Du wirst auch immer hübscher, oder?« Ich kichere dann künstlich, weil ich nicht weiß, was man dazu sagen soll. Wahrscheinlich, weil man dazu gar nichts sagen kann, denn es geht nicht darum, dass man was sagt. Es geht darum, dass er was sagt. Ich habe Angst, dass er sich nutzlos fühlt, weil er so was Überflüssiges sagt, also lache ich und tue so, als wäre mir das nicht unangenehm. Ich spüre dann manchmal das Phantom einer Berührung am Hintern, obwohl der Verkäufer hinter seinem Tresen steht und die Hände bei sich hat. Das habe ich manchmal, dass mein Körper sich an ungewollte Berührungen aus Bus und Bahn und von der Tanzfläche erinnert, obwohl jemand gerade auf andere Art nervt als auf die körperliche. Vielleicht, weil mein Körper mich dazu animieren will, nachträglich zu reagieren und irgendwem eine zu knallen. Das tue ich natürlich nicht, denn das hat der Späti-Verkäufer dann auch wieder nicht verdient. Deswegen mache ich eben meistens nichts. Da fällt mir ein, das ist eine Geschichte, die man über Saya erzählen muss, denn Saya macht immer etwas, sie lässt die Dinge nicht stehen. Sie haut auf Tische, auch wenn die Tische dabei kaputtgehen können, und sie ist deswegen nicht automatisch gewalttätiger als andere.

Wir waren eben schon bei Silvester. Das vor sechs Jahren, das letzte gemeinsame. Es war ein besonderes Silvester, denn alles war noch schön und aufregend. Das würde ich allerdings über alles sagen, was länger als drei Jahre zurückliegt, denn drei Jahre ist die Frist, nach der die Dinge schön und aufregend werden, solange sie nicht schlecht oder langweilig waren. Es waren Leute da, die ich kannte, und Leute von meinen Leuten aus der WG, die ich nicht so gut kannte. Es waren auch zwei da, die ich in- und auswendig kannte, und das waren Saya und Hani. Wir drei verbrachten die Stunden bis Silvester dabei nicht miteinander, sondern mit unterschiedlichen Menschen, lachten und tranken und flirteten, ja, ganz sicher, ich flirtete mit dem niedlichen Mitbewohner, den ich damals hatte, und weil er neu eingezogen war, befanden wir uns noch nicht an dem Punkt, an dem man entweder miteinander schlafen oder den Flirt beenden musste. Ich wusste noch nicht, dass er irgendwann anfangen würde, sich seinen Kaffee immer dann zu kochen, wenn er hörte, dass ich in der Küche war, und ich deswegen aufhören würde, über seine Witze zu lachen und den Kopf schräg zu legen, wenn er mir etwas erzählte. An Silvester aber fanden wir uns noch spannend. Wie das eben immer so ist, mit den Flirts und den Mitbewohnern. Sie sind so lange wichtig, wie sie aktuell sind, und sobald man auszieht, verliert man sie aus den Augen und aus dem Leben. Ich musste sogar eben eine Weile überlegen, bis mir einfiel, wie er hieß, er hieß nämlich Felix, so wie Leute eben heißen, die in den Achtzigern geboren sind und bei denen alles prima läuft. Felix hatte einen Kumpel, der vollkommen egal war, der schon damals egal war, der aber auf der Party niemanden kannte außer Felix, und irgendwie auch mich, weil ich ihm einmal einen Kaffee mitgekocht hatte, als er bei Felix zu Besuch war. Weil er niemanden kannte, stellte er sich zu uns und störte den Flirt, denn sobald man beim

Flirten beobachtet wird, schämt man sich ja für das, was man tut. Es ist ja nur so lange spannend, wie man sich vormachen kann, gar nicht zu flirten. Der Freund, nennen wir ihn Gabriel, weil er engelsgleiche Locken hatte, stand also neben uns, machte den Flirt sichtbar und beteiligte sich nicht am Gespräch. Kurzum: Er störte.

Als Hani, eher zufällig, irgendwann neben uns stand, machte ich kurzen Prozess und stellte die beiden einander vor. Ab da beobachtete ich ihr Gespräch aus den Augenwinkeln. Er fragte, woher Hani kam, und Hani antwortete wahrheitsgemäß. Er fragte, was Hani arbeite, und Hani antwortete, sie arbeite als Kauffrau für Büromanagement. Er fragte, ob man das nicht auch genauso gut Sekretärin nennen könne, und fing an, einen zweifelhaften historischen Abriss über Berufsbezeichnungen zu geben, woraufhin Hani irgendwann etwas sagte wie »Ich mache Buchhaltung und Verwaltung, ich muss schon auch rechnen«. Hani stand da und setzte das Gespräch fort, weil ich ihr Gabriel ja vorgestellt hatte und sie natürlich nicht wissen konnte, dass er ein unwichtiger Mensch war. Sie sah nicht gerade amüsiert aus, aber sie blieb und plauderte. Gabriel tat dabei, als würde er sie akustisch nicht verstehen, was vielleicht ja auch der Wahrheit entsprach, auf jeden Fall beugte er sich immer wieder vor und näherte sich mit seinem schönen Kopf Hanis Mund. Weil diese Körperhaltung unmöglich zu bewerkstelligen ist, wenn man dabei alle weiteren Körperteile bei sich behält, legte er seine Hand sachte auf Hanis oberen Rücken, während er fragte, was das für ein Unternehmen sei, in dem sie arbeitete. Hani mag Hände auf ihrem Rücken und sie mag Männer mit Locken, also hatte sie jetzt neben der Höflichkeit, die sie mir zu schulden glaubte, einen Grund mehr, noch etwas länger bei Gabriel stehen zu bleiben. Sie erklärte ihm das Unternehmen, bei dem sie damals gerade erst angefangen hatte, und verwendete dabei Worte, die das Unternehmen selbst zu diesem Zweck nutzte: Es gehe ihnen um Tierschutz, aber um einen Tierschutz, der sich an den Regeln des Kapitalismus orientiere, man vereine beides, denn nur so könne es den Tieren in der Welt, in der wir leben, wirklich gut gehen, alles andere habe keinen Sinn. Gabriel hatte dazu eine Menge zu sagen, als hätte er bereits Tage und Wochen darüber nachgedacht, ob das ein sinnvolles Konzept war. Hani, die ja tatsächlich Tage und Wochen darüber nachgedacht hatte und bereits zu dem Schluss gekommen war, dass es das nicht war, aber trotzdem nun mal ihren Lebensunterhalt sicherte und ihren Alltag bestimmte, fand seine Argumente weder interessant noch relevant noch gut. Da waren ihr dann auch die Hand und die Locken egal, sodass sie schnell fragte, »Und was arbeitest du?« Ich sah ihr an, dass von dieser Frage die Zukunft des weiteren Gesprächs abhing. Als er antwortete, änderte sich an der Körperhaltung der beiden zunächst nichts, allerdings fand seine Antwort so schnell kein Ende, er arbeitete irgendwas, was ich aufgrund des Gespräches, das ich ja selbst gerade führte, nicht verstand. Hanis Gesichtsausdruck aber verriet, dass sie von seinem Beruf weder Ahnung hatte, noch etwas daran sympathisch fand, und auch ihre Haltung fing allmählich an, sich zu verändern. Ihr Ohr entfernte sich von seinem schrägen Kopf und dem ständig redenden Mund, was aber nicht viel brachte, weil er ihrem Ohr folgte. Als Hani kleine Schritte von ihm weg machte, folgte sein Körper ihrem, was ja ganz gut ging, denn seine Hand hatte auf Hanis Rücken einen guten Halt und verriet ihm, wohin sie sich bewegte. »Ich gehe mal eine rauchen«, sagte Hani, ein Ausweg, um den ich sie immer beneidet hatte. Wer Raucherin war, konnte sich immer zurückziehen, wenn es unangenehm wurde, konnte immer andere auf sich warten lassen, konnte immer neue Gesprächspartner finden, mit denen man sogar sofort ein Gesprächsthema hatte, nämlich im Zweifelsfall das Rauchen. »Ich wollte auch gerade rauchen«, sagte Gabriel aber ungünstigerweise, was Hani überraschte, denn er sah überhaupt nicht nach Raucher aus und sie hatte ihn bisher auch noch nicht auf dem Balkon getroffen. Später, auf dem Dach, rauchten eh irgendwann alle, aber so früh am Abend verschlug es nur die nach draußen, die es brauchten. Sie gingen also Richtung Balkon und als sie sich umdrehten, versuchte seine Hand noch kurz, etwas tiefer zu sinken und den unteren Teil ihres Rückens zu streifen, was Hani aber geahnt zu haben schien und mit einer schnellen Bewegung Richtung Balkon zu verhindern wusste.

Ich blieb mit Felix, den ich zu diesem Zeitpunkt, wie gesagt, ausgesprochen witzig und interessant fand, zurück und fühlte mich ein wenig schlecht, dass ich Hani benutzt hatte, um Gabriel abzuschieben. Aber ich sagte mir auch, dass Hani erwachsen war und weggehen konnte, wenn er sie nervte, und dass er so nervig ja auch wieder nicht war. Er hatte die üblichen, nicht gerade originellen Fragen gestellt, was soll's, es gab schlechtere Gesprächspartner, er schien doch auch ernsthaft an Hanis Leben interessiert zu sein. Und so sprach ich lieber weiter mit Felix über das Aufwachsen auf dem Land und die Dorfpartys, statt mir Gedanken über zwei Erwachsene zu machen, die einander jederzeit kommunizieren konnten, wenn sie nicht miteinander kommunizieren wollten. Als ich sah, dass Saya Richtung Balkon ging, um sich ein kühles Bier zu holen, dachte ich nicht mehr weiter darüber nach.

Es dauerte drei, vielleicht vier Minuten, ehe Hani und Saya lachend und etwas verstört zu uns zurückkamen, und ich hörte, wie Saya sagte, »Das war ja nicht mehr auszuhalten.« Den Rest des Abends sahen wir Gabriel nicht wieder, sondern öffneten nach seinem Abflug den Schnaps. Einen selbst gebrannten, vom Land, von dort, wo Felix herkam, aus den Quitten seiner Eltern, und mein Gespräch dauerte bis Mitternacht, bis alle, wie gesagt, auf dem Dach standen und auf die vermeintlich friedliche Stadt blickten. An dem Abend, an Silvester, hat Saya irgendwas gemacht oder gesagt, wonach ich mich nicht zu fragen traute, aber hätte sie Gabriel zum Beispiel eine geknallt, hätte ich es ja bestimmt irgendwann irgendwie erfahren. Andererseits habe ich Gabriel nicht vom Balkon zurückkommen sehen. Ich habe ihn einfach nie wiedergesehen, nicht an diesem Abend und nicht danach, und als ich Tage später seinen Namen nannte, schauten alle nur betreten und wechselten das Thema. Ich habe mir so oft vorgestellt, was passiert ist, dass ich mir inzwischen sicher bin, dass meine Version stimmt. Meine Version geht so: Saya hat den Balkon betreten, sich nach den Bierkästen gebückt und währenddessen genug von Hanis und Gabriels Gespräch mitbekommen, um die Situation einordnen zu können. Sie hat ihre Flasche an der Balkonbrüstung geöffnet und ist geblieben, um weiter zuzuhören. Sie hörte zu und die anderen beiden rauchten und redeten, das heißt, Hani war in erster Linie am Rauchen, Gabriel am Reden, bis er Saya ansah und sie fragte, ob er ihr helfen könne. Saya hat daraufhin ihr Bier abgestellt, ihn freundlich angelächelt, an den Schultern gepackt und über die Balkonbrüstung geworfen. Gabriel hat engelsgleich seine Flügel ausgebreitet, seinen Heiligenschein aktiviert und sich, davonfliegend, nicht mehr nach der desinteressierten, rauchenden Hani und der starken, nicht rauchenden Saya umgedreht. So wird es gewesen sein, denn Saya findet immer einen Weg, wie sie ihre Freundinnen beschützen kann. Hani ist zwar weniger lösungsorientiert als Saya, dafür aber geht es ihr immer gut. Wenn Saya nicht eingeschritten wäre, hätte Hani einfach den Abend mit Gabriel verbracht, ihn sich schlau, umsichtig, diskret und egofrei getrunken. Dann hätte sie das Problem gelöst, ohne ein Problem gehabt zu haben. Mit dieser Strategie gelang ihr das mit dem Feiern auch irgendwie immer besser als Saya und mir. Als wir in den letzten Jahren zum Beispiel vor Clubs oder dem Festivalgelände kontrolliert und abgetastet wurden, rasteten Saya und ich vor Wut regelmäßig aus, während Hani bloß kicherte. Sie kicherte wirklich, denn sie fand es schön, dass sie die freundlichen Türsteherinnen abtasteten, das kitzelte sie, und so hatte sie immer ein gutes Verhältnis zu jenen Personen, die von Saya und mir nie ein Wort des Grußes geschweige denn des Dankes hörten. Hani ging gut gelaunt zu Partys, vor denen wir uns erst einmal abreagieren mussten.

Als Hani damals in die Siedlung zog, fing unsere Pubertät gerade an. Wir lasen die BRAVO, die sich die anderen Siedlungskinder von ihren älteren Geschwistern geliehen hatten, und wir lasen sie draußen, damit unsere Eltern uns nicht dabei erwischten. Saya, zwei Jahre älter als ich, las immer die Dr.-Sommer-Seiten, was mir auffiel, mich aber nicht weiter interessierte. Damals hieß das noch, dass auf

Sayas Knien ein aufgeschlagenes, buntes Heft lag, auf dem nackte Teenager, na gut, sagen wir, junge Erwachsene, abgebildet waren. Eine redaktionelle Entscheidung, die die BRAVO irgendwann skandalös werden ließ und die sie später wieder zurücknahm.

Als unsere Pubertät begann, war die Rubrik schon gar nicht mehr so richtig skandalös und auch noch nicht abgeschafft, sodass sie einen wertvollen Beitrag zu unserer Aufklärung leistete, um die sich sonst ja kein Mensch kümmerte. Manchmal zeigten wir uns die Seiten auch gegenseitig, um uns totzulachen. Auf einem Bild zum Beispiel war ein junger Mann zu sehen, der seiner Freundin Sahnetupfer auf den nackten Körper gesprüht hatte, um sie dann wegzuküssen. Wir kriegten uns nicht mehr ein. Ich höre Saya heute noch lachen, »Guck ma', der hat da überall Sahne draufgemacht!«, sehe, wie sich unsere ungeformten Oberkörper krümmen. Hani stand daneben und lachte mit, wenn auch immer ein wenig verhaltener als wir. Das hat sich geändert, irgendwann, vermutlich, als sie die Sprache verstand und nicht mehr so tun musste, als wäre sie eine von uns, sondern tatsächlich eine von uns war. Durch Hanis Hinterkopf waberten verschiedene Sprachen, die sie in Deutschland niemals brauchen und die hier niemals als Kompetenz oder Qualitätsmerkmal anerkannt werden würden. In ihrem Gesicht stand die Neugier und das Interesse geschrieben, von uns zu lernen, was man lernen musste, um nicht aufzufallen. Nicht, weil sie so wissbegierig war, sondern weil alles andere zu Problemen geführt hätte. Probleme aber hatte sie hinter sich gelassen. Hanis Eltern, ihr Bruder und sie waren dem Krieg, einem blutigen, unnachgiebigen, schonungslosen Krieg, entkommen, ohne dass man sie hier dafür lobte oder bemitleidete. Man nahm sie eher so am Rande wahr und hoffte, weil sie ja keinen allzu weiten Weg gehabt hatten, dass sie zurückkehren würden, sobald der Krieg vorbei war. Ich weiß nicht, ob Hani und ihre Eltern, ein weißhaariger, schnauzbärtiger Mann und eine junge, fröhliche Frau mit blonden Locken, das auch hofften. Sie wirkten immer, als wäre ihnen vor allen Dingen wichtig, hier und sicher zu sein. Auf dem Balkon in Ruhe rauchen, sich über die Sonne freuen zu können und den Freunden ihrer Kinder liebevolle Gastgeber zu sein.

Hani, wie sie uns beim Lesen der BRAVO zusah, war irgendwie wichtig. Wir kamen uns erwachsener vor, wenn sie da war. Vielleicht ja auch, weil ihr anfängliches Schweigen erahnen ließ, dass sie viel mehr wusste als wir und die BRAVO nicht brauchte.

Als Hani dazukam, waren auch die Zeiten vorbei, in denen Sayas Fantasie mit ihr durchging und wir ihr alles glaubten. Wir, das waren ein paar andere Mädchen aus der Siedlung und ich. Es war immer klar, wer bei uns die Bestimmerin war, denn Saya hatte einfach das größte Talent dafür, und das Leben wäre zum Sterben langweilig geworden, wenn jemand ihr diesen Posten streitig gemacht hätte. Saya erzählte uns Zeug über die Welt und wir glaubten ihr, weil es die Welt besser machte.

Die nummernschildlosen Schrottkarren, die auf den Parkplätzen vor unserem Haus vor sich hin rosteten, waren so ein Beispiel dafür. Sie waren uns egal, wir interessierten uns nicht für Autos und hinterfragten die Abgefucktheit unserer Umgebung nicht. Bis Saya uns eine herzzerreißende Geschichte erzählte. Ein alter Mann, Herr Zimmermann, habe diese Autos hier geparkt, sei dann schwer krank geworden und inzwischen seit Jahren im Krankenhaus. Bald werde der arme Opi entlassen und er werde sicher sehr traurig sein, wenn er zurückkommen und sehen würde, in welchem Zustand sich seine Autos mittlerweile befanden. Wir müssten dem alten Mann helfen, sagte Saya, wir müssten die Autos für ihn sauber machen. So was gelang nur Saya: am Ende fünf Leute zusammenzutrommeln, die anfingen, irgendwelche Schrottkarren zu waschen. Wenn jemand das gesehen und uns gefragt hätte, wären wir vielleicht auf die Idee gekommen, dass Saya sich das alles nur ausgedacht hatte. Aber weil niemand kam und weil uns Sayas Geschichte absolut plausibel schien, gaben wir alles, um den armen Herrn Zimmermann vor diesem Anblick zu bewahren. Als Hani kam und wir also gerade alt genug waren, nicht jeden Quatsch zu glauben, konnte Saya sich solche Geschichten nicht mehr erlauben. Hani, die Zuschauerin, hätte sie entlarvt, ohne auch nur ein Wort zu sagen. Ich glaube aber, in dem Alter hatte Saya auch gar kein Interesse mehr an solchen Geschichten. Sonst hätten wir ja nicht mit den Zeitschriften vor dem Haus gesessen.

Aber jetzt ist die Reihenfolge durcheinander. Dabei war eben noch Dienstag, der Dienstag, an dem Saya hier ankam und alles noch in Ordnung war.

Wobei es in der Nacht schon nicht mehr in Ordnung war. Das kann man ja später, vor Gericht, auch so sagen. Oder Sayas Psychotherapeuten, das ist ja vielleicht wichtig, wenn man herausfinden will, ob sie durchgeknallt ist. Wir legten uns hin, Saya und ich in mein Bett, Hani auf eine Matratze auf dem Boden. Wir hatten alle die gleiche Zahnbürste benutzt, was wir weniger eklig fanden, als uns alle nicht die Zähne zu putzen. Eine Zahnbürste für drei Personen schien uns übrigens zu keinem Zeitpunkt unseres Lebens ein überzeugendes Konzept, aber was soll man machen, wenn zwei von drei Leuten ihre Zahnbürste vergessen haben und sich der schale Nachgeschmack des Biers schon breitgemacht hat. Wir lagen im Bett, murmelten Gute-Nacht-Wünsche, und bald darauf hörte ich Hanis leises Schnarchen, das, im Gegensatz zu ihrem lauten Lachen, klang, als wäre sie ein kleines Mädchen. Saya hört man nachts nie. Man hört nicht, ob sie wach ist, man hört nicht, ob sie schläft. Während man bei anderen Leuten hören kann, ob der Atem tiefer oder regelmäßiger wird, hört man bei Saya einfach überhaupt keinen Atem, und irgendwann wacht sie dann einfach auf. Ich schloss die Augen und öffnete sie direkt wieder, weil sich in mir alles drehte. Gleichzeitig war ich so müde, dass mir die Augen immer wieder zufallen wollten. Es war ein einziges, betrunkenes Dilemma, das da in meinem schwachen Körper, der in letzter Zeit zu viel Kaffee und zu wenig Liebe bekommen hatte, herrschte. Ganz langsam schloss ich die Augen und öffnete sie wieder, schloss und öffnete sie. Immer wieder, damit mein Körper langsam verstand, dass er sich das Drehen nur einbildete und ich ganz sicher, ganz unbestreitbar, in meinem Bett lag. Ich versuchte mich zu beruhigen, was ehrlich gesagt am leichtesten ging, indem ich an Lukas dachte. Das ist mir unangenehm, immerhin habe ich mich ja von ihm getrennt, auch wenn ich mir nicht ganz sicher bin, ob die Welt das ebenfalls so sieht. Es ist mir aber auch deswegen unangenehm, weil man entweder Single oder kein Single ist, dazwischen gibt es keinen Zustand, in dem man gedanklich abhängig von jemand anderem sein darf. Es ist ärgerlich, dass man trotzdem ein bisschen abhängig ist, zumindest so abhängig, dass man nachts besser einschlafen kann, wenn man an die andere Person denkt. Aber was soll's, beschloss ich. Hauptsache ist doch, ich schlafe möglichst bald ein, außerdem hatte ich seinen Namen im Laufe des Abends kein einziges Mal fallen lassen. Das war nicht nur ein Erfolg, sondern auch ein Beweis. Auch wenn ich nicht so genau wusste, wofür. Jetzt hatte ich die Augen allerdings länger geschlossen gehalten, als mein Körper auszuhalten in der Lage war, und ich musste zum Ausgleich nicht nur die Augen wieder öffnen, sondern mich auch ein wenig aufrichten, damit mir nicht alles hochkam. Auf meine Unterarme gestützt lag ich jetzt da und schämte mich dafür, dass meine beiden Freundinnen, die exakt so viel getrunken hatten wie ich, es scheinbar besser vertrugen, da war auf einmal ein Knall zu hören, der eindeutig von Saya ausging, ein grauenhaftes Geräusch, ein Schlag, der durch Mark und Bein geht und wie es ihn nur geben kann, wenn man mit extrem viel Kraft – und ich wusste nicht, dass Saya so viel Kraft hat – seinen ganzen Körper gegen die Wand donnert, als gelte es, sie mit dem eigenen Gewicht einzureißen. Ich schrie auf, sah sie an und konnte nicht glauben, dass sie die Augen geschlossen hielt und wieder auf dem Rücken lag, als wäre nichts geschehen. Im nächsten Moment aber bäumte sie sich erneut auf, mein Herz raste, und ihres schien voller Panik oder voller Wut, als sie erneut Schwung holte, um ihren Körper ein weiteres Mal mit voller Wucht gegen die Wand zu schmettern. Ich hatte Angst um sie und vor ihr und hörte mich im nächsten Moment »Saya, Saya« sagen, in einer Lautstärke, als würden wir ein normales Gespräch miteinander führen. Statt

Saya antwortete Hani, »Ja?« Ich sagte, »Schlaf weiter.« Das galt sowohl für sie als auch für Saya und beide gehorchten. Mein Herz aber hörte nicht auf zu rasen und ich schaute Saya im Halbdunkel bestimmt noch eine halbe Stunde an. Dann erst fielen meine Augen zu. Wenigstens war ich vor lauter Schreck wieder nüchtern.

Saya hat kein Trauma. Wir haben alle keins. Also, wahrscheinlich haben wir alle eins, ein Trauma, das Leute wie wir halt so haben. Weinende Eltern, schreiende Eltern, eine Jugend, in der man sich selbst erklärt, was an einem anders ist, Lehrer, die dich wie Dreck und deine Eltern wie noch größeren Dreck behandeln, kein Geld, keine Müllabfuhr, zu viele Krankenwagen und zu wenig Bücher. Wir haben eine Menge kleiner Traumata, aber wir funktionieren nicht so, wie man sich das vorstellt, nachdem man voller Empathie Reportagen geguckt und ausschließlich mit seinen ältesten Freunden darüber spekuliert hat, wie die armen Flüchtlinge über das Mittelmeer kamen und deswegen nichts anderes zu tun haben, als immerzu vom Mittelmeer zu träumen. Schon klar, ihr seid nicht so, ihr stellt euch das gar nicht vor, denn ihr habt ja eine Weile geholfen, Kleider zu sortieren und Kuscheltiere zu verteilen, solche Vorurteile habt ihr nicht mehr. Ihr wart nämlich bei euren Hilfsaktionen zu allen nett, auch zu den Leuten, vor denen ihr euch ein wenig gefürchtet habt, ihr wart ganz tapfer liebevoll, auch dann noch, als ihr euch gefragt habt, ob Terroristen unter euren Schutzbefohlenen sind, dann wart ihr zwar immer noch liebevoll, aber eben auch Rassisten, liebevolle Rassisten. Ihr habt bei all eurer Hilfe gesehen, dass diese Flüchtlinge immer für eine Überraschung gut sind, es lässt sich eben niemand in eine Schublade stecken, und es gibt solche und solche und bei jedem künftigen Abendessen mit Freunden könnt ihr jetzt von euren Erkenntnissen erzählen. Eure Vorurteile habt ihr also abgelegt, aber, und damit kann ich auch die Geschichte rund um flirty Mitbewohner Felix geschickt abrunden, wenn es hart auf hart kommt, wissen Leute wie ihr, also alle Leute, plötzlich doch ganz genau, wie es um die psychischen Zustände der Flüchtlinge, also aller Flüchtlinge, steht. Als in unserer damaligen WG ein Zimmer leer stand, weil Giulia die Stadt schlagartig verlassen hatte und trotzdem weitere drei Monate Miete zahlte, wollte keiner meiner Mitbewohner, inklusive flirty Felix, »einen Flüchtling« einziehen lassen, denn Flüchtlinge seien ja traumatisiert und damit könnten wir nicht umgehen. Wir alle nicht. Traumatisierte Flüchtlinge sind der Albtraum untraumatisierter Nicht-Flüchtlinge. Deswegen können Letztere ihre Hilfe verweigern und sich dabei als empathisch tarnen. Weil sie eine Verantwortung, die sie nicht übernehmen können, ganz erwachsen von vornherein ablehnen, statt ihr hinterher nicht gewachsen zu sein und das Leid der armen Flüchtlinge auch noch verschlimmert zu haben.

Was ich aber eigentlich sagen möchte: Saya hat kein Trauma, das sie nicht aufgearbeitet hätte und sie nachts zu ihren gruseligen Wand-Attacken treiben könnte. Im Gegenteil, sie ist schon eher ein untraumatisierter Nicht-Flüchtling, falls es so was gibt.

Es gab einen Abend, da waren wir vielleicht sieben, das heißt, ich war ungefähr sechs und sie war ungefähr acht, da habe ich mit ihrer Familie einen Ausflug gemacht. Wer in der Siedlung wohnte, machte eigentlich keine Ausflüge, es sei denn, ein Familienmitglied aus einem anderen Land kam zu Besuch. Davor und danach passierte nie etwas jenseits der Steinstufen vor den Mietshäusern, jenseits der Wiese hinter Sayas Haus und jenseits dessen, was ich Getto nenne, weil es eines sein wollte. Es hatte nur den Zweck, Leute wie uns an irgendeine Ecke der Stadt zu verbannen. Das gelang auch ganz gut, denn wir machten es uns dort gemütlich, auch wenn die Müllabfuhr sich wochenlang weigerte vorbeizuschauen und die fischigen Säcke ewig in der Sonne gammelten.

Sayas Familie hatte Besuch. Irgendwelche Verwandten waren mit ihren drei Kindern, alle einige Jahre älter als wir, und der Schwiegermutter zu Gast, und Sayas Eltern verwandelten sich von den langweiligen, ernsten, schweigsamen Leuten, die für mich nur interessant wurden, wenn sie Saya etwas erlaubten, zu lachenden, liebenden Menschen. Wir fuhren raus, über Landwege und durch einen Wald. Sayas Vater pendelte in seinem rostenden Polo mehrmals hin und her, bis wir alle am Ziel waren: eine abgesperrte Holzhütte mit offener Feuerstelle inmitten einer riesigen Wiese am Waldrand. Das eigentliche Ziel war die Feuerstelle. Sayas Vater machte Feuer, und die anderen Leute kneteten Fleisch auf Metallspieße, die sie fachkundig über die Flammen hielten, das Fett tropfte, es knisterte, und Saya und ich rannten ewig um das Feuer herum. Mittlerweile ist mir natürlich klar, dass man die Grillhütte pflichtbewusst mietet, wenn man ein Hans-Werner ist und mit den Jungs seinen Achtundfünfzigsten feiert; dass es in der Hütte einen Kühlschrank, Besteck und Teller gibt, richtige Bänke und Tische; und dass auch früher niemand hier rausfuhr, um einfach nur den für offenes Feuer auserkorenen halben Quadratmeter Erde zu nutzen. Das taten nur Menschen, die sich innerlich verzehrten nach einer Welt, in der Picknick ein Volkssport war, dem alle Familien nachgingen, Menschen, die in einer Welt gelandet waren, die Deutschland hieß und die für offenes Feuer ein kleines Stück Boden vorgesehen hatte, das man mieten musste.

Wir Kinder wunderten uns nicht über die verschlossene Hütte, ruckelten zwar kurz an der Tür, interessierten uns dann aber mehr für das Verandageländer, das sich hervorragend zum Klettern und Balancieren eignete. Sayas Mutter hatte Flüssigseife dabei, die nach Himbeere roch, und ihr Vater hielt uns einen Kanister mit eiskaltem Wasser hin, sodass wir unsere Hände unter dem unregelmäßigen Wasserstrahl waschen konnten, bevor wir uns auf die Wolldecken setzten und uns den Bauch mit dem vor Fett triefenden Fleisch vollschlugen. Abends ließen die Erwachsenen das Feuer brennen, saßen drum herum und sangen Lieder, die in meiner Erinnerung alle so klangen wie *Bella Ciao*, ohne dass *Bella Ciao* darunter gewesen wäre oder ich *Bella Ciao* zu diesem Zeitpunkt gekannt hätte. Saya und ich nahmen unsere Decke und legten uns unter den überdachten Bereich der Grillhütte. Ihr Onkel trommelte auf dem inzwischen leeren Wasserkanister und die nächsten Lieder waren so traurig, dass ich am liebsten geweint hätte. Sie waren aber auch so schön, dass ich am liebsten geweint hätte. Außer dem Gesang und den Trommeln hörte man nur die Grillen und die Bäume, die sich im Wind bewegten, und Saya sagte plötzlich, als wäre das jetzt genau die richtige Stimmung, um Geheimnisse zu teilen, »Ich glaube, das ist der Onkel, der dabei war, als wir über die Berge geritten sind.« Sie sagte das, als hätte sie mir zuvor eine Geschichte erzählt, zu der diese Information passte. Sie hatte mir aber zuvor keine Geschichte erzählt, ich wusste nichts anzufangen mit den Bergen und dem Ritt, zumindest offiziell nicht. In Wirklichkeit wusste ich sofort, was sie meinte. Keine Ahnung, wieso. »Er hat das Lied auch auf dem Pferd gesungen«, sagte sie. Der Onkel, der Kinder hatte, die älter waren als Saya, hatte Menschen über die Berge und in Sicherheit gebracht. Berge, über die keine geebneten Wege führten, die verschneit waren, endlos schienen. Mit Kindern, nicht älter als vier. Saya summte leise das Lied mit. Ihre Stimme, die noch nie als helle Kinderstimme durchging, auch nicht, als sie ein Kind war, klang zusammen mit der entfernten Männerstimme so sanft und schön, dass ich mir wünschte, mein restliches Leben würde allein aus diesem Abend bestehen.

Danach durfte ich das erste Mal bei Saya schlafen, weil unsere Eltern, als wir endlich wieder zurück in der Siedlung waren, uns nicht voneinander trennen konnten. In der kleinen Wohnung war eigentlich nie Platz für einen Gast und an diesem Abend erst recht nicht. Doch Saya, ich und die drei Kinder quetschten uns in das kleine Zimmer, das sich Saya sonst mit ihren wenigen Kuscheltieren teilte. Saya schlief, wie Saya schläft. Normalerweise. Ohne Ton schlief sie ein und ohne Ton wachte sie auf. Nachts war da nie irgendwas an ihr, das rastlos schrie oder wütend tobte. Wenn sie erzählte, dann so, als würde sie immer noch in ihrer rauen Kinderstimme Revolutionslieder mitsummen. Ernst, aber ohne Dringlichkeit.

Wir waren danach, Jahre später, noch oft zusammen an Grillhütten. Es gab eine Phase, in der alle ihren achtzehnten

Geburtstag groß feierten. Mit alle meine ich alle aus der Schule, aus dem Gymnasium, in das Saya und ich gingen. Sie und ich kamen allerdings nie auf die Idee, unseren Geburtstag großartig zu feiern. Vielleicht, weil es da verschiedene Hürden gab. Eltern, die dabei sein wollten. Geld für Bier und Würstchen, das wir nicht hatten, und nach dem wir auch unsere Eltern nicht fragen konnten. Jede Menge Skrupel überhaupt, den Eltern klarzumachen, warum wir uns so wichtig nahmen, uns mit unserem Geburtstag so in den Mittelpunkt zu drängen. So unterschiedlich Sayas und meine Eltern auch immer waren, so einig waren sie sich manchmal, ohne es zu merken oder zu wissen. Zu den achtzehnten Geburtstagen der anderen wurden wir natürlich trotzdem eingeladen, diese Partys machten die Zeit in der Oberstufe sehr viel aufregender als die Jahre davor, auf ihnen spielte sich der Großteil unseres Soziallebens ab. So ist das an Orten, an denen man nicht normal feiern gehen kann, es sei denn, man organisiert sich, kennt Leute mit Autos und fährt zu den besseren Städten in der Umgebung. Die Partys fanden immer an unterschiedlichen Hütten statt, nie aber an der, deren Feuerstelle Sayas Familie damals illegal genutzt hatte. Vielleicht, weil es sie zu dem Zeitpunkt gar nicht mehr gab. Ich bin jedenfalls ganz froh, dass die Erinnerung an diesen einen Abend nicht von unseren Sauforgien überdeckt wurde.

Zu einer dieser Partys nahmen wir Hani mit, wahrscheinlich war es einer der frühen achtzehnten Geburtstage, vielleicht von einem der Jungs aus unserem Jahrgang, mit denen wir abhingen. Es war Spätsommer und tagsüber noch immer so heiß, dass es auch nachts einfach nicht abkühlte, und wir standen am Lagerfeuer und wurden betrunkener und betrunkener und niemand wäre jemals auf die Idee gekommen, etwas anderes als Bier zu trinken und etwas anderes als Tabak und Cannabis zu rauchen. Ich war verliebt in einen Jungen namens Alex, und es war so schön, verliebt in ihn zu sein, denn es ergab endlich mal Sinn, wir waren jetzt in einem Alter, in dem man nicht nur verliebt war und dann nichts geschah, nein, wir unterhielten uns richtig, über Filme und Lehrer, und es war schön, sich zu unterhalten und dabei Herzklopfen zu haben und sich zu fragen, ob er auch Interesse haben könnte. Alex war älter als ich und schlau und lieb. Genau deswegen war die Party so wichtig für mich: weil ich so aufgeregt war zu erfahren, ob etwas zwischen Alex und mir passieren würde. Ich hatte meinen liebsten Hoodie dabei und die Hose mit den großen Rissen. Den Hoodie hätte ich gerne angezogen, weil ich mich darin schön fand, aber es war leider so warm, dass es keinen Sinn hatte. Alex war ein wenig schüchtern, und wir redeten eine geschlagene halbe Stunde miteinander. Dann musste er aufs Klo und kam nicht wieder, und ich wartete dort, wo wir gestanden hatten. Ich dachte, er würde wiederkommen, er war ja nur aufs Klo gegangen. Alex kam aber nicht wieder, weil er dann, wie das eben so passiert, mit anderen Leuten über Filme und Lehrer sprach und bei den anderen Leuten stehen blieb. Ich wartete trotzdem weiter dort, an dieser Stelle, am Lagerfeuer, weil ich hoffte, es würde ihm wieder einfallen, dass er eigentlich mit mir hier gestanden und sich wirklich gut unterhalten hatte, und ich hatte dementsprechend natürlich auch große Angst davor, wegzugehen, denn dann würde er mich nicht finden können, wenn er wiederkam.

Saya hatte in der Zwischenzeit wie immer kein Interesse an niemandem bekundet. Saya war nie verliebt, zumindest nicht offiziell. Das war vielleicht eine Reaktion darauf, dass nie jemand offiziell in Saya verliebt war. Vermutlich, weil sie auf Partys wie dieser nicht tat, was man tun sollte: sich unterhalten, sich über Dinge lustig machen, sich durch witzige Sprüche profilieren, sich interessiert zeigen, sich interessant machen. Saya diskutierte aus irgendeinem Grund immer mit irgendwem. So auch dieses Mal. Sie saß in einer Ecke, auf einer der wenigen Bänke, die draußen standen, zwischen drei Jungs, drei Nerds aus dem Jahrgang über uns, und redete über den Irakkrieg. Ein Thema, über das eigentlich noch nie jemand unbedingt und inzwischen niemand mehr überhaupt sprechen wollte. Saya aber wollte unbedingt, sie wollte noch immer über den 11. September sprechen, über George W. Bush und die USA. Inzwischen hat sie sich das Thema zum Glück abgewöhnt, aber als wir alle achtzehn wurden und Saya zwanzig, waren die USA ihr Lieblingsthema und vielleicht lag das auch daran, dass die USA den meisten Zündstoff für Diskussionen boten. Die Nerds um sie herum, alle betrunken und in irgendwelche Metal-Shirts gekleidet, erzählten, was sie im Internet gelesen hatten: dass die Amerikaner die Anschläge vom 11. September selbst angezettelt hätten, um in den Irak einmarschieren zu können. Obwohl Saya zu dem Zeitpunkt ähnlich abstruse Theorien vertreten hätte, um jemanden provozieren zu können, widersprach sie ihnen, einfach, um zu widersprechen, und am Ende hielt ihr jemand einen Dollarschein hin, auf dem irgendwelche Zeichen irgendetwas enthüllen sollten. Das sei ein dermaßen alter Hut, sagte Saya bloß, so was könne doch niemand ernsthaft mehr glauben, und auch das sagte sie nur, weil es sich als Totschlagargument anbot, denn etwas, das nicht aktuell ist, hat ja irgendwie keine Bedeutung mehr. Keine Ahnung, ob ihr jemals jemand zuvor einen Dollarschein hingehalten und ihr irgendwelche Zeichen entschlüsselt hatte oder ob sie das mit dem alten Hut nur sagte, um schlauer als die anderen zu klingen. Warum hatte da überhaupt jemand einen Dollarschein dabei? Was wird aus Leuten, die mit achtzehn Dollarscheine auf Partys mitnehmen, um anderen damit Verschwörungstheorien zu erklären? Vielleicht sind das die gleichen zehn Leute, die heute für die dreißigtausend Hasskommentare im Internet zuständig sind. Na ja, Saya saß da also, wie immer gut gekleidet, wie immer umgeben von Männern und einer absolut asexuellen Aura, die mich damals noch irgendwie beunruhigte, weil ich noch nicht wusste, dass wir nicht immerzu alle so mega übersexualisiert durch die Welt gehen müssen. Das muss man ja auch erst mal verstehen: Erst wird man mit einer Welt konfrontiert, in der alle Filme, Werbeanzeigen, Witze und Darstellungen von Frauen übersexualisiert sind, dann soll man selbst aber auf gar keinen Fall übersexualisiert sein, unter keinen Umständen. Und alle daraus entstandenen Verwirrungen und Verunsicherungen legen sich auch erst, wenn man selbst schönen und regelmäßigen Sex hat, was eine ungewohnte Kausalität darstellt – Heilung von Übersexualität durch schönen Sex. Den wünschte ich mir damals, ich würde aber noch lange keinen haben. Dafür hatte Hani in dieser Nacht schönen Sex. Nicht zum ersten Mal, das weiß ich sicher, denn über ihr erstes Mal weiß ich alles, aber zum ersten Mal so, dass es alle mitbekamen. Ich habe gerade, Jahre später, schlagartig so viel Mitleid mit Hani wegen dieser Geschichte, obwohl ihr ja, wie gesagt, eigentlich etwas sehr Schönes passiert ist. Damals allerdings hatte ich kein Mitleid, da hatte ich gar keine richtigen Gefühle, weil ich einfach noch nicht so richtig verstand, was eigentlich passiert war und wie man das in der großen weiten Welt so einzuordnen hatte. Hani kam danach nicht mehr so oft mit zu unseren Partys, auch wenn wir sie weiterhin fragten. Aber wir taten es, weil es keine Option war, nicht zu fragen, und das merkte Hani ja auch irgendwie.

Als ich also am Feuer rumstand und auf Alex wartete und mich nicht mal traute, mich umzudrehen, um zu schauen, wo er blieb, standen um mich herum ein paar Leute, die lauthals lachten und anzügliche Witze über eine Schlampe machten. Zu dem Zeitpunkt war das ein Wort, das man so benutzte. Es gab Menschen und es gab Schlampen. Besagte Schlampe also hatte gerade in dem kleinen Raum, in dem sonst der Kicker stand, wilden Sex mit irgendwem. Schlampe und irgendwer, das interessierte mich nicht mal so richtig, trotzdem hörte ich zu. Sie lästerten über ihre Klamotten, darüber, wie sie sich den ganzen Abend schon benommen und dass sie es ja von vornherein voll nötig gehabt habe. Das sagte man so, voll nötig haben, was auch immer das heißen mochte. Ich fand es tendenziell aber auch eher uncool, dass ein Mädchen auf der Party war, das es so nötig hatte. Dann erst fragte einer, um wen es denn gehe, und jemand anderes sagte, »Na die mit dem russischen Akzent und den Nuttenstängeln«, was gemein war, denn Hani rauchte ihre Zigaretten mit Zigarettenhaltern, weil ihre Oma das früher so gemacht hatte und außerdem ist Hanis Akzent kein bisschen russisch und war schon zu der Zeit so dezent, dass man ihn nur hörte, wenn man ihn unbedingt hören wollte. Ehrlich gesagt aber war das nicht das, was ich damals spontan dachte. Mein erster Gedanke war: Scheiße, die reden über Hani, und scheiße, ich habe Hani mitgebracht und jetzt benimmt sie sich daneben. Als wir sie wiedersahen, später am Abend, hatte sich ihre Wimperntusche ungünstig auf den Wangen verteilt. Sie merkte natürlich, dass alle was mitbekommen hatten und ihr das die älteren Mädchen nicht verzeihen würden. Und ihr entging natürlich auch nicht, dass der Typ, den sie da gerade kennengelernt hatte, einen ziemlich schönen Abend hatte, denn er gewann danach jede Runde Beer-Pong. Immerhin aber weiß ich, dass Hani Spaß gehabt hatte, denn als sie und ich dann irgendwann die letzten vier Bierflaschen klauten und uns an den Waldrand setzten, um betrunken und traurig den Sonnenaufgang zu sehen, erzählte sie mir, dass es wirklich schöner Sex gewesen sei und sie einen wirklich schönen Orgasmus gehabt habe. Ich war noch zu unerfahren und zu beschämt, um mich dafür einfach mal mit ihr zu freuen, und hoffte stattdessen, sie würde sofort wieder vergessen, was sie da gesagt hatte, und bei der nächsten Party zu Hause bleiben. Vielleicht hätten wir alle viel mehr Spaß gehabt, wenn wir uns bei diesen Partys nicht auf unterschiedliche Männer verteilt hätten, sondern einfach zu dritt geblieben wären. Aber ehrlich gesagt hätten wir dann ja auch zu Hause bleiben können, denn der einzige Sinn dieser Partys bestand ja darin, Männer kennenzulernen, die wir damals noch Jungs nannten, sodass wir uns wunderten, wenn jemand etwas sagte wie »Männer sind Schweine«, denn Männer, das waren Schauspieler, die unsere Mütter anhimmelten, das waren Papas und Lehrer, nicht die Typen vom Schulhof, denen wir hinterherliefen.

Saya, die zum Zeitpunkt des Sonnenaufgangs längst in ihrem Bett lag, war irgendwie unzufrieden mit dem Verlauf der Party und gab erst hinterher zu, dass sie an dem Abend rumgeknutscht hatte. Natürlich nicht mit einem der Nerds, die zwar an ihren Lippen gehangen hatten, aber niemals irgendetwas gestartet hätten, das als Annäherungsversuch durchgegangen wäre, sondern mit Leo, dem Klassenschönling, mit dem heimlich alle küssen wollten. Leo, der dann auch Sayas erster Freund wurde und der inzwischen nur noch für eine bestimmte Anekdote herhalten muss, die ich jetzt zum Besten geben könnte, wenn ich nicht gerade von der Grillhütte und dem ersten Kuss zwischen den beiden erzählen würde. Die Anekdote hebe ich mir für später auf. Jedenfalls hätte ich schwören können, dass ich Saya den ganzen Abend im Blick gehabt und es keinen Moment gegeben hatte, in dem sich das mit Leo hätte anbahnen können. Aber es war wohl passiert und irgendwie hatten sie es geschafft, dem Gerede zu entkommen. Damit könnte ich diese Erinnerung auch abschließen, denn der gedankliche Ausflug zu den Grillhütten unserer Jugend war ja eigentlich ganz nett. Ich könnte Sayas Erlebnisse an diesem Abend, auf dieser Party einfach so stehen lassen, aber das geht nicht. Ich erinnere mich nämlich noch genau an einen Teil der Diskussion, die Saya und die Nerds an diesem Abend, an dieser Hütte führten, weswegen ich ganz genau weiß, dass es dieser Sommer war, in dem Saya anfing, das schmuddelige Wort »Rassismus« in den Mund zu nehmen, wenn sie über ihre eigenen Erlebnisse sprach, und dass sie in diesem Sommer aufgrund dieses Gesprächs auch erst mal wieder damit aufhörte.

Das war nämlich genau der Sommer, in dem Sayas Tanten zu Besuch nach Deutschland gekommen waren. Das sollte eigentlich als Erklärung genügen. Weil ihr aber natürlich schon wieder nichts versteht und immer alles ganz genau erklärt bekommen müsst, bevor ihr widersprecht, hole ich ein bisschen weiter aus. Ich werde das ausführlicher erklären, als Saya es den Nerds gegenüber tat, damit ihr hinterher nicht sagen könnt, ihr hättet das Ganze jetzt aber irgendwie doch nicht so richtig verstanden.

Es war also der Sommer, in dem Sayas Tanten zu Besuch gekommen waren. Saya und ihre Eltern fuhren zu diesem Zeitpunkt nicht mehr mit dem Auto zu verschlossenen Grillhütten, denn inzwischen wussten sie, was erlaubt und was eher so Kategorie illegal war, und so erlebten Saya und ihre Tanten den ganz normalen Siedlungs-Alltag mit langen Spaziergängen, dekadenten Einkäufen, langem Kochen und endlosen gemeinsamen Essen. Die Tanten wollten Saya, ihre Mutter und ihren Vater sehen und nichts Spannendes im spannenden Ausland erleben. Dafür waren sie auch viel zu alt. Sie waren eigentlich auch für diese Reise zu alt, das ahnte man, als sie am Flughafen ankamen und erst einmal in Ruhe zu McDonald's wollten, anstatt direkt in ein Auto zu steigen. Die Tanten waren so alt, dass klar war: Sie waren jetzt zwar nach Deutschland gereist, würden das vermutlich aber nie wieder in dieser Form tun können. Saya war nicht aufgeregt oder emotional, als sie und ihr Vater ihre Tanten mit einer Rose für jede am Flughafen empfingen. Sie war stolz. Wer konnte schon behaupten, seine ersten Lebensjahre bei drei starken Frauen verbracht zu haben, die nun extra anreisten, um den eigenen zwanzigsten Geburtstag mit einem zu feiern. Das mit dem zwanzigsten Geburtstag hatten sie zwar nur im Visumsantrag angegeben, um einen Anlass für die Reise zu haben und niemanden misstrauisch werden zu lassen, doch Saya hatte, weil ihr Geburtstag tatsächlich anstand, beschlossen, dass es sich hierbei um die Wahrheit handelte und dass es wiederum ihre Aufgabe sein würde, für die Tanten zu sorgen und sie angemessen zu würdigen. Bei McDonald's angekommen, setzten sich die Tanten und Saya übernahm mit ihrem Vater die Bestellung. Wenig später lief sie mit einem Tablett voller Pommes, Cola und viel Ketchup in Richtung des Tisches in der sonnigen Ecke des Restaurantbereichs. Als Saya das Tablett trug, fühlte sie sich noch ganz normal. Doch als sie sich dem Tisch mit den drei Damen näherte, schien es ihr auf einmal, als würde sie eine Bühne betreten. Die Tanten wurden angestarrt, sowohl von den Leuten an den Nachbartischen als auch von denen, die weiter weg saßen. Saya verteilte die Pommestüten, wurde dafür mit Küsschen bedacht und wollte auf einmal lieber woanders sein, wollte am liebsten mit ihrer Familie allein sein und sich über den Besuch der Tanten freuen, ohne dabei über die Leute ringsum nachdenken zu müssen.

In den kommenden zwei Wochen aber konnte sie dieses Gefühl nicht ablegen: Sie gingen die Feldwege um die Siedlung entlang, spazierten durch die stillen Wälder und fühlten sich wohl. So lange, bis sich ein Spaziergänger, ein junger Mann mit Hund oder ein älteres Ehepaar mit Spazierstöcken näherte. Drei Frauen, die alle Kopftuch trugen, mussten wohl zwangsläufig angestarrt werden, und Saya fühlte die Blicke selbst dann noch, als die Spaziergänger längst hinter der nächsten Abzweigung verschwunden waren. Wenn Saya dann alleine unterwegs war, zur Schule ging, sich nachmittags mit uns auf dem verlassenen Waldspielplatz traf, blieben die Augen überall auf sie gerichtet. Es gab niemanden, der sie sehen konnte, und doch fühlte sie sich so sichtbar. Die Tanten schienen es nicht zu merken. Sie waren ohnehin ständig damit beschäftigt, Saya anzuhimmeln.

Eines Abends saßen Saya, ihre Eltern und die Tanten am Tisch und aßen. Als Saya die Hausaufgaben erwähnte, die sie machen musste, lobten sie die Tanten dafür, dass sie so fleißig war, so eine fleißige Schülerin, so ein kluges Mädchen, und Saya freute sich erst, ging dann aber in ihr Zimmer und spürte, wie wütend sie war. Erst dachte sie, es würde daran liegen, dass sie gar nicht fleißig, sondern einfach nur klug war, dann fiel ihr ein, dass das gar nicht stimmte. Sie war immer schon fleißig gewesen. Sie hatte immer schon getan, was sie tun sollte, hatte die Hausaufgaben erledigt, hatte die anderen Kinder und die Lehrer in Ruhe gelassen, hatte sich gemeldet, wenn sie was wusste. Sie hatte alles gemacht, was guten Schülerinnen aufgetragen wurde. »Auf das Gymnasium geht sie, was für ein Erfolg!«, hatte die Lieblingstante anerkennend gesagt, damals, am Telefon, und die jüngste Tante hatte es heute wiederholt, weil ja das Abitur bald anstand. Saya erinnerte sich, dass ihre Eltern sie auf das Gymnasium geschickt hatten, weil sie es so wollten, aber auch, weil Saya es so wollte, weil sie ein Zeugnis voller guter Zweier und weniger Dreier hatte. Weil ihre Eltern der Meinung waren, dass das zusätzliche Jahr im Kindergarten und die freiwillige Wiederholung der ersten Klasse gereicht hatten, um die sprachlichen Defizite aufzuholen. Und damit hatten sie ja auch recht: Sayas Aufsätze und Diktate unterschieden sich nicht von denen ihrer Klassenkameraden. Die Empfehlung lautete damals trotzdem Realschule. Als Saya über ihren Matheaufgaben saß, dachte sie darüber nach, ob sie die ganze Zeit nicht kapiert hatte, was in Wirklichkeit passierte. Dass man sie damals angesehen hatte, wie man jetzt ihre Tanten ansah. Dass man sie nach Maßstäben bewertet hatte, die sich von den allgemeinen Maßstäben zu unterscheiden schienen. Man hatte sie die erste Klasse wiederholen lassen. Wer musste denn schon die erste Klasse wiederholen? War es wirklich so schrecklich simpel? Hatte es vielleicht nicht doch einfach an ihr gelegen?

Am nächsten Tag fuhr Saya mit ihren Tanten in die Innenstadt, sie wollten Mitbringsel kaufen, die Tanten waren besonders interessiert an Elektroartikeln *Made in Germany*, und weil Sayas Eltern arbeiten mussten, gingen Saya und die Tanten allein auf Einkaufstour. Als sie in den Bus stiegen, raunzte der Fahrer ihre Lieblingstante an, ob sie denn ein Ticket habe. Die Lieblingstante schaute verwirrt zu Saya, die, ebenfalls verwirrt, sagte, »Nein, wir haben alle kein Ticket, ich habe ja auch noch gar keins gekauft. Vier Fahrscheine bitte.« Der Busfahrer stellte ihr wortlos die Fahrscheine aus, schaute sie dabei nicht an und reagierte auch nicht auf ihr »Danke« und »Wiedersehen«. Saya und die Tanten stiegen in den Bus und bekamen von anderen Fahrgästen Sitzplätze angeboten. Saya gab sich Mühe, nicht weiter über den Busfahrer nachzudenken, aber es gelang ihr nicht. Es gelang ihr auch nicht, sich davon zu überzeugen, dass es einfach ein unfreundlicher, mit seinem Leben und Beruf unzufriedener Busfahrer war, der seine schlechte Laune nun einmal an allen anderen ausließ. Denn das führte sie direkt zu der Überlegung, ob er die schlechte Laune dabei gleichmäßig an allen anderen ausließ oder eben nur an manchen. Saya sprach im Bus mit den Tanten, aber sie sprach extra leise, weil sie ein ungutes Gefühl dabei hatte, sich zu laut in der gemeinsamen Sprache zu unterhalten. Die Tanten sprachen ebenfalls leise, weil sie sich anpassten und dachten, dass man das in deutschen Bussen so tat.

Das nächste Erlebnis an diesem Tag war für Saya ähnlich beklemmend und uneindeutig und vielleicht war es wirklich ein blöder Zufall, dass sie gleich zwei solcher Erlebnisse an einem Tag hatten.

Sie schlenderten gerade durch den Elektroladen und hatten Föhns, elektrische Dosenöffner, Rasierapparate und einen Reisewasserkocher in ihren Einkaufswagen gestapelt. Saya stand bei den CDs, um sich eine auszusuchen, denn die Tanten wollten ihr als Dankeschön für die kompetente Beratung und das Übersetzen etwas kaufen, das sie sich selbst nicht leisten konnte. Saya schwankte noch zwischen dem Album einer jungen Pop-Sängerin, die sie mochte, wofür sie sich aber ein wenig schämte, und der neuen Platte einer Indie-Band, die sie zwar auch mochte, jedoch in erster Linie, weil sie der Meinung war, dass der Kauf dieser CD sich besser in ihr Selbstbild fügen würde. Dann aber kam der Kaufhausdetektiv und bat Saya und die Tanten, ihm zu folgen. Er war freundlich und hatte einen tänzelnden Gang und Saya fiel auf, dass er den Tanten mit dem Respekt begegnete, den man älteren Menschen ihrer Meinung nach entgegenbringen musste. Dennoch bat er sie, mitzukommen, wirklich nur kurz, wirklich nur aus Routinegründen, und als sie den kleinen Raum wieder verließen, weil ihre Mäntel und Handtaschen selbstverständlich nicht mit Diebesgut gefüllt waren, sagte er entschuldigend zu Saya, dass das Stichproben seien, die sie manchmal bei Kunden machen müssten. Saya wiederum musste den Tanten natürlich erklären, was passiert war, ihre Gesichter hatten einen fragenden Ausdruck angenommen, sie warteten auf die Erklärung, dass das alles Teil einer Normalität war, um die man sich keine Gedanken machen musste. Saya übersetzte die Worte des freundlichen Kaufhausdetektivs, aber sie tat es nicht, ohne gleichzeitig an ihnen und sich selbst zu zweifeln, weswegen sie danach schnell das Thema wechselte und inständig hoffte, nicht weiter darüber reden zu müssen.

Auf der Busfahrt nach Hause fühlte Saya wieder die Blicke, obwohl niemand außer ihnen im Bus war und diesmal ein freundlicher Mann am Steuer saß. Die Blicke aber waren nicht nur da, sie kontrollierten sie, sodass sich Saya kerzengerade hinsetzte und kurz in der Fensterscheibe überprüfte, wie sie aussah, ob sie am Morgen alle Gesichtshaare entfernt und einen geraden Scheitel gezogen hatte. Die Tanten hatten derweil die Augen geschlossen, müde von dem aufregenden Ausflug.

Saya behielt das alles erst einmal für sich, bis sie es wieder und wieder durchdacht hatte und zu dem Schluss gekommen war, dass man darüber sprechen durfte. Sie war sich nur noch unsicher, wie es aufgefasst werden würde. Die Sommerferien gingen zu Ende, die Tanten verabschiedeten sich weinend und flogen zurück in ihr richtiges Leben. Der September war so heiß, dass die ersten Partys des neuen Schuljahrs noch immer unter freiem Himmel stattfanden und nach Sommer rochen, und bei einer dieser Partys erzählte Saya jetzt also zum ersten Mal von den Erlebnissen mit ihren Tanten.

An diesem Abend saß Saya wie gesagt sehr lange zwischen einer Handvoll Nerds, die sie anhimmelten, sich aber auch vor ihr fürchteten, und Saya hatte Redebedarf und sie hatte genug getrunken, um die Erlebnisse mit den Tanten zum Gegenstand einer Diskussion zu machen, auf die sie Lust hatte, weil sie grundsätzlich Lust auf Diskussionen hatte. Mit dem Selbstbewusstsein einer Frau, die sich ausdrücken und andere damit einschüchtern kann, hörte ich sie zu den Nerds sagen, dass Deutschland ganz offensichtlich ein großes Rassismus-Problem habe, dass es wirklich auffällig sei, dass man die Nazis von damals in ihren Enkeln und Urenkeln wiederfinden könne und man einfach nur Bus fahren müsse, um zu dieser Erkenntnis zu gelangen. Die Nerds, nennen wir sie Respektes halber anders, nennen wir sie mal »die Jungs«, waren an dieser Stelle aber auf einmal gar nicht mehr diskutierfreudig und Saya erschien ihnen auf einmal auch weniger anziehend. Was das denn für eine merkwürdige Aussage sei, fragte einer, der schon mit dreizehn im Geschichtsunterricht aufgefallen war, weil er alle Zahlen und Daten des Zweiten Weltkriegs auswendig gelernt hatte. Das könne man Deutschland nun wirklich nicht vorwerfen, nach all dem, was erst die Alliierten und dann auch die 68er durchgesetzt hätten. »Es gibt das Bundesentschädigungsgesetz, das Kontrollratsgesetz Nr. 10, schon mal was von Reparationszahlungen gehört?« Er nannte weitere Begriffe und Zahlen, während die anderen Jungs darauf warteten, sich endlich über etwas Spannenderes unterhalten zu können. Saya fühlte sich unwohl, als hätte sie ein Thema angeschnitten, von dem sie eigentlich gar keine Ahnung haben konnte. Es war das ihr bis heute bekannte Gefühl, sich über etwas Gedanken zu machen, mit Menschen darüber zu reden und gleichzeitig zu glauben, dass alle anderen dann doch viel befugter waren, dazu eine Meinung zu haben, weil sie ja, wie in diesem Fall, über die notwendige Expertise zu verfügen schienen, und über die verfügte man nur, wenn man Zahlen und Daten parat hatte. Doch zu dem, was Saya erlebt hatte, gab es keine Zahlen und Daten. Sie sagte noch mal, Deutschland sei ein rassistisches Land. Rassistisch, sagte der Geschichtsjunkie daraufhin, würde ja wohl bedeuten, man würde an die Rassenideologie glauben und das täte ja wohl keiner mehr in Deutschland, der noch ganz bei Trost sei.

Damit war die Diskussion beendet und erst Jahre später, wirklich viele Jahre später, sagen wir, in diesem Jahr, war Saya aufgefallen, dass sie in solchen Diskussionen nie eine Chance gehabt hatte, denn alle, auch sie selbst, sahen ihre Rolle lediglich darin, provozierende Dinge in die Runde zu werfen und allen inbrünstig zu widersprechen, aber ihre Rolle sah nicht vor, recht zu haben. Deswegen vielleicht war es für Saya auch vorerst das letzte Mal, dass sie versuchte, mit anderen darüber zu diskutieren, ob die Menschen in Deutschland rassistisch waren oder nicht, und sich stattdessen eine andere Herausforderung suchte, um einen Erfolg verbuchen zu können, und auf mysteriöse Weise am Ende den Klassenschönling küsste. Ich aber hatte Sayas Gespräch vom Lagerfeuer aus gehört und sie verstanden. Es handelte sich hier nicht um die Fantasiegeschichten, die sie uns erzählt hatte, als wir Kinder waren, und mit denen sie uns dazu gebracht hatte, die unmöglichsten Dinge anzustellen. Sie wollte hier nicht sehen, wie weit sie gehen konnte und was man ihr alles glauben würde. Saya musste gar nicht weitererzählen, ich verstand, was ich zuvor ignoriert hatte.

In dem Moment, in dem sie sagte, »Deutschland ist ein rassistisches Land«, habe ich ihre Erfahrungen aus dem Sommer mit all unseren anderen, früheren Verletzungen verbunden. Frühere Erfahrungen mit anderen Kindern und der ständigen Frage, wer sich wie oft wäscht und wer wie viel von welchem Knollengewächs isst, wessen Väter aussehen, als würden sie zu welcher kriminellen Vereinigung gehören und wessen Geld aus zweifelhaften Geschäften stammen musste, all so was. Zwischen all diesen kleinen Stichen hatte Saya nun Linien gezogen und dabei war ein Bild entstanden, so wie bei diesen Rätseln in den Apothekenheftchen früher. Ich sah das Bild klar und deutlich. Deswegen vielleicht eignete ich mich bei diesem Thema auch nicht als Diskussionspartnerin: Ich wusste, dass Saya recht hatte. Ich stellte mir die Tanten im Bus vor und schämte mich dafür, dass ich nicht mit ihnen im Bus hätte sitzen wollen, auch ohne die Begegnung mit dem Busfahrer, denn es wäre mir peinlich gewesen, die Tanten wären mir peinlich gewesen, denn so, mit diesen Tanten, durfte man unter keinen Umständen gesehen werden. Hani eignete sich bei diesem Thema übrigens auch nicht als Diskussionspartnerin, das hatte Saya recht schnell festgestellt. Hani wollte das alles nicht hören, weil es wehtat, das zugeben zu müssen. Weil es die Welt, in die sie sich, seit sie in Deutschland lebte und seit sie die Sprache gelernt hatte, ganz gut eingefügt hatte, auf einmal in ein anderes, trauriges Licht stellen würde. Weil sie vielleicht insgeheim wusste, dass sie dieses Licht anders traf als uns, weil man uns auf den ersten Blick anders wahrnahm. Und weil sie einfach keine Lust mehr hatte. Viel zu oft war Hani in ihrem Leben dieser und jener Gruppierung zugeordnet worden, sie hatte genug von Bezeichnungen, Allianzen, Konsequenzen, von den vermeintlichen Unterschieden vermeintlich verfeindeter Gruppierungen. Das alles hatte sie hinter sich gelassen. Hanis Strategie war schlicht und sie war, obwohl ich ihr das nie so richtig zugestehen wollte, enorm mächtig: Es gab keine Probleme, solange man sie ignorieren konnte. Hani und ich waren Saya also keine Hilfe. Es dauerte eine Weile, bis Saya die Leute fand, mit denen sie die wirklich ergiebigen Gespräche führen konnte. Sie fand sie im Ausland, in London, in Bogotá, New York und Tel Aviv. Sie fand Menschen, die zum Thema Rassismus auch Zahlen und Daten nannten, die das Wort an einem Abend häufiger benutzten, als sie es in ihrem ganzen Leben je gehört hatte, die ihr Texte zu lesen gaben und ihr halfen, all das, was sie in der Welt gesehen hatte, einzuordnen. Sie konnte bald für alle Erlebnisse, sobald sie diese als Phänomene mit Struktur betrachtete, den passenden Begriff und die zugehörige Literatur finden. Sie hatte jede Menge neues Werkzeug entdeckt und festgestellt, dass sie alles andere als allein war. Dass all diese Phänomene, in unterschiedlichem Gewand und in unterschiedlicher Komplexität, auch an anderen Stellen auftraten. Saya fühlte sich, als hätte sie jetzt, in ihren Zwanzigern, plötzlich eine erweiterte Sehkraft erlangt, mit der sie Farben wahrnahm, die sie zuvor nicht hatte sehen können. Jetzt waren sie überall und sie konnte nicht glauben, dass sie ihr zuvor entgangen waren. Sie suchte nach Wegen, diese Farben all denen zu beschreiben, die sie konsequent übersahen. Sie war beinahe besessen davon, sie wollte es jedem, der einen ignoranten Spruch brachte oder sie etwas Grenzüberschreitendes fragte, erklären, bis er verstand. Um sich zu wappnen, ging sie ins Internet und las Kommentare unter Artikeln und Posts. Das ist kein Witz, obwohl ich selbst gerade kurz lachen musste. Nächtelang bestätigte sie sich dabei, was sie ohnehin schon wusste: Die Welt war voller Arschlöcher, die nicht müde wurden, ihr menschenverachtendes Weltbild zu propagieren. Saya konnte nicht aufhören zu lesen und sah es als eine Recherche für den weiteren Kampf. Zwischendurch hatte sie Phasen, in denen sie mit ihrem eigens dafür eingerichteten weißen Fake-Profil eifrig gegenargumentierte. Weil die Diskussionen aber erwartungsgemäß keinen Hinweis darauf gaben, dass man ihre Mühen zu schätzen wusste, ließ sie ihr weißes Fake-Profil irgendwann schweigen und verbrachte weitere Stunden mit dem stummen Sichten des lauten Hasses. Danach konnte sie selbstverständlich nicht schlafen, sondern wartete verzweifelt auf den Anbruch des nächsten Morgens. Die Zeit bis dahin vertrieb sie sich mit weiteren Kommentaren.

Wir drei sahen uns zu dieser Zeit in unregelmäßigen Abständen, aber wir sahen uns. Und das vor allem, um uns einzugestehen, dass Saya und ich inzwischen die gleichen Feststellungen getroffen hatten, dass wir die gleichen Begriffe und Definitionen kannten, auch wenn ich dafür keinen einzigen Online-Kommentar lesen musste. Dass Saya und ich uns in allem so einig waren, konnte Hani nicht ignorieren, und sie konnte ihren Frieden mit unseren Begriffen erst finden, als wir anfingen, uns über die genannten Phänomene nicht mehr zu ärgern und zu streiten, sondern uns darüber lustig zu machen. »Heult nicht rum«, sagte sie dann manchmal auf unser Lachen, »wo wären unsere Eltern und deren Eltern, wenn die alle immer wegen Ungerechtigkeiten rumgeheult hätten?« Und ein einziges Mal sagte sie noch so etwas wie »Schlimm genug, Minderheit zu sein. Seid halt keine heulende Minderheit«. Sie klang dabei plötzlich so, wie Saya normalerweise klingt, und Saya musste das hinnehmen, denn ihr und mir fiel keine passende Antwort darauf ein.

Hani, hättest du so etwas nicht heute Morgen zu Saya sagen können? Oder am Dienstag? An den Tagen danach? Warum vor Ewigkeiten und dann nie wieder?

Ich mache ohne Reihenfolge weiter, ihr Deutschlehrer und Deutschlehrerkinder. Es ist intellektuell schon auch zumutbar, dass ich nicht bei A anfange und bei heute Nacht aufhöre, und dass ich die Personen, die man kennen muss, um meinen Bericht über die vergangenen Tage zu verstehen, nicht mit jedem noch so kleinen Detail ihrer Biografie vorstelle. Es ist ja auch nicht so, als hätte die Welt uns eine Reihenfolge geliefert, die Sinn ergeben würde. Warum sollte ich mich dann an eine halten? Reihenfolgen sind was für Deutschlehrer, damit sie unsere Geschichten zügeln können. Was für Geschichten sollen denn bitte schön entstehen, wenn man sich immerzu an Einleitung-Hauptteil-Schluss halten muss. Beschauliche, brave Geschichten von beschaulichen, braven Kindern. Mit ihren Reihenfolgen wollen Deutschlehrer nur dafür sorgen, dass Leute wie wir unsere Geschichten für uns behalten. »Du hast den Aufbau verfehlt«, stand dann unter meinen acht Seiten, handgeschrieben mit roter Tinte. »Ist doch egal«, hätte ich darunterschreiben sollen, am besten auch mit Rotstift, »ist doch völlig egal, denn das, was ich schreibe, ist der Hammer.« Also: Kinder dieser Welt, schreibt das unter die Anmerkungen eurer Lehrerinnen und Lehrer. Ich habe die Reihenfolge seither immer eingehalten, dabei hätte ich bestimmt bessere Geschichten geschrieben, wenn ich es nicht getan hätte. Und das hätten sogar die Deutschlehrer eingesehen, wenn sie mal nachgedacht hätten. Wenn sie mal darüber nachgedacht hätten, wie komisch es ist, dass sie unter die Aufsätze, bei denen ich mich an die Reihenfolge gehalten hatte, »Du hast dir eine tolle Geschichte ausgedacht!« schrieben und mir dann doch nur eine Zwei gaben. Das muss denen doch auch komisch vorgekommen sein. Tolle Geschichten verdienen eine Eins oder sie sind eben keine tollen Geschichten und verdienen Verbesserungshinweise. Das machte die Scheinheiligkeit so offensichtlich, denn es gab einfach nichts, was ich hätte besser machen können. Es gab für mich trotzdem keine bessere Note als die Zwei. Ich sollte mich mit ihr zufriedengeben und mich freuen, dass ich überhaupt ein Gymnasium besuchen und Abitur machen konnte. Andere hatten das nicht geschafft, ich hingegen schon, was wagte ich da auch noch, die Bestnote zu verlangen.

Wobei, andererseits waren diese Aufsätze die beste Vorbereitung auf das richtige Leben, das mir jetzt in Form der abgelehnten Bewerbungen auf meinem Schreibtisch entgegenstrahlt. Das richtige Leben sagt mir ja auch, dass ich eigentlich alles toll gemacht habe, aber schade, blöd gelaufen, es wird trotzdem nicht toll weitergehen.

Am Mittwoch, nach einer kurzen irritierenden Nacht, hatte ich einen Termin beim Jobcenter. Seitdem liegen die Bewerbungsmappen hier auf dem Tisch, weil ich einen neuen Motivationsschub bekam und sie aus der Schublade kramte.

Den Motivationsschub bekam ich wohlgemerkt nicht im Jobcenter, sondern nach meinem anschließenden Zusammenbruch. Ich hasse das Jobcenter. Vielleicht hasse ich es besonders, weil ich am Anfang dachte, es wäre dafür da, mir zu helfen. Nach meinem Studienabschluss habe ich ein Wochenende durchgetanzt. Weil ich den Stress abschütteln wollte, weil ich stolz auf mich war, weil ich mein Studium mochte und trotzdem froh war, dass es rum war, und weil ich meinen Abschluss mit 1,0 gemacht hatte. Weil ich fleißig war, vor allen Dingen aber, weil ich geliebt habe, was ich gelernt habe. Ich habe meine Diplomarbeit geliebt und die Arbeit daran, das wochenlange Lesen und Schreiben in der Unibibliothek, das Diskutieren am Abend, das Zweifeln in der Nacht, die guten Ideen am nächsten Morgen, das Thema, die Bezüge, die sich immerzu zwischen der Welt um mich herum und der Arbeit ergaben. Deswegen studierte ich Soziologie und deswegen brachte ich auch wenig Verständnis für Leute auf, die mich fragten, was ich später einmal damit machen wollte. Weil es gar nicht darum ging. Dachte ich. Wer etwas lernt, weil es ihm um die Arbeit als solche geht, ist doch nicht so naiv und studiert, sondern macht eine Ausbildung. Der einzige Grund, weshalb ich studieren wollte, war das Studium selbst. Das habe ich meinen Eltern wochenlang erklärt und sie haben es vermutlich bis heute nicht verstanden, weil bis heute für sie die Frage, wann ich Geld verdiene, wichtiger ist als die Frage nach dem, was mein Kopf will. Ich sagte ihnen immer, dass es Studiengänge wie Soziologie ja wohl nicht gäbe, wenn sich am Ende nicht auch die dazugehörigen Jobs böten, aber das war so eine Reiche-Leute-Logik. Dass die bei armen Leuten meistens nicht aufgeht, sagten mir die Blicke meiner Eltern. »Wenn schon studieren, warum dann nicht Lehramt?«, fragte meine Mutter dann, als wollte sie, nur so zur Erinnerung, ein plastisches Beispiel für ihre Arme-Leute-Logik geben. Während meine Eltern also dachten, ich verlöre wertvolle Zeit, lernte ich und war erleichtert, denn die Universitäts-Realität war so, wie ich sie mir vorgestellt hatte. Das Allerbeste daran: Die Leute dort ließen mich in Ruhe. Niemand meldete sich im Hörsaal und erzählte ungefragt Geschichten aus dem eigenen, langweiligen Privatleben, und die Lehrenden waren so professionell mit sich selbst beschäftigt, dass sie mir nicht zu nahe kamen. Nachts las und recherchierte ich und meine Prüfungen bestand ich mit Bravour, und ich war mir sicher, in meinem Leben nur richtige Entscheidungen getroffen zu haben.

Dann kam der erste Termin beim Jobcenter, auf den ich mich absurderweise auch noch freute. Es war ein Erstgespräch, ich hatte dort zuvor Formulare erhalten und ahnte noch nicht, dass ich keinen Plan haben würde, was die auf diesen Blättern gestellten Fragen zu bedeuten hatten. So viel zu dem, was mir mein Studium in Bezug auf das richtige Leben gebracht hat: Ich verstand nicht, was man mich fragte. Aber das würde ich erst zu Hause feststellen. Im Jobcenter lächelte ich die Leute an, um ihnen zu zeigen, dass ich eine gute Patientin sein würde. Sie wiederum nannten mich Kundin, was ich irgendwie nett fand. Sowohl als Patientin als auch als Kundin bin ich freundlich und lächle. Das habe ich mir bei meiner Mutter abgeschaut, die in Wirklichkeit oft überhaupt keinen Grund hat zu lächeln. Irgendwie aber hat sie mir dadurch schon früh weniger leidgetan, denn ihr Lächeln hat gezeigt, dass ihr so schnell niemand etwas abkann. Ich dachte also, wenn ich da reingehe, ins Jobcenter, jung, ordentlich gekleidet, mit meinem Einser-Abschluss und dem unbedingten Wunsch, dass man mir anspruchsvolle Stellen vorschlägt, würde ich den Sachbearbeiterinnen den Tag versüßen. Klar wusste ich, dass das Jobcenter und Hartz IV gesellschaftlich verpönte Faulheitsausreden für Assis waren, das hatte mir die Welt früh genug beigebracht, und ich kannte das übliche Klientel des Jobcenters gut: Ich war mit ihnen aufgewachsen, hatte neben und unter und über ihnen gewohnt, jedes Wort, das sie sich zubrüllten, gehört und verstanden, ich hatte mit ihren Kindern gespielt und ihnen Schimpfwörter beigebracht, an dieser Stelle liebe Grüße. Aber ich war ja keine von denen. Ich war ja eine, die dieses Angebot des Sozialstaates nur kurz beanspruchen würde, um dann schnellstmöglich in die Sozialkassen einzuzahlen und somit alles gleich wieder zurückzugeben. Das, dachte ich, würden mir die Profis im Jobcenter direkt ansehen.

Dann kam das Erstgespräch. Frau Duncker saß mir schräg gegenüber. Ich wusste noch zu wenig über Frauen wie Frau Duncker. Ich wusste noch nicht, dass auch sie mal Patientinnen gewesen waren und sie dann, weil es keine Stellen für sie gegeben hatte, Teil der Jobcenter-Familie geworden waren, in der es Punkte dafür gab, Leute wie mich so schnell wie möglich wieder loszuwerden. Leute wie mich hieß in diesem Fall: alle. Alle, die kamen, sollten sofort wieder weg. Insofern ist Patientin tatsächlich das bessere Wort als Kundin. Beim Jobcenter allerdings setzt man nicht auf die Heilung der Krankheit, sondern auf die Heilung der Symptome. »Sie haben also Soziologie studiert?«, fragte Frau Duncker, und ich nickte stolz, die glänzende

1,0 auf der Stirn, und hoffte, Frau Duncker würde sich nicht minderwertig fühlen, weil sie kein Studium absolviert hatte. Das ist okay, Frau Duncker, dachte ich, wir sitzen doch alle im selben Boot. »Und Sie denken jetzt, dass Sie mit diesem Abschluss Aussicht auf einen Beruf haben?«, fragte Frau Duncker dann. Ich verstand nicht genau, aus welcher Perspektive sie zu einer solchen Frage kam, zumindest konnte es nicht die Perspektive einer Frau sein, die sich mir gegenüber minderwertig vorkam, weil sie keinen Studienabschluss hatte, so viel stand fest. Sie blätterte kurz in meinem Lebenslauf und in den Bewerbungen, die ich vorgelegt hatte, um zu zeigen: Ich bin schon ganz bemüht, keine Sorge. Sie überflog die Zeilen auf den Seiten, ohne sich die Mühe zu machen, den Kopf zu senken, sie hielt ihn gerade und senkte nur den Blick, sodass es fast aussah, als würde sie schlafen. Ich wusste ja, was auf den Seiten stand und dachte, das muss sie doch sehen, dass das alles toll ist. Ein Auslandssemester in Spanien, Fremdsprachenkenntnisse, ein wenig ehrenamtliches Engagement, die Beste meines Jahrgangs, das stand da alles drin. Frau Dunckers Gesichtsausdruck aber, der irgendwo zwischen verständnislos und angeekelt lag, änderte sich nicht. Schließlich legte sie die Mappe beiseite, was nach neuer Energie für neue Taten aussah und mir kurz neuen Mut gab. »Frau R.«, sagte sie dann und nuschelte dabei meinen Nachnamen hinfort, damit sie sich keine Blöße, aber auch keine Mühe geben musste, »ich sehe nicht, dass es im Moment viele Stellen geben würde, die zu Ihrem Profil passen könnten. Das liegt nicht an Ihren Qualifikationen, sondern daran, dass diese Stadt voll ist mit Leuten wie Ihnen.« Ich schaute sie an und dachte, dass das nicht stimmte. Dass diese Stadt voll war mit Leuten wie Frau Duncker. Mit Leuten, die nie kämpfen mussten, die nie was erreichen wollten und nie was erreichten. Diese Stadt war mit Sicherheit nicht voller Menschen, die sich durch meine Wälder geschlagen haben und die trotzdem voller Hoffnung hier gelandet sind. »Wo ich gute Chancen für Sie sehe«, sagte Frau Duncker und hatte auf einmal ein kleines Strahlen in ihren grünen Augen, »ist im Callcenter.« Ich sagte nichts, obwohl in meinem Kopf ein *Alter, ernsthaft, Callcenter?* dröhnte. Frau Duncker bekam geradezu Flügel bei dieser Vorstellung, »Sie hätten einerseits eine Festanstellung, bei der Sie gefordert werden, und andererseits optimale Chancen, schnell aufzusteigen.« Und ich, die ich Orte wie das Callcenter bereits von innen kannte, weil man dort in den Semesterferien jobbte, aber nicht, weil man dort nach dem Studium landete, versuchte allen Ernstes noch immer, sie nicht verächtlich anzuschauen, um sie nicht auf die Idee zu bringen, ich hätte keinen Respekt vor Menschen, die in einem Callcenter oder eben in einem Jobcenter oder in irgendeinem anderen Center arbeiten. Denn den habe ich. Ich wüsste nur nicht, warum ich mir die vergangenen Jahre harter Arbeit, warum ich mir die finanziellen und familiären Widerstände hätte antun sollen, wenn ich am Ende das Callcenter für meine paradiesische erste Anlaufstelle zu halten hatte. Aber das sagte ich nicht. Ich nahm die Stellenangebote entgegen und hatte fortan Angst vor den Terminen beim Jobcenter. Wenigstens habe ich Frau Duncker nie wiedergesehen und eine halbwegs freundliche Sachbearbeiterin bekommen, die sich nie verächtlich, aber auch nie besonders hilfsbereit zeigte. Alle paar Wochen muss ich zu ihr und alle paar Wochen werde ich panisch bei dem Gedanken, dort, von jeglichem Selbstbewusstsein befreit, wieder weggeschickt zu werden und trotzdem keinen Schritt weitergekommen zu sein.

Damals, nach dem Erstgespräch, traf ich mich mit Lukas und weinte. Ab da war klar, dass ich diese Jobcentersache nicht mehr allein durchstehen sollte. Deswegen musste ich am Mittwoch, vor meinem Termin, schon wieder an Lukas denken, daran, wie schön es wäre, wenn er weiterhin mit mir zu all diesen Terminen gehen würde und ich nicht mehr alleine hinmüsste. Das fiel mir natürlich gerade deshalb auf, weil ich diesmal alles andere als allein war. Saya war mitgekommen, in erster Linie aus Neugier, glaube ich. Sie hatte noch nie ein Jobcenter von innen gesehen, weil es in den Zeiten, in denen ihr Vater arbeitslos war und sie ihn zum Übersetzen in sämtliche Ämter begleiten musste, noch keine Jobcenter gegeben hatte. Ihr eigenes Leben hatte sie nach ihrem Abschluss in eine Festanstellung und eine Promotion gelenkt, ohne dabei den Umweg über Sozialleistungen nehmen zu müssen. Saya wollte aber vor allen Dingen mit ins Jobcenter, weil sie wusste, dass ich Angst vor meinem Termin hatte.

Wir hatten gefrühstückt, zu dritt, Hani hatte das halbe Frühstück verpasst, weil sie zu ihrem Kaffee auf dem Balkon rauchen musste, Saya und ich knabberten schweigsam an unseren Brötchen, die in dieser Stadt nie schmecken, weil es hier keine richtigen Bäckereien gibt. Wir gaben beide nicht zu, wie verkatert wir waren, und ich wusste nicht genau, ob und wie ich Saya auf ihren nächtlichen Gewaltakt gegen sich selbst und die Wand ansprechen konnte. Ob es vielleicht meine Pflicht war, sie darauf anzusprechen, weil man sich als gute Freundin sorgen musste. Oder ob es nicht vielleicht besser war, so zu tun, als hätte ich es nicht mitbekommen. Statt sie also darauf anzusprechen, sah ich ständig auf die Uhr, was daran lag, dass meine größte Angst die war, zu spät zum Jobcenter zu kommen, weil das ein schlechtes Licht auf mich und meine Arbeitshaltung werfen und alles bestätigen würde, was sie mir unterstellten, sobald ich dieses Gebäude betrat: will nicht arbeiten, hält sich nicht an Absprachen, ist die Mühe nicht wert, wird es nie zu was bringen, sieht man direkt.

»Ich kann ja mitkommen, wenn du magst«, meinte Saya zwischen zwei Schlucken Espresso, und ich sagte, »Du darfst eh nicht zum Gespräch mit rein, glaube ich.«

»Klar darf ich das«, sagte Saya, »ich bin ja auch zum Übersetzen immer mit reingekommen.«

»Du kannst mitkommen und mir übersetzen, was sie eigentlich damit meinen, wenn sie mich die ganze Zeit fertigmachen.« Wir lachten beide kurz und böse. Hani kam rein, goss sich den restlichen Espresso aus der Kanne ein und setzte sich zu uns.

»So still, euer Hinterhof«, sagte sie, »hier im Viertel fühlt es sich immer so an, als wäre Sonntag. Man denkt immer, dass man morgen zur Schule muss und die Hausaufgaben noch nicht gemacht hat.«

»Das denkst du sonntags?«, fragte Saya. »Ich denke dann immer, irgendeins dieser Ostländer würde schon wieder wählen.« Wir verstanden sofort. Eigentlich nämlich wartet man ständig auf die nächste Wahl in einem der Ost-Bundesländer, auch wenn man das genaue Datum nicht im Kopf hat. Wochen vergehen, und man denkt: Ist es denn jetzt nicht mal vorbei? Und wenn es dann so weit ist, denkt man: Wenigstens haben wir es jetzt fast schon hinter uns. Das Ergebnis nämlich ist nie gut. Es ist auch nie überraschend, auch wenn der Rest Deutschlands immer überrascht ist. Die rechte *Flügel-Partei* gewinnt an Stimmen oder bleibt bei vielen Stimmen. Es ist und bleibt scheiße, natürlich nicht nur im Osten, auch wenn das zeitweise eine schöne Illusion war. Wir drei jedenfalls wären erst überrascht, wenn die Rechten sich wieder in Luft auflösen würden.

»Nicht cool, wie du von Ostländern sprichst, übrigens«, sagte Hani, »bist du nicht auch manchmal an Ostschulen? Redest du da mit denen auch so? Erzählst denen was von Vorurteilen, aber die sind für dich die Ossis?«

Saya antwortete nicht. Sie war jahrelang in ostdeutsche Städte gefahren, um mit ihrem blanken Hintern auf dem blanken Asphalt Demos rechter Gruppierungen zu verhindern. Danach war sie weinend in den Westen zurückgekehrt, gerührt von den Linken, die im Osten wohnten und nicht abhauten. Sie hatten ihre aufrichtige Anerkennung. In Sayas Logik erlaubte ihr das Wissen um die dortigen antifaschistischen Strukturen eine absolut vorurteilsbehaftete Haltung gegenüber allen anderen im »Osten«. Zu Hani sagte sie trocken, »Du bist ja wohl diejenige, die das Wort ›Ostschule‹ gerade benutzt hat.« Dann kicherte sie.

»Ich finde das wirklich nicht witzig«, sagte Hani, »da gibt es doch echt genug Leute, die sich dafür starkmachen, dass ihre Perspektive gehört wird, das ist doch das, was du auch immer einforderst. Du musst da nur mal kurz zuhören, die Unterschiede zwischen denen und dir sind gar nicht so groß. Ganz ehrlich, ich habe eine Doku gesehen, die wurden sozusagen vom Westen kolonialisiert!«

Jetzt lachte Saya laut los. »Klar! Kolonialisiert! Und sie werden noch immer versklavt und um die Welt verschifft, stehen in Baströckchen im Zoo, ihre Schädel in Museen.«

»Nein, du weißt doch, was ich meine. Ihr System war über Nacht nichts mehr wert, die mussten ihr ganzes Leben ändern, ohne irgendwas mitentscheiden zu dürfen. Das war nicht unbedingt anders als bei deinen Eltern oder meinen oder …« Sie stockte und schaute mich kurz an, denn meine Eltern passten nicht in ihre Story, in der es statt um Freiheit und das eigene Überleben eher um Arbeit und Knete ging.

Als wir das letzte Mal so ein Gespräch über »Ostländer« geführt hatten, stand tatsächlich eine Ost-Wahl an, und wir waren genauso uneins. Wir hatten eine dieser Polit-Talkshows geguckt, die wir normalerweise aus guten Gründen meiden. Der Abend ist hundert Jahre her. Wir hörten uns an, was sogenannte Ost-Experten im Fernsehen über die Ost-Ergebnisse der rechten Lager zu sagen hatten. Wenn wir fernsahen, lachten wir normalerweise durchgehend. An diesem Abend lachten wir natürlich kein bisschen, denn das Einzige, was zum Lachen gewesen wäre, war der Dialekt der Leute aus dem Osten. Doch über den hatten wir schon bei den Stand-up-Comedy-Shows im Privatfernsehen nicht gelacht, wir würden auch jetzt, wo man im Osten Nazis wählte, nicht lachen. Nichts daran war lustig. »Sie sind bei 23 Prozent«, sagte ein Mann in dem Polittalk und nahm sich dabei sehr wichtig, denn er war ein Mann und Journalist und wusste genau, wie man in so einer Runde reden muss, um einen großen Redeanteil zu bekommen, den dann alle auch noch für gerechtfertigt halten, weil sie glauben, dass er jetzt auch wirklich was zu sagen hat, wenn er fortfährt mit, »Das ist eine Katastrophe, keine Frage. Aber wir dürfen nicht in Hysterie verfallen. Das sind nach wie vor nur 23 Prozent. Das bedeutet: 77 Prozent haben diese Partei nicht gewählt.« Die anderen in der Runde nickten. Wäre es hierbei um bloße Mathematik gegangen, wäre dem auch nichts hinzuzufügen gewesen. Ganz deutlich aber war, dass der Journalist und die Nickenden keine Ahnung hatten, worüber sie redeten. Sie waren weiße Deutsche, von mir aus auch weiße Ostdeutsche. Und sie fanden die Rechnung gut. Sie gab ihnen das Gefühl, Zeit gewonnen zu haben, weil noch nicht alle Leute Nazis gewählt hatten. Es war, als hätte man auf diese Art die Möglichkeit, sich die Katastrophe noch ein wenig in Ruhe anzuschauen, bevor man ausrasten musste. Als hätte man ein ekliges, stinkendes Tier gefunden, das noch nicht ganz tot, aber auch nicht mehr gefährlich ist. Als könnte man mit einem Stock darin herumstochern, ohne dass etwas Schlimmes passiert. Im Gegenteil, man konnte später so schön darüber plaudern. Saya, Hani und ich, die eher zufällig an diesem einen von vielen gruseligen Wahlabenden zusammengekommen waren, fühlten uns in der Zwischenzeit, als wären *wir* das Tier, das da sterbend auf dem Boden lag. Oder als wären wir Kinder, die heimlich an der Tür lauschen, wenn über ihre Zukunft geredet wird. Das, was da besprochen wird, ist nicht für sie bestimmt und betrifft sie trotzdem. Die Moderatorin begann schließlich, mit der Politikerin einer konservativen Partei darüber zu reden, dass sie in den letzten Wochen und Monaten den Parteivorsitz diskutiert hätten und ob die letztlich getroffene Wahl nicht vielleicht die falsche und ob das nicht vielleicht der Grund dafür sei, dass das Wahlergebnis für sie so schlecht ausgefallen sei. Man könne belegen, dass viele ihrer ehemaligen Wähler direkt zu den Nazis abgewandert seien. Hani zündete sich eine Zigarette an, obwohl in ihrer Wohnung normalerweise nicht geraucht wurde. Saya zündete sich eine von Hanis Zigaretten an, obwohl sie eigentlich nicht rauchte. Ich zündete mir eine Zigarette an, weil mir nichts anderes einfiel. Ich überlegte, ob ich etwas sagen sollte. Ich wollte etwas sagen wie »Als ob Nazis Nazis wählen, weil sie sich so intensiv mit irgendeinem Parteivorsitz beschäftigt haben«, ich wollte sagen, »Lasst uns den 77 Prozent, die keine Nazis gewählt haben, doch gleich mal ein paar Dankeskarten schicken«, ich wollte sagen, »Als ob es weniger wehtut, wenn nur 23 Prozent deine Existenz zur Diskussion stellen wollen und immerhin nicht alle.« Doch ich blieb stumm, denn das waren Überlegungen, die Hani und Saya schon selbst angestellt hatten. Nach den Zigaretten stand Hani auf, um auf die Toilette zu gehen, und als sie zurückkam, setzte sie sich auf die Fernbedienung, wodurch sie den Fernseher ausschaltete. Es war eine kurze und überraschte Stille, die jetzt in dem verrauchten lilafarbenen Raum eintrat, und Saya sagte, »Danke.« »Soll ich noch mal anmachen?«, fragte Hani, und Saya und ich sagten zeitgleich: »Nein.« Das letzte Wort, das der Fernseher noch von sich gegeben hatte, lautete »Rechtsruck«. Was für ein merkwürdiger Begriff. Als handelte es sich um eine unaufhaltbare, mechanische Bewegung, die auf einmal durch ein völlig verblüfftes Volk geht. Wie viel fundierter wäre das Gespräch der Runde verlaufen, wenn man statt Rechtsruck Scheißeruck sagen würde. Einen Scheißeruck würden alle sofort stoppen wollen, statt so zu tun, als gehöre er zum Leben leider dazu. Das sagte ich dann auch, das war endlich eine Feststellung, die die anderen beiden vielleicht noch nicht getroffen hatten, aber ihren Gesichtern war abzulesen, dass sie den Gedanken nicht so revolutionär fanden wie ich. Ich weiß noch, dass Saya uns an dem Abend irgendwann Posts von Menschen vorlas, die auf den Straßen von grölenden Wahlgewinnern geschubst, geschlagen, gejagt wurden. Das passierte an diesem Abend in ganz Deutschland, was Saya nicht davon abhielt, sich auf die »Ostländer« zu konzentrieren, und Hani auch damals widersprechen ließ. Ich öffnete das Fenster, um Rauch gegen Eiseskälte einzutauschen, und schaute raus. Draußen war es dunkel und ruhig, das Rauschen der Autos war so regelmäßig, dass man es mit Stille verwechseln konnte. Woanders saßen gerade Leute zusammen, freuten sich über ihren Wahlsieg und assoziierten das Wort »Sieg« mit nichts anderem als mit Freude. »Warum verteidigst du die?«, hörte ich Saya fragen, und Hani antwortete irgendetwas, was nur als Gemurmel bei mir ankam, aber aufgrund der Art, wie sie es sagte, etwas Dringliches gewesen sein musste. Sie diskutierten noch lange, und es erleichterte mich, dass sie das taten. Bei den beiden schien es immer ein wenig, als würde es ihnen am besten gehen, wenn sie einander hatten, um zu diskutieren. Über ein Thema, das mir möglichst völlig egal war. Das war besser, als sich der Stille und der Traurigkeit auszusetzen, die wir eigentlich in uns hatten und die niemand von uns rauslassen wollte. Und es war weniger anstrengend, als mit sachlichen Differenzierungen anzufangen, die natürlich auch in der Luft lagen. Denn dieser merkwürdige Osten, das waren ja Leute wie wir. Also nicht im Sinne von alle Menschen sind gleich. Ich meine eher die nicht-weißen Leute im Osten, die sind so wie wir. Wieso taten wir so, als lebten da drüben nur weiße Drecksäcke? Aber Differenzierung macht nur traurig, man braucht Kraft dafür. Wir hatten keine Kraft. Lieber hörte ich also den beiden zu, wie sie von Dingen redeten, von denen sie keine Ahnung hatten, lieber hörte ich zwei Frauen zu, die in Westdeutschland aufgewachsen und noch nie im Osten Deutschlands gelebt oder gearbeitet hatten und hier trotzdem zu Expertinnen für diesen vermeintlichen Osten wurden, den man nach Strich und Faden verallgemeinern, wahlweise verniedlichen oder dämonisieren durfte. Das entsprach auf merkwürdige Weise meinem Gerechtigkeitssinn. Wir ignorierten die vorherigen Wahlen, die im Westen stattgefunden hatten und deren Ergebnisse zwar anders, aber nicht weniger gruselig waren, und warteten weiter auf ein Wunder.

An diesem Mittwochmorgen blieb keine Zeit für weitere Diskussionen. Hani musste zur Arbeit und ich zum Jobcenter. Nein, Saya und ich mussten zum Jobcenter. Ich musste nicht alleine meine Sachen zusammensuchen, einen letzten verzweifelten Blick in den Spiegel werfen und den Weg zu dem trostlosen Gebäude auf mich nehmen. Wir gingen zusammen. Ich still, Saya ungewöhnlich gut gelaunt.

^^^

Als wir im Büro meiner Sachbearbeiterin Frau Suter saßen, wunderte sie sich über unser zweisames Auftreten. Wahrscheinlich dachte sie, Saya sei meine Lebensgefährtin, und wollte deswegen nicht weiter neugierig wirken. Voll okay für sie, Lesben, voll okay, voll normal. Vielleicht war sie aber auch überrascht, dass ich offensichtlich ein Leben abseits ihres Büros und der Bewerbungen hatte. Das vergisst man ja manchmal. Ich wäre auch überrascht, wenn Frau Suter plötzlich ihr Date mit im Büro hätte. Roboter haben ja normalerweise keine Dates. Frau Suter und ich tauschten uns über die aktuellen Bewerbungen und dazugehörigen Absagen aus. Ich hatte eine Mappe dabei, in der ich die Absagen aufbewahrte, meine *Mappe of shame*. Ich fürchtete, sie zu Hause vergessen zu haben, denn dann hätte ich keine Beweise dafür, dass ich es wirklich versucht hatte. Die meisten hatten aber nicht einmal Absagen geschickt und darüber ärgerte ich mich, denn ich sammelte mit der *Mappe of shame* Punkte für meine Glaubwürdigkeit und das ging nicht ohne deren Zuarbeit. »Ich habe verschiedene Stellen für Sie herausgesucht«, sagte Frau Suter mit Blick auf ihren Computer. Die Mappe kannte sie schon, die interessierte sie eigentlich nie. Ich ließ die kopierten Absagen einfach immer auf ihrem Schreibtisch liegen, wahrscheinlich schmiss sie die nach dem Termin direkt in den Papierkorb. »Es gibt eine Stelle in Nordbayern, die könnte gut passen«, sagte Frau Suter. Ich wurde hellhörig. Das hatte sie noch nie gesagt. Etwas, das zu mir passen könnte! Etwas, von dem Frau Suter dachte, dass es passen könnte, das hieße ja, Frau Suter hätte nach all der Zeit verstanden, wer ich bin und wo meine Qualifikationen liegen. Vielleicht, weil ich immer nett zu ihr war und immer so gut vorbereitet und vielleicht auch, weil ich Frau Suter gegenüber nie gehässig, genervt oder abfällig war, denn ich wusste ja, dass sie eben auch nur ihren Job machte. Vielleicht war Frau Suter eben nach all der Zeit doch zu einer Hilfe geworden. Saya starrte Frau Suter an, als hätte sie das Gesagte nicht gehört. Sie suchte ihr Gesicht nach Zeichen menschlicher Regung ab, nach irgendwelchen Gefühlen oder einer Mi-

mik, mit der sie arbeiten konnte. Ich hätte Saya vorwarnen müssen, dass es so etwas hier nicht gibt, dass das aber auch okay ist und nicht unbedingt sein muss. »Die Stelle ist mit vierzig Stunden angesetzt, unbefristet«, las Frau Suter von ihrem Bildschirm ab und konnte deshalb nicht sehen, dass ich euphorisch nickte – nicht wegen der vierzig Stunden, sondern wegen *unbefristet*, versteht sich. »Regelmäßige Fortbildungen«, murmelte Frau Suter weiter und fand schließlich, was sie eigentlich gesucht hatte. »Schwerpunkt auf der empirischen Analyse von Migrationsbewegungen und Integrationsmaßnahmen«, sagte sie triumphierend und strahlte mich an, »beim Migrationsdienst.« Wenn Saya tatsächlich nach Emotionen in Frau Suters Gesicht gesucht haben sollte, gab es sie jetzt für anderthalb Sekunden zu bestaunen. Im nächsten Moment wandte sie sich aber schon wieder dem Drucker zu, markierte irgendwas mit dem Kugelschreiber, benutzte den Tacker und reichte mir eine Liste mit Adressen. »Hier steht die Adresse, die anderen Stellen haben wir beim letzten Mal schon gesichtet, vielleicht lohnt sich noch mal ein Anruf, bei dieser Stelle wurde die Bewerbungsfrist verlängert, Sie können es also noch mal versuchen. Viel Hoffnung besteht nicht. Aber man muss ja auch Interesse zeigen, um wahrgenommen zu werden.« Hätte Saya jetzt übersetzen dürfen, hätte sie mich angesehen und gesagt: »Frau Suter sagt: Blablabla.« Aber das tat Saya natürlich nicht. Sie starrte auf Frau Suters Finger, der noch immer auf der Adresse lag, die so gut zu mir passte. »Migrationsdienst?«, fragte Saya, und Frau Suter überhörte sie, nahm den Textmarker und markierte die Adresse. »Dein Schwerpunkt ist aber doch gar nicht Migration«, sagte Saya zu mir. Sie hatte recht – und keine Ahnung, dass das völlig egal war. Dass man Bewerbungen nicht nach Schwerpunkten verschickt. Dass ich alles zu meinem Schwerpunkt machen kann, wenn ich dafür nur einen Schreibtisch, eine Sozialversicherung und ein monatliches Gehalt bekomme. »Wieso genau sollte diese Stelle so gut zu ihr passen?«, fragte Saya und brachte damit die Emotionen, die die Sachbearbeitern so professionell verweigert hatte, mit voller Wucht selbst in den Raum. Frau Suter seufzte tief und ordnete die Papiere, wandte sich mit langsamen und bedeutungsschwangeren Bewegungen wieder ihrem Bildschirm zu und schaute nach, wann mein nächster Termin anstand. Das sagte sie mir normalerweise nie. Ich würde jetzt eigentlich einige Wochen Ruhe haben, bevor der gefürchtete Brief kommen und mich zur nächsten Session Demut einladen würde. Jetzt nannte sie mir den Termin, um Saya nicht antworten zu müssen. »Danke«, sagte ich und stand schnell auf. Saya aber hatte keine Lust, aufzustehen, und starrte Frau Suter weiter an. »Passt die Stelle so toll, weil ein Migrationshintergrund eine prima Qualifikation für Migrationsstellen ist?«, fragte Saya, und ich hoffte inständig, Frau Suter würde nicht darauf antworten. Tat sie auch nicht. Denn an einem Punkt ihrer Laufbahn hatte sie gelernt, mit Eskalationen und Provokationen umzugehen. Sie gab mir die Hand und versuchte zu lächeln. »Bis zum nächsten Mal. Viel Erfolg.«

Draußen schimpfte Saya los. »Bis zum nächsten Mal«, lachte sie, ihre Wangen waren rot, und sie ging plötzlich sehr schnell, was sie sonst nie tut, »wieso sagt sie denn bis zum nächsten Mal? Du sollst doch einen Job finden, denke ich! Und wenn sie ihren gut machen würde, dann gäbe es kein nächstes Mal!«

Im Café, in dem wir uns, wie wir es vorher geplant hatten, was Schönes gönnen wollten, sagte sie das Gleiche noch mal, sagte sie all das, was ich schon wusste, und zwar sehr laut. Die Leute an den Nebentischen schauten peinlich berührt weg, was bei Leuten an Nebentischen immer ein schlechtes Zeichen ist. »Welchen Sinn hatte der Termin denn jetzt? Die Zettel da hätte sie dir auch per Mail schicken können. Das hätte dir sogar der Algorithmus per Mail schicken können.« Ich fing an zu weinen. Weil Saya recht hatte und ich nicht wollte, dass sie diese Dinge sagte. Denn eigentlich hätte ich diese Dinge sagen und Saya mich trösten sollen. Ich weinte auch, weil ich der Meinung war, dass Frau Suter wirklich nichts für all das konnte und weil ich mich zu allem Überfluss auch noch vor ihr schämte. Es war keine gute Idee gewesen, zu zweit zu ihr zu gehen. Ich weinte außerdem, weil Lukas damals mitgekommen war, bei den ersten Terminen, er war nicht mit zu Frau Suter gegangen, er hatte vor der Tür auf mich gewartet. Das war der beste Trost, den es gab: Drinnen zu sitzen, sich mit jedem unpassenden Vorschlag schäbiger und schäbiger zu fühlen, aber zu wissen, dass draußen die Liebe und die Gerechtigkeit auf mich warten. Ich weinte, als die Kellnerin den Kaffee brachte, und ich weinte, als Saya unbeholfen eine Hand auf meinen Unterarm legte und auch noch sagte, »Nicht weinen. Damit hat sie doch schon gewonnen«, was ich nicht einmal verstand. Doch dann stellte ich fest, dass es gut war, wenn ich weinte, denn damit verunsicherte ich Saya und eine verunsicherte Saya tobte nicht wütend durch die Gegend. Ich weinte in Ruhe, und sie schimpfte nicht mehr, und ich stellte mir vor, Lukas wäre da. Ehrlich gesagt weinte ich daraufhin erst recht, weil er eben nicht da war. Und auch, weil mir klar wurde, dass der Termin um einiges kürzer gewesen war als sonst, und das ja eigentlich hieß, dass ich Saya dankbar sein musste. Aber sie hatte mich blamiert, sie hatte das Einzige, was ich vorweisen konnte, mein tadelloses Benehmen in Frau Suters Büro, plötzlich ins Wanken gebracht. Ich schnäuzte laut hörbar in mein Taschentuch, es tat gut, alles rauszulassen. »Okay, jetzt heulst du«, sagte Saya. Vielleicht lernt man das so in der pädagogischen Arbeit, dass man am besten einmal laut feststellt, was Menschen gerade tun, damit sie sich irgendwie gesehen fühlen. »Du heulst und hast damit auch völlig recht, denn es ist auch zum Heulen. Es ist sowieso momentan in diesem Land vieles zum Heulen. Und ich wollte dir eh noch sagen, dass ich gestern natürlich gelogen habe.«

»Was?«

»Die Geschichte im Flugzeug, die habe ich mir natürlich ausgedacht, um Hani nicht aufzuregen.«

»Was hast du dir ausgedacht?«

»Na, dass die Frau so lässige Sprüche macht und am Ende gar kein richtiges Kopftuch trägt und alle so uuuh, sie trägt ja gar kein richtiges Kopftuch. Das war erfunden.«

»Wie war es denn in Wirklichkeit?«

»Das weißt du doch selbst«, sagte Saya, und ich hatte natürlich von Anfang an gewusst, dass die Geschichte Quatsch war. In Wirklichkeit hatte die Frau sich wider besseres Wissen auf den falschen Sitzplatz gesetzt und die Klappe gehalten und alle, die Flugbegleiterin, die Frauen neben ihr, die Menschen in der Schlange, hatten mit Blicken und Schnauben deutlich gemacht, dass der Fehler bei ihr, allein in ihrem Dasein liegen musste. Niemand hatte ihr mit dem Gepäck geholfen und niemand hatte sich geschämt. Sayas

Flug war keine Erleuchtung in Sachen absoluter Coolness gewesen, im Gegenteil, es war passiert, was immer passiert.

»Also hattest du eigentlich einen total beschissenen Flug, wolltest das aber Hani nicht erzählen? Hältst du sie für so schwach und verletzlich?«

»Ich dachte, ich tue Hani einen Gefallen und sorge mal selbst für einen harmonischen Moment. Und so dramatisch war das im Flugzeug auch wieder nicht. Es war wie immer. Ich habe den Rest des Fluges gelesen. Ich habe gelesen und gelesen und gelesen, ich konnte gar nicht mehr aufhören zu lesen. Das wollte ich aber nicht erzählen.«

»Warum denn nicht«, fragte ich, »hast du unanständiges Zeug gelesen?«

»Ja. Diese Chat-Protokolle.«

»Oh.«

»Ich habe sie alle runtergeladen.«

»Das geht?«

»Wenn man die richtigen Seiten nutzt, schon, ja.«

Ich fragte nicht weiter. Ich hatte zu weinen aufgehört, das war genug. Vor zwei Tagen war es öffentlich geworden: Die rechtsterroristische Gruppe, die jahrelang im Untergrund gelebt und vorzugsweise muslimische Menschen, vorzugsweise muslimische weibliche Menschen getötet hatte, hatte einen Chat mit anderen Nazis. Ui, Nazis, die chatten. Arschlöcher unter sich. Mörder und ihre Gehilfen unter sich. Die Mörder waren jung gewesen, als sie in den Untergrund gingen, weswegen die Fotos, die von ihnen kursieren, sie ebenfalls jung wirken lassen, in Wirklichkeit sind sie vierzigjährige Versager ohne Schulabschluss, die es nicht rechtzeitig geschafft haben, sich umzubringen. Und sie müssen wirklich viele heimliche Gehilfen gehabt haben, wenn sie all die Jahre ohne Festanstellung und Sozialhilfe leben und töten konnten. Aber was mache ich hier eigentlich, warum erzähle ich euch jetzt die Hintergründe zu den Mörder-Nazis, ihr wisst das alles doch schon, ihr habt das doch selbst mitbekommen, vor ein paar Jahren waren die Zeitungen voll davon. Und falls ihr es nicht mitbekommen habt, dann weiß ich mehr über euch, als ihr euch vorstellen könnt, dann weiß ich alles über euch, dann weiß ich, wie weiß, wie geschützt euer Leben ist, wie frei von Gewalt, wie frei von Angst. Dass ihr definitiv weiße Menschen ohne Einwanderungsgeschichte oder erwähnenswerte Religionszugehörigkeit seid, denn sonst hätte diese Geschichte nicht an euch vorbeigehen können. Es ist die grauenhafteste Geschichte seit der Gründung eurer Bundesrepublik, und sie erzählt uns so viel über dieses Land. Wenn ihr damals die »Selbstenttarnung« der Gruppe verpasst habt, wenn ihr die Bilder der Getöteten nicht kennt, wenn ihr nicht mitbekommen habt, dass die Polizei und der Verfassungsschutz zwar Möglichkeiten hatten, etwas gegen die Gruppe zu unternehmen, es aber nicht taten, weil sie den Nazis lieber »auf der Spur bleiben« wollten und damit nur noch weitere Morde an ganz normalen Menschen in Kauf nahmen, dann tut mir zur Hölle einen Gefallen, benutzt euer Internet und recherchiert noch mal ganz kurz, in welchem verdammten Land ihr lebt. Recherchiert noch mal ganz kurz, mit welchen simplen Ausreden sich ein V-Mann, der nachweislich bei einem der Morde dabei war, rausredet, und überlegt noch mal, ob euch das mit dem »Er war da gerade am Telefonieren und hat deswegen nichts gehört« überzeugt. Recherchiert noch mal, was die Angehörigen der Opfer durchgemacht haben, als man sie für die Täter hielt; sie wussten von Anfang an, dass es Rassisten gewesen sein mussten, die ihre Liebsten umgebracht hatten, nur der Rest der Welt fand das als Tatmotiv irgendwie doch zu abwegig. Die Selbstenttarnung dieser Versager war eine Zäsur, eine Offenbarung, die auch dem Letzten unter euch klarmachen muss, dass das keine fucking Befindlichkeiten sind, wenn wir von Rassismus reden. Schade, dass ihr das nicht mitbekommen habt, aber hey, bei euch waren ja vielleicht gerade andere Dinge wichtig. Man hat ja schließlich auch noch ein Leben abseits der Nachrichten. Aber dann habt ihr wohl auch nicht mitbekommen, dass der Prozess am Donnerstag losging, und zwar so beschissen, wie er nur losgehen konnte, dann habt ihr erst recht nicht mitbekommen, was die Nazis in ihren Chats so schreiben. Das allerdings habe ich auch nicht mitbekommen. Ich lese mir doch nicht durch, was Nazis schreiben, ich bin nicht pervers, ich will das nicht lesen, ich will das nicht sehen, ich will damit einfach nichts zu tun haben.

»Ich konnte einfach nicht aufhören zu lesen«, sagte Saya, »es ist so absurd, es ist so unglaublich, wie sie ihr Leben beschreiben, wie sie sich im Chat darüber austauschen, wen sie wann töten, und dass sie sich selbst töten, wenn alles herauskommt, ich kann nicht aufhören, es zu lesen.« Saya zeigte auf ihr Handy, auf das sie offensichtlich all diese Grauenstexte geladen hatte. Es sah aus wie ein richtiger Chat, als wäre es einfach eine Unterhaltung zwischen Saya und Freunden von ihr und nicht die Kopie dessen, was die Mörder so zwischendurch besprochen hatten. Ich wollte das nicht wissen. Ich wollte, ich hätte einfach nie von dieser Gruppe, den Morden und den Protokollen erfahren. Das für mich maximal Ertragbare war, sich vorzustellen, dass im

Osten wieder gewählt wurde. Ich zog den Zettel mit der Stellenausschreibung aus meiner Tasche und schaute ihn mir an.

»Du bewirbst dich da doch nicht, oder?«, fragte Saya und zischte noch ein leises »In Nordbayern …« hinterher.

»Na klar bewerbe ich mich, ich habe keine Wahl«, sagte ich und zog die Nase hoch.

»Hast du deswegen geweint? Oder weil die Frau kacke war?«

»Die Frau war nicht kacke, die ist okay, im Vergleich zu den anderen.«

»Hast du wegen was anderem geweint?«

»Ja. Wegen Lukas«, sagte ich, und Saya war zwar die ganze Zeit schon wütend gewesen, wurde jetzt aber noch eine deutliche Spur wütender.

»Wegen Lukas? Was hat der jetzt hier zu suchen?«

»Er fehlt mir.«

»Warum? Weil er so schön scheiße zu dir war?«

Ich nickte.

»Wein lieber, weil du dich auf beschissene Stellen bewerben musst!«, sagte Saya, und wir warteten eine Weile darauf, dass ich weiterweinen würde, aber es tat sich nichts.

»Und hast du dir das mit dem Typen im Flugzeug auch ausgedacht?«, fragte ich, weil ich das für ein Thema hielt, über das wir uns noch ein wenig lustig machen konnten. Ungebetener Flirt samt Anmache auf Englisch und witziger, abschließender Pointe, das bot sich doch an, um die Stimmung zu heben. Ich hatte zu diesem Mann, den Saya erwähnt hatte, ein ganz genaues Bild vor Augen, obwohl sie ihn gar nicht im Detail beschrieben hatte. Was ich vor mir sah, deckte sich aber auf mysteriöse Art mit dem Bild, das euch in wenigen Stunden in den Zeitungen begegnen wird, aber dazu später. Ich sah ihn vor mir, diese Witzfigur. Saya aber sah leider nicht so aus, als könnte die Witzfigur sie auf andere Gedanken bringen, sie sah streng aus, so als würde sie überlegen, ob sie das, was ihr gerade durch den Kopf ging, wirklich aussprechen sollte oder ob das nicht eine eventuelle Gefahr bergen könne. Bis hierhin hatte sie geplant zu schweigen, aber jetzt hatte ich gefragt. Sie beugte sich ein wenig vor und blinzelte.

»Kasih«, sagte sie, »den Typen habe ich mir nicht ausgedacht, den gab es wirklich. Aber er war ganz anders, als ich ihn beschrieben habe.«

»Also ohne Flirt?« Saya schüttelte ernst und lange den Kopf. »Natürlich ohne Flirt. Vielmehr mit Hass. Mit Ekel. Mit Arroganz. Er hat sich neben mich gesetzt und mich angesehen, als würde er sich schon allein vor meiner Existenz ekeln. Er hat sich hingesetzt und weil es sich zwischendurch nicht vermeiden ließ, mich anzusprechen, hat er es auf Englisch getan. Das war keine Dummheit, das war berechnender, blanker Hass. Er wollte sein blödes Deutsch nicht mit mir teilen.«

»Woher weißt du das so genau?«, fragte ich und ärgerte mich über mich und meine Zweifel an dem, was sie erzählte. Saya sah mir immer noch direkt in die Augen, ohne auch nur einen Millimeter von ihnen abzuweichen, und sagte, »Mann, das habe ich einfach gespürt. Das habe ich gesehen, an seiner Art. Er war arrogant und siegessicher, und das lag nicht daran, dass er sich von seiner Fluggesellschaft so gut umsorgt gefühlt hat, das hat der auf ganz ekelhafte Art verinnerlicht. Ich glaube, das war ein waschechtes Nazi-Tier. Nicht einfach einer, der sich illegales Zeug in die

Bude hängt, das war einer, der irgendwo Macht hat, der irgendwo organisiert ist. Er ist ins Flugzeug gestiegen und hat jedem, wirklich jedem, mit Blicken und Kommentaren gezeigt, wo er steht und wo er alle anderen stehen sieht.«

Das also erzählte sie. Saya, die Kluge, die immer alles durchschaut, die alles weiß, die schneller denkt als alle anderen. Und doch hielt ich das, was sie da gerade sagte, für Paranoia, und wenn ihr euch das hier durchlest, bleibt euch doch auch nichts anderes übrig, als anzunehmen, dass sie irgendeinen Film auf fremde Menschen schiebt. Dass sie übertreibt. Aber das sagte ich nicht, denn ich wollte nicht so klingen wie ihr, wenn ihr uns erklärt, dass wir zu sensibel sind und dass wir das, was uns im Alltag begegnet, nicht überdramatisieren sollten. Stattdessen ging ich an die Theke, um unsere Getränke zu bezahlen. So musste das wohl sein, wenn man zu viele Texte von Nazis las, aber keine persönlich kannte: Man sah sie plötzlich überall. Ich glaube, ich dachte sogar etwas wie: der arme Typ, der da neben Saya gesessen hat. Deswegen ging ich zur Kellnerin, obwohl ich es hasse, den Part des Bezahlens zu übernehmen, und zwar nicht aus finanziellen Gründen, sondern wegen des unangenehmen Momentes, den man dann zwischen sich, seinem Geldbeutel und der kassierenden Person durchstehen muss. Es ist eine der vielen Situationen, in denen mir Lukas fehlt, denn er hat das immer übernommen, selbst wenn er meinen Geldbeutel dafür nehmen musste, er hat sich darum gekümmert und ich habe am Tisch gesessen und nichts gemacht. Das war sowieso einer der größten Vorteile an unserer Beziehung, ich habe so oft einfach nichts gemacht und die Dinge sind trotzdem passiert. Die Kellnerin schrieb mir lässig eine Rechnung, während ich Saya von der Theke aus beobachtete, wie sie etwas in ihr Notizbuch schrieb, und mich fragte, wie sie das aushielt, so zu denken. Ich hatte irgendwie angenommen, die Zeiten, in denen sie nächtelang die Kommentare unter irgendwelchen Online-Artikeln las, wären vorbei, dass man irgendwann das Interesse daran verlieren musste. Saya aber betrieb inzwischen regelrechte Studien, um Muster und Ungereimtheiten in diesen Kommentaren zu suchen, einzelne Profile zu verfolgen und zu analysieren. Sie war wie ein Kind, das auf dem Schulhof ständig verprügelt wird und die Prügler irgendwie trotzdem gern zu seinem Geburtstag einladen würde. Man würde gerne leugnen, dass es solche Kinder gibt, aber es gibt sie, genau wie es Leute wie Saya gibt, die den Feind hassen und trotzdem nicht aufhören können, sich mit ihm und seiner verqueren Logik zu beschäftigen. Die Kellnerin nannte mir den Betrag für unsere beiden Getränke und ich gab ihr ein saftiges Trinkgeld, das ich mir nicht leisten konnte, wie ich es mir eigentlich auch nicht leisten konnte, Saya einzuladen, aber ich fand, das war ich uns drei Frauen irgendwie schuldig. Mein Geldbeutel war danach zwar wesentlich leerer als vorher, aus irgendeinem Grund aber war ich erleichtert. Für Saya zu zahlen fühlte sich so an, als hätte ich ihr ein bisschen was Gutes getan, und so unangenehm der Termin auch gewesen war, sie hatte mir ja doch irgendwie geholfen. Es war besser, das Jobcenter mit einer schimpfenden Saya zu verlassen, als allein.

Als Saya und ich das Café verließen, weil ich nach Hause gehen und schlafen wollte, wickelte sie sich trotz der Hitze ihren riesigen Schal um den Hals und sagte, »Na ja, dank deiner Jobcenter-Lady habe ich wenigstens eine weitere Geschichte, die ich meinen Schülern erzählen kann. Super Beispiel dafür, mit welchen Rollenbildern man tagtäglich konfrontiert wird, und dass sie sich dem nicht beugen müssen.« Sie deutete auf ihr Notizbuch. Eine weitere fatale Begegnung mit der Welt, eine weitere Diskriminierungserfahrung war in ihrem Archiv gelandet und würde nun also für pädagogische Zwecke ausgeschlachtet werden. Saya arbeitete voller Überzeugung als Referentin für einen Verein, der eintägige Workshops an Schulen anbot. Sie hatte sich auf die Themengebiete »Ich und meine Vorurteile« und »Rassismus in der Schule« spezialisiert, Themen, die von den Schulen nicht gebucht wurden. Stattdessen buchten die Schulen ständig »Meine Perspektiven – aktive Berufsberatung«, und Sayas Chef ließ sie diese Workshops übernehmen, ohne zu wissen, dass Saya ihren Schwerpunkt dabei auf »Perspektiven« legte und damit keine Ausblicke in die Zukunft und strategische Abwägungen in Hinsicht auf die eigenen Kompetenzen meinte. Mit »Perspektiven« verband Saya viel mehr den individuellen Blick jedes Einzelnen und die Frage danach, in welche Strukturen er hineingeboren wurde und welche Privilegien und Benachteiligungen damit verbunden waren. Dafür brauchte sie Beispiele, Millionen hässliche Beispiele aus dem hässlichen Alltag einer nicht-weißen Frau.

Sayas Notizbuch liegt hier neben meinem Rechner, denn sie hat es selbstverständlich nicht mit in den Knast genommen. Ich habe gerade darin geblättert, mich dabei aber so gefühlt, wie wenn man ohne Einladung auf einer Party erscheint, und es wieder beiseitegelegt. Kurz habe ich gedacht, ihre Eintragungen könnten hilfreich für meinen Text hier sein, dass ich alles, was ich hier schreibe, mit eintausend vergleichbaren Erlebnissen von Saya und ihrem Umfeld anreichern könnte. Aber eigentlich habe ich noch nie verstanden, warum alle immer so tun, als wäre die Summe an Beispielen ein größerer Beweis als ein einziges. Wer uns nach einem Beispiel nicht glaubt, tut es meist auch nach dem fünfzigsten nicht. Und weil ich euch nicht kenne, muss ich leider annehmen, dass einige von euch zu denen gehören, die zwar so tun, als würde man sie von der Struktur, die hinter bestimmten Erfahrungen stecken, überzeugen können, denen unsere Erzählungen aber dann irgendwie doch nicht so ganz reichen, um überzeugt zu sein.

Ich habe Sayas Notizbuch also zugeklappt und es wieder auf ihren Wanderrucksack gelegt, es darf zur Ruhe kommen, es muss mir seine Wut nicht entgegenbrüllen. Jetzt, wo das Notizbuch nicht mehr auf meinem Schreibtisch liegt, kommt mir hier alles sehr still vor. Neben dem Rechner liegt auf einmal ein Geldschein, den muss zuvor das Notizbuch verdeckt haben. In der Dämmerung sieht er fast echt aus, dabei handelt es sich hier ganz offensichtlich um Falschgeld, das sich noch nicht einmal Mühe gegeben hat, echt auszusehen, vermutlich muss man es sogar Spielgeld nennen, und es liegt hier, weil wir heute Nacht auf der Hochzeit das glückliche Brautpaar damit beworfen haben. Aber bei glücklichen Brautpaaren sind wir noch nicht, ganz im Gegenteil, wir sind jetzt erst mal wieder bei Lukas und mir.

^^^

Dass Lukas scheiße zu mir war, kann man übrigens wirklich nicht leugnen, denn er hat sich in jemand anderen verliebt und sich von mir getrennt. Eine Geschichte, so alt wie die Zeit, scheiße ist sie trotzdem. Scheiße ist allerdings auch, dass bis dahin immer alles außerordentlich schön war. Dass Saya Lukas von Anfang an nicht mochte, lag dabei einmal daran, dass wir den Partnern der anderen immer eine gewisse Skepsis entgegenbrachten, denn ganz eindeutig war nie jemand gut genug für uns und nur da, um schnell wieder zu verschwinden. Dass Saya Lukas aber noch mal eine Spur unsympathischer fand, lag daran, dass in seinem Leben offensichtlich nur schöne Dinge passierten. Das muss jemand, der ein Notizbuch mit Negativerfahrungen füllt, natürlich erst mal verkraften. Wenn man Lukas ansah, widerstrebte es einem im ersten Moment tatsächlich, ihn ernst zu nehmen, denn er hatte nicht nur ein Gesicht, das man von Titelseiten zu kennen glaubte, sondern war auch noch vorteilhaft gebaut, und zwar in dem Maße, dass es aussah wie angeboren und nicht wie antrainiert. Das fand selbst ich von Anfang an so erwartbar und langweilig, dass ich es ignorieren wollte. Aber dann machte Lukas den Mund auf und man wollte plötzlich nur noch in seiner Nähe bleiben, egal wie alt man war, welches Geschlecht man hatte oder in welcher Beziehung man zu ihm stand. Denn Lukas war freundlich, freundlicher als alle anderen, er war aufmerksam und duftete. Es war egal, wie unsicher man selbst in Gesprächen war, ob man vielleicht gerade etwas Undurchdachtes oder Überflüssiges gesagt hatte: Lukas schaffte es, jeden noch so hingestotterten Gesprächsbrocken aufzugreifen und mit jeder Person, möge sie sich für noch so wertlos halten, ein selbstverständliches

Gespräch zu führen, aus dem alle Beteiligten selig herausgingen. Menschen verliebten sich früher oder später in Lukas, immer, ob sie es wollten oder nicht. Er tat dann, als merkte er es nicht, wahrscheinlich, weil er selbst dafür zu bodenständig war. Er nahm es hin, so, wie er alle Erfolge in seinem Leben hinnahm. Immer Klassensprecher, immer der Beste im Sport, derjenige, der das begehrte Studienstipendium bekam, obwohl er finanziell gar nicht darauf angewiesen war. Lukas gab mit diesen Erfolgen nicht an, er sprach nicht einmal von ihnen. Außer wenn man ihn danach fragte. Dann war er ehrlich, ohne sich dabei in ein besonderes Licht zu rücken. Er wollte vielmehr alle anderen ins Licht rücken. Lukas wäre die perfekte Frau für einen erfolgreichen Mann gewesen. Stattdessen liebten er und ich uns so erwachsen und aufrichtig, wie wir es beide vorher noch nicht gekannt hatten. Bis er leider ein ernstes Gespräch mit mir führen und mir die Wahrheit über sein neues, verändertes Gefühlsleben beichten musste, in dem es nicht mehr um mich, sondern eben um jemand anderen ging.

Dass Lukas sich in jemand anderen verliebt hatte, tat ihm so leid, dass ich mir schon anfing, Sorgen zu machen, weil er jetzt niemanden mehr hatte, der ihn deswegen trösten konnte. Saya hingegen konnte sich endlich in ihrer Abneigung bestätigt fühlen, denn es war natürlich schwer gewesen, eine Abneigung für jemanden zu empfinden, der mir ganz offensichtlich guttat. Mit Lukas durch die Welt zu gehen, tat nämlich gut, er dämpfte alles Negative ab, er brachte Begeisterung für alles auf und steckte mich damit an.

Als Lukas und ich uns verliebten, war Sommer und Lukas' Arme waren von der Sonne gebräunt, sodass die blonden Haare auf ihnen einen umwerfenden Kontrast ergaben. Wir küssten uns zum ersten und zum zweiten Mal, wir verabredeten uns für Kunst und Eis und Küsse, was man eben so macht. Dann stand mein Umzug an, raus aus der Wohngemeinschaft mit Felix und den ausschweifenden Silvesterpartys, denn die Miete war gestiegen. Ich zog in eine Gegend, die man sich damals noch leisten konnte, die bald aber auch für WGs unbezahlbar sein wird. Das alles war mir zum damaligen Zeitpunkt natürlich sowieso egal, wichtig war nur, wie schön ich mich auf einmal fühlte, neben Lukas, und wie schön wir aussahen, wenn wir an Schaufenstern vorbeigingen und ich mich, wie grundsätzlich immer, darin musterte. Auf einmal war ich nicht mehr allein und, mit Blick auf mein Spiegelbild, auf all meine Makel fixiert, auf einmal war ich zu zweit, ein Traum zu zweit. Als ich umzog, organisierte ich die Dinge, die man für Umzüge so organisiert, Kartons, Umzugswagen, Umzugshelfer, was alles ganz schön aufwendig war, so viel Verantwortung, so viel Stress, so wenig Ahnung. Doch plötzlich war da gar kein Stress mehr. Ich fand in Lukas' Keller einen Stapel Umzugskartons, von denen er nicht gewusst hatte, die er mir aber ganz selbstverständlich überließ und mit dem Fahrrad zu mir brachte. Ein Stressfaktor hatte sich damit einfach in Luft aufgelöst. Wir ließen Musik laufen, packten meine Bücher, Kleider und Kerzenständer zusammen und alles dauerte nur halb so lange wie befürchtet. Während ich den Umzugswagen abholte, brachten Lukas und meine Freunde das Zeug schon auf die Straße. In der neuen Wohnung bauten wir direkt alles auf, er und ich, bestellten Pizza und tranken Sekt und alles war einfach und sei es nur deswegen, weil Lukas mich irritiert anschaute, als ich was kochen wollte, denn zu solchen Anlässen bestellte man doch Essen, statt sich noch mehr Arbeit zu machen.

Ab da war nichts mehr schwierig, denn ich tat nichts mehr allein. Vor Lukas war alles anders gewesen, aber ich wusste schon nicht mehr so richtig, wie genau. Ich konnte es ihm nicht besser erklären, ich sagte, »Bis jetzt war ich mit allem allein.« »Haben dir deine Eltern denn nie geholfen, bei so was?«, fragte Lukas, einfach und aufrichtig. Und ich konnte nicht mal sagen, dass meine Eltern es nicht getan hatten, denn sie hätten es vielleicht getan, wenn ich sie darum gebeten hätte. Aber ich habe sie nie gebeten, denn so funktionierte unsere Beziehung nicht. Unsere Beziehung funktionierte eher so, dass ich so viel wie möglich selbst übernahm und gar nicht erst anfing, ihnen Arbeit zu bescheren, nur, weil ich mich für einen merkwürdigen Lebensweg mit Studium und Studi-WGs entschieden hatte. Am Ende sollte keiner von uns dem anderen etwas schulden, was den positiven Nebeneffekt hatte, dass ich seit dem Zeitpunkt, an dem ich auszog, nichts mehr mit ihnen zu tun haben musste. Das verstand Lukas nicht, wie auch, seine Eltern waren bei all seinen Lebensereignissen dabei, wenn auch manchmal nur mental. Dann aber führten sie hinterher lange Gespräche.

Es war der erste Morgen in der neuen WG, wir lagen im Bett, und ich überlegte, wie ich es ihm erklären konnte. Ihm, der alles immer genau verstehen wollte und dessen Nachfragen so unschuldig waren. Wir lagen auf der Matratze, schauten auf die von der Decke hängende Glühbirne, und ich erzählte nicht. Ich hätte erzählen können. Mir fiel eine Geschichte ein, ein Beispiel, aber ich dachte, was mache ich, wenn er nach dieser Geschichte schweigt, weil er sie nicht versteht und ich sie ihm erklären muss? Was mache ich, wenn er die Geschichte dann immer noch nicht versteht? Was mache ich, wenn er sich von mir trennt, weil nicht verständlich wird, was ich erklären möchte?

Jetzt aber denke ich, hätte ich mal erzählt, vielleicht hätte er sich dann nicht in jemand anderen verliebt, vielleicht hätte er mich ja doch verstanden. Wir hätten die Glühbirne angeschaut und ich hätte gesagt:

Ich weiß noch genau, wie meine Kindergärtnerin aussah und früher sagte man Kindergärtnerin und nicht Erzieherin. Sie war jung und hatte einen feschen Kurzhaarschnitt, war immer etwas zu ernst, was wir Kinder ihr aber verziehen, denn sie war ja jung und das war unter Kindergärtnerinnen eine Seltenheit und damit eine Kompetenz. Ich erinnere mich immer noch genau, wie tief braun ihre Augen waren und wie sie mich anschaute, wie sie an dem für Kinderbeine gemachten Kindergartentisch saß, und nicht das Blatt, das sie in der Hand hatte, anschaute, sondern ihren ernsten Blick auf mich richtete. Wir waren auf Augenhöhe, denn ich war ungefähr fünf und sie saß und fragte, »Wieso kannst du das schon rechnen? Du bist doch noch gar nicht in der Schule?« Das Blatt war blass kariert und stammte aus einem dieser Hefte meines Vaters, die nur einen blauen Schutzumschlag hatten und endlos viele hauchdünne Karoblätter enthielten. Blätter, auf denen er schrieb, in einer Sprache, die ich bis heute nicht lesen kann, an einem Ort, an dem bis heute niemand seine Gedanken hören will. Als er arbeitslos war und ich mit dem Rechnen anfing, wurden die Hefte unsere Hefte. Die Aufgaben aus dem uralten Mathebuch für Grundschulkinder durfte ich aber nur lösen, wenn ich es sauber tat, dann lobte er meine klaren, runden Ziffern und dass ich all das so schnell lernte. Er, der eigentlich nie sprach, erst recht nicht mit mir, lobte mich wirklich. Deswegen vielleicht fand ich als Kindergartenkind nichts so spannend wie das schriftliche Addieren, nichts erschien mir so befriedigend und einleuchtend, ich füllte ganze Blätter mit meinen Rechnungen und je ordentlicher sie aussahen, desto stolzer war er auf mich, desto stolzer war ich auf mich. Die Kindergärtnerin aber teilte unseren Stolz aus irgendeinem Grund nicht, ihr Ton war ernst und etwas streng, und sie wollte eine Antwort hören, nachdem ich ihr das Blatt, das ich von zu Hause aus mitgebracht hatte, unter die Nase gehalten hatte. »Warum kannst du das schon rechnen? Du bist doch noch gar nicht in der Schule?«, hatte sie gefragt und ich keine Antwort gewusst. Ich wusste, dass man zufriedenstellende Antworten geben muss, und ich wusste nicht, was in diesem Fall die zufriedenstellende Antwort sein sollte. Ich wusste nur, irgendwas hatten wir falsch verstanden, als wir dachten, es sei toll, dass ich rechnen konnte, als ich dachte, die Kindergärtnerinnen würden sich freuen, das zu sehen. Wobei ich gar nicht so genau sagen kann, ob sich die beiden anderen nicht auch tatsächlich darüber freuten, mir über den Kopf streichelten, meine Intelligenz lobten, staunten und das Blatt den anderen Kindern zeigten. Vielleicht war es ja nur diese eine, diese sehr junge und ambitionierte Kindergärtnerin, die dachte, dass bei uns zu Hause etwas falsch laufen müsse, wenn ich zu solchen Dingen fähig war. Ich wusste, dass das Ganze nicht auf meinen Vater zurückfallen durfte. Ich versuchte ein Lächeln zwischen betreten und trotzdem zufrieden. Weil sie keine Antwort bekam und sich wieder mit etwas Wichtigem beschäftigen musste, ließ sie mich irgendwann in Ruhe und vergaß das Ganze vermutlich wieder. Doch ich, fünf Jahre alt, befand mich in einer Situation, die ich so oder so ähnlich schon kannte: Mein Vater und ich hatten etwas in diesen Raum gebracht und ich musste dafür sorgen, dass man uns deswegen nicht merkwürdig fand. Ich musste meinen Vater schützen. Kurz davor hatte ich eine Trinkflasche mit in den Kindergarten genommen, die er mir als Belohnung für das Rechnen geschenkt hatte. Eine Plastikflasche in Form eines Roboters, ein Geschenk, das ich bekam, obwohl gerade kein Geburtstag anstand. Es war verboten, eigene Getränke in den Kindergarten mitzubringen, man durfte nur den kalten, in Metallkannen angebotenen Früchtetee trinken. Ich wusste das, hatte die Trinkflasche trotzdem mitgenommen, sie aber nicht ausgepackt. Sie lief natürlich aus. Der Saft tropfte aus meinem rosa Plastikrucksack, als wir gerade beim Frühstück waren. Der Rucksack hing an dem Stuhl, auf dem ich saß, weswegen die Kindergärtnerinnen die Pfütze bemerkten, während ich noch ahnungslos am Tisch saß und noch nicht ahnte, dass man mich ertappt hatte. Ich schämte mich so sehr. Auch, weil ich das Geschenk meines Vaters nicht würdigte, indem ich die Flasche nicht mehr mitnahm. Meinen Eltern erzählte ich nur, dass die Flasche ausgelaufen war. Nicht, dass man mich ausgeschimpft hatte. Die Flasche verschwand irgendwohin, niemand erfuhr von meiner Schande und nie wieder tat ich etwas derart Falsches.

Mein ganzes Leben schon war ich damit beschäftigt,

weitere solcher Quatschsituationen zu vermeiden. Spätestens ab dem Tag mit der Robotertrinkflasche, bis heute.

Bis zum ersten Kuss mit Lukas war klar, dass ich, dass wir, immer kurz davor sind, infrage gestellt zu werden. Deswegen verstand ich damals, als Sayas Tanten zu Besuch waren, sofort, dass Saya recht hatte: Man stellte uns unter Verdacht, unter welchen, das war egal. Erst als Lukas kam und ich nicht mehr allein war, als ich endlich jemanden Normalen, jemanden Unverdächtigen, neben mir hatte, mit dem ich zu einer Einheit wurde, fiel diese Last von mir ab.

Es war nach dem Umzug, nach der ersten Nacht in der neuen WG, nach dem Sex am nächsten Morgen, als ich dachte: So ist das also, wenn man ein normales Leben führt, so fühlt sich das an. Ist doch klar, dass ich diese Normalität nicht mit pointenlosen Geschichten aus dem Kindergarten stören wollte, ein Glück, dass ich Lukas all das doch nicht erzählt habe. Sonst hätte ich ihm dabei zusehen müssen, wie er um die richtige Reaktion ringt und sie nicht findet.

Saya und Hani waren zu dieser Zeit mit sich und ihrem Leben beschäftigt. Hani führte zwei Jahre lang eine eheähnliche Beziehung mit einem Sackgesicht, und wir verpassten unsere Anrufe in dieser Zeit absichtlich. Saya wohnte in einem anderen Land und umgab sich mit Menschen, die längst gegen jeglichen Rassismus aktiv waren und sich nicht mehr mit den ewigen Erklärungen aufhielten. Und ich war allein mit einem Mann, dem ich nicht alles erzählte und der mir trotzdem vermittelte, dass er verstand. Er musste verstanden haben, denn er sagte nie etwas

Verletzendes, fragte nie auf abwertende Art nach meinen Eltern, präsentierte mir sein eigenes Leben nie als das bessere und normalere. Er hatte einfach so verstanden, wir waren, wie gesagt, eine Einheit.

^^^

Aber Lukas ist nicht mehr für mich da. Als ich vom Café in Richtung meiner Wohnung lief, gab ich mir Mühe, mir nicht vorzustellen, wie ich Lukas von dem Termin beim Jobcenter erzählte. Ich widerstand auch dem Drang, Saya noch zu schreiben, mit welcher Bahnverbindung sie schneller zu dem Markt kommen würde, zu dem sie jetzt wollte, sie hatte ja selbst eine Weile in dieser Stadt gewohnt und kannte sich aus. Es brauchte mich also mal wieder niemand und um mich deswegen nicht allzu schäbig zu fühlen, lächelte ich vor meinem Haus noch die Frau von gegenüber an, die gerade ihr Yoga-Studio aufschloss. Wir waren uns noch nie begegnet, aber ich kannte sie, weil ich ihr Yoga-Studio von unserer WG-Küche aus schon viele Stunden lang beobachtet hatte. Das wusste sie natürlich nicht. Weil sie aber berufsbedingt sehr viele Menschen meines Alters und meines Geschlechts bei sich ein und aus gehen sah, musste sie davon ausgehen, dass ich sie anlächeln würde, und grüßte mich mit einem vertrauensvollen »Haai«. Ich nickte, als wäre ich Teil ihres Lebens, und versuchte, so zu klingen wie sie, als ich mit »Haai« antwortete und weiterging. Ihre Stimme war so einladend und beruhigend, dass ich zum ersten Mal ernsthaft in Erwägung zog, Mitglied in ihrem Yoga-Club zu werden. Im stinkenden Treppenhaus verwarf ich den Gedanken wieder, es war bestimmt unbezahlbar, ein Teil ihrer schönen Welt zu werden. Als ich mir in der Küche einen Kaffee kochte und unglaublich froh war, weil keiner meiner Mitbewohner da war, um mich zu fragen, was ich »heute so vorhatte«, sah ich die Frau immer noch vor ihrem Laden stehen. Sie streckte ihr Gesicht in die Sonne, hielt die Augen dabei geschlossen, und ich bekam erst recht Lust, Teil ihres Teams zu werden. Ich neige nicht zu Neid, aber zu Sehnsucht. Und für eine kurze Sekunde verspürte ich die Sehnsucht, so zu sein wie die Yoga-Lehrerin, dabei kenne ich mich mit Yoga wiederum überhaupt nicht aus, ich weiß nicht mal, was ein Sonnengruß ist. Und ich denke immer, dass die Worte »Yoga« und »Studio« so gar nicht danach klingen, als sollten sie etwas miteinander zu tun haben. Es gab Abende, da schauten Lukas und ich von der Küche aus der immer gleichen Gruppe Frauen zu, wie sie Yoga machten. Wie sie sich auf ihren Isomatten in den Schneidersitz setzten, sich dann auf alle viere begaben; wie sie ihre Arme langsam hoben und dabei so was von überhaupt nicht synchron waren oder gar anmutig aussahen. Doch Lukas und ich entspannten dabei irgendwie und sahen es als unser gottgegebenes Recht an, zugucken zu dürfen. Denn das Yoga-Studio war neu hier und profitierte von der bösen Verdrängungswolke, die sich über der Stadt ausbreitete. Als ich gerade eingezogen war, hatte sich im späteren Yoga-Studio noch eine Fahrradwerkstatt befunden. Damals nickten die Leute noch anerkennend, wenn ich ihnen sagte, dass ich in diesen Stadtteil gezogen war. Mich irritierte ihre Anerkennung, denn ich hatte die Veränderungen des Viertels innerhalb der letzten Jahre bis dahin ignoriert und mich ganz unbeschwert über das WG-Zimmer samt altem Mietvertrag gefreut. Der Mann, der damals in der

Fahrradwerkstatt gegenüber arbeitete, guckte immer etwas verzweifelt, wenn ich wegen eines Plattens vorbeikam. Er versuchte mir dann zu erklären, wie man den Platten ganz leicht selbst reparieren oder wie ich mir den Mantel für das Rad wirklich viel günstiger bei eBay besorgen könne, damit er mir nicht vierzig Euro dafür abziehen musste. Woraufhin ich ihm immer klarzumachen versuchte, dass er damit völlig recht hatte, ich aber nun einmal mein Fahrrad nicht selbst reparieren wollte, denn ich würde mich nur davor drücken und einfach nie wieder Fahrrad fahren. Dann passierte, was passieren musste: Die umliegenden Häuser wurden eingerüstet, alle, bis auf unseres. Der nette Mann und die Fahrradwerkstatt verschwanden. Ich denke manchmal noch an ihn, wenn ich vor dem Supermarkt den Verkäufer der Obdachlosenzeitung treffe, denn ihre Gesichtszüge ähneln sich ein wenig, als wären sie Cousins. Seit das Haus gegenüber nicht mehr eingerüstet ist, strahlt es in all seiner Gründerzeitschönheit, was zugegebenermaßen toll aussieht und trotzdem in unsere unsanierte Wohnung hineinmahnt: Es ist nur eine Frage der Zeit, bis ihr dran seid. Als Nächstes verschwand die Frau, die jeden Tag rauchend an der Bushaltestelle saß und wartete, Stunden um Stunden, und die ich immer um ihren konsequenten Stil beneidet hatte, denn sie trug eine rosa Jacke und rosa Stiefel und einen rosa Rucksack und ich wurde immer ein wenig wehmütig bei so viel Realness. Außerdem sagte alles an ihrem Blick Tag für Tag, dass sie nichts und niemanden brauchte, um, im Gegensatz zu uns, allen Widrigkeiten der Welt zu trotzen. Mich überzeugte der Blick; diese Frau würde im Zweifelsfall stärker sein als wir alle zusammen. Dann aber verschwand sie. Und bald darauf hörte man auch den Mann nicht mehr, den man im Frühjahr, sobald man die Fenster öffnete, eben immer nur hörte, aber nie sah. Das donnernde »U-Ahhh!«, das er in unregelmäßigen Abständen von sich gab, klang wie ein staunender, verächtlicher Kommentar auf die Welt, in der er gelandet war. Mit jedem weiteren sanierten Haus erhöhte sich die Dichte von Kindern und Schwangeren auf der Straße. Es scheint ganz klare Vorgaben zu geben, wer frisch sanierte Wohnungen beziehen darf und wer nicht, und ein gebärfreudiger Uterus und gesunde Spermien – in genau dieser Konstellation – scheinen Kriterien des Vergabeverfahrens zu sein. Das ist ja auch grundsätzlich nichts Schlimmes und die schlecht frisierten Kinder mit ihren Altmännervornamen bringen wenigstens ein wenig Lebendigkeit in die Straße. Trotzdem sind Frauen fragwürdig, die mit ihren Bäuchen über die Gehwege spazieren und dabei so unangenehm laut sind. Warum werden die Stimmen der Frauen erst dann besonders laut, wenn sie schwanger sind? Als wäre auf einmal so immens wichtig, was sie zu sagen haben, dass wirklich jeder, auch die Leute auf der anderen Straßenseite, es unbedingt hören müssen. Sie tun mir leid, denn auf ihrer Stirn steht geschrieben: »Seht her, ich habe es geschafft, ich erledige meine Aufgabe in diesem System!«, und doch haben sie noch nicht verstanden, dass diese Aufgabe zwar von ihnen erfüllt werden soll, sie dafür aber weder Dank geschweige denn Bewunderung erhalten werden. Dass sie vielmehr ab sofort von Fremden wie von Vertrauten beobachtet, überprüft und bewertet werden. Dass man sie tadelt, wenn sie sich Kinderwagen und Smartphone gleichzeitig widmen, dass man sie kritisiert, wenn sie ihre Kinder nicht in den Griff bekommen, dass man sie hasst, wenn sie ihre Kinder zu sehr behüten. Nicht mal laut plaudern dürfen sie, ohne dass jemand wie ich kommt und davon genervt ist. Aber ich bleibe bei meiner Beobachtung. Wenn man die Welt nicht sehen und stattdessen nur einen Zusammenschnitt aller Stimmen auf ihren Straßen hören würde, könnte man die Stimmen in zwei Kategorien teilen: Stimmen von Männern und Stimmen von Schwangeren. Irgendwo dazwischen hört man vielleicht manchmal eine pöbelnde Saya, denn die hat den Fruchtbarkeitsbeweis nicht nötig, um sich wichtig genug zu fühlen. Okay, genug davon. Denn als ich mit meinem Kaffee die Küche wieder verließ, mich ins Bett legte und noch vor dem ersten Schluck einschlief, kreisten meine Gedanken wieder um die Yogalehrerin.

Die Yoga-Truppe, der Lukas und ich regelmäßig zusahen, war übrigens nicht irgendeine Gruppe, sondern selbstverständlich eine Gruppe Schwangerer, die versuchten, trotz doppeltem Körpergewicht anmutig ihrem hippen Hobby nachzugehen. Wir aber durchschauten ihre Strategien, sich der Anstrengung zu entziehen, und kicherten über die, die das Gleichgewicht nicht halten konnten, und lieber noch mal einen Schluck aus ihrer Glasflasche nahmen. All diese Frauen tranken grundsätzlich Leitungswasser aus mitgebrachten Glasflaschen, in denen ursprünglich mal Bio-Tomatenmark oder Vollmilch gewesen sein musste. Wir kicherten leise, meistens aber verfolgten wir dieses Naturspektakel still. Die Yogalehrerin stand manchmal auf und bewegte sich durch die Reihen der lila Isomatten. Ich stellte sie mir vor wie die jüngere Version von Frau Völker, der Leiterin des Kinderturnens aus der Siedlung. Frau Völker war klar, gerecht und nahm uns ernst. Ganz sachte berührte

Frau Völker junior die Frauen an Schulter oder Arm und korrigierte ihre Haltung. Ich dachte mir damals schon, dass sie eine sanfte Stimme haben musste, denn wenn man Yogalehrerin werden wollte und während der Ausbildung drei Wochen in Goa verbrachte, bekam man ja bestimmt auch Stimmtraining. Sie korrigierte alle anwesenden Frauen, bis auf eine, die optisch dem entsprach, was Yoga-Leute sich vermutlich unter einer echten Frau aus Goa vorstellten. Sie hatte lange schwarze Haare, den entsprechenden Teint und trug die gleichen Tchibo-Klamotten wie die anderen. Auch ihre Bewegungen und Figuren waren so wacklig und unförmig wie die der anderen. Frau Völker junior korrigierte sie trotzdem nie. Lukas sagte jede Woche aufs Neue, dass er sich nicht ganz sicher sei, ob das stimmte. Dass es außerdem auch andere Frauen gebe, die ebenfalls nie korrigiert wurden, ohne optisch in Richtung Prinzessin Jasmin zu gehen. Manchmal sagte er auch vorsichtig, so wacklig sei die Frau gar nicht, vielleicht brauche sie ja einfach keine Korrektur. Ich glaubte ihm, dass er das glaubte. Und sagte ihm trotzdem Woche für Woche, dass er falschlag. Er glaubte mir wiederum Woche für Woche und sagte, dass das trotzdem nicht pauschal für alle Yogastunden zutreffen müsse. Das erklärt vielleicht, warum wir am Ende wirklich wöchentlich am Fenster standen und der Yoga-Truppe zusahen, und bevor ich etwas Handfestes hätte anführen können, hat Lukas sich von mir getrennt. Ich hätte also viel früher investigativ aktiv werden sollen. Ich liebäugelte damals schon mit der Vorstellung, mich zu einem der Yoga-Kurse anzumelden, allein aus detektivischem Interesse. Dann hätte ich herausgekriegt, was passiert, wenn ich die Übungen nicht so gut hinkriege wie die weißen anderen Leute. Ob ich einen

Bonus gehabt hätte oder nicht, weil ich die richtigen Farben für echtes, authentisches Yoga mitbringe.

^^^

Die Nachrichten von heute Nacht sitzen mir so tief in den Knochen, dass ich mir ständig einbilde, Feuer zu riechen. Ich schreibe, atme ein und denke an Feuer. Ich höre auf zu schreiben, atme noch mal ein und denke zwar wieder an Feuer, rieche es aber definitiv nicht mehr. Jedenfalls habe ich jetzt so viel über das Yoga-Studio geschrieben, dass ich immerhin den Anstand habe, aufzustehen, in die Küche zu gehen und nachzuschauen, ob da drüben alles in Ordnung ist, nur so, sicherheitshalber, bis gleich.

^^^

Es gibt krassere Überraschungen, aber mich überrascht es doch: Im Yoga-Studio brennt gerade Licht. Brennt Licht ist dabei die absolut falsche Formulierung, man müsste vielmehr sagen, fällt ein sanfter Lichtstrahl auf das indische Wandtuch und auf den sauberen Boden, die runden Kissen, das einsame Duftschälchen. Hauptsache, es brennt nichts, aber ich wüsste schon gerne, wer sich nach Mitternacht noch in diesem Yoga-Studio aufhält. Vielleicht jemand, der eingebrochen ist, bloß um die Idylle zu stören. Vielleicht ja der Fahrradmann, der sich nach all den Jahren endlich rächen will. Vielleicht aber auch einfach jemand, der dort arbeitet und heute zu Hause keine Ruhe findet. Vielleicht Frau Völker junior, die Ehekrach hatte und abhauen musste. Ich entscheide mich für diese Variante und sofort beruhigt mich das Licht. Ich bin nicht allein, sogar Yoga-Leute haben manchmal Probleme und teilen die schlaflose Nacht mit mir.

In der Wohnung über dem Studio sehe ich aber noch etwas viel Beruhigenderes: einen laufenden Fernseher. Einen richtig alten Röhrenfernseher, keine flache Scheibe also, sondern eher einen ganzen Erdball. Irgendjemand liegt im Bett und guckt darauf, und ich wäre so gerne einfach diese Person, wer auch immer sie sein mag.

^^^

Als ich klein war, habe ich mir immer vorgestellt, Saya und ich wären Figuren in einem schönen Kinderfilm, und ehrlich gesagt habe ich mir das auch noch vorgestellt, als wir mit Hani zu dritt waren und eher in so ein verruchtes Teenie-Drama gepasst hätten. Als Kind dachte ich, dass Saya und ich, wie wir so mit Kreide auf den Asphalt malten, von Bäumen sprangen und tote Maulwürfe vergruben, um sie Wochen später wieder auszugraben, die idealen Protagonistinnen wären. Dass alles, was wir taten, eine prima Einleitung war. Denn am Anfang plätschert so ein Film ja immer erst einmal so vor sich hin, dann aber passiert etwas Unvorhergesehenes und das Abenteuer geht los. Das Abenteuer, in dem wir die Heldinnen sind, mit unseren Schwächen und Stärken und vor allem mit der Macht unserer Freundschaft. Das dachte ich, wenn andere Kinder mich ärgerten oder nachdem uns ein paar ältere Jungs auf dem Heimweg in die Siedlung verprügelt hatten: Wenn unser Abenteuer erst beginnt, werden sie alle um Gnade betteln. Wir bräuchten nur ein wenig Geduld, dann würden wir es allen zeigen. Dieser Traum hat sich natürlich nie erfüllt, das Abenteuer kam einfach nicht und ich vergaß irgendwann auch, darauf zu warten, denn Spielen, Wegrennen und Kindsein war ja auch ein Fulltime-Job.

Wenn ich mir uns drei nun, als Erwachsene, in einem Fernsehformat vorstellen möchte, dann ist das einzige plausible Setting für mich eine Neunzigerjahre-Talkshow. Das ist das, was der Nachbar, der über dem Yoga-Studio, jetzt gerade schaut: eine Talkshow, in der es um Saya, Hani und mich geht.

Wir erinnern uns, dass Talkshows nicht schon immer das waren, was man heute als Politrunde unter garstigen Besserwissern versteht. Früher, in einem Land vor unserer Zeit, in den neongelben Neunzigern, waren sie einmal das Fernsehformat, in dem kompetente Menschen namens Arabella, Sabrina oder Vera das Sagen hatten. In dem Menschen wie du und ich, Menschen von der Straße, dazu befragt wurden, ob sie wirklich diese merkwürdige Verhaltensweise oder jene abartige Meinung zur Welt hatten oder nicht. Lasst uns nicht an die Geschichten denken, in denen der Lügendetektor herausfinden sollte, ob jemand den Halbbruder des anderen mit seinem Cousin betrogen hatte oder nicht, denn das war der Untergang dieses wunderbaren Formats, wie wir alle wissen. Die früheren, ersten Talkshows aus den Zeiten, in denen die Hosts noch Nachnamen hatten und manchmal sogar gesiezt wurden, behandelten tatsächlich relevante Fragen des Lebens wie »Partnertausch – Wirkt das belebend für die Ehe?« oder »Späte Vaterschaft – Vorteil oder Nachteil?«. Lasst uns in diese Zeiten zurückreisen. Vorne steht, blond, Kurzhaarschnitt, leichte Dauerwelle, Bärbel Schäfer, inmitten ihres Publikums, das in Schnellfickerhosen von adidas und Kapuzenpullis von Fila gespannt darauf wartet, was es heute Absurdes lernt.

Die fetzige Musik leitet die Show ein, eine Männerstimme erklärt, worum es heute geht, und die Kamera zeigt die drei Protagonistinnen der heutigen Sendung, die alle absurde Meinungen vertreten, über die man wirklich mal öffentlich diskutieren muss. Bärbel muss warten, bis der tosende Applaus nachlässt, bis sie, leicht schreiend, damit man sie versteht, mit der Anmoderation loslegen kann, »Ich bin das Opfer, du Opfer! Wer wird wie stark unterdrückt? Heute haben wir eine Frau zu Gast, die sagt: ›Ich habe es schwerer als andere!‹, und ihre beiden besten Freundinnen, die damit leben müssen. Begrüßen wir die drei, Saya, Hani und Kasih!« Bei »der Frau« hat die Kamera Saya gezeigt und dann, bei »den Freundinnen« erst Hani und dann mich, wie ich Hani anschaue. Das Publikum jubelt, als wären wir Superstars, einfach, weil wir vorne sitzen und Namen haben. Saya bekommt selbstverständlich als Erste das Wort, Bärbel fragt sie, ob sie das wirklich meine, dass sie das Opfer sei und unterdrückt werde.

Saya sagt, »Ich bin kein Opfer! Aber ich werde unterdrückt.«

»Wie geht denn das, du Frau«, fragt ein Neunzigerjahre-Typ, der plötzlich auch neben uns sitzt, »entweder du bist Opfer oder nicht, aber du kannst nicht sagen, das eine ohne das andere.«

»Moment, Moment«, sagt Bärbel jetzt zum Glück, »Tarkan, du kommst später dran, erst darf Saya erzählen. Saya, du bist eine erfolgreiche, gut aussehende Frau, warum denkst du, dass du unterdrückt wirst?« Saya schaut zu Tarkan und sagt, »Na, sieht man doch! Ich habe noch nicht mal was gesagt und schon wird dieser Typ eingeblendet. Ich kann nichts erklären, ohne dass man mir dazwischenredet und es besser weiß. Der Meinung von anderen spricht man immer mehr Relevanz zu als meiner.« Bärbel hat einen Affenzahn drauf, sie will sofort mehr wissen, »Okay, das haben wir jetzt auch gesehen, das wird nicht wieder vorkommen, erzähl du erst mal ein bisschen. Du bist ja sehr erfolgreich zum Beispiel, ist das nicht ein Zeichen dafür, dass du alle Möglichkeiten hast? Du hast dein Studium mit besten Noten abgeschlossen und promovierst seitdem, außerdem hast du eine Festanstellung und machst tolle Arbeit mit Jugendlichen.«

»Bärbel, ganz ehrlich. Klar bin ich erfolgreich. Ich habe mich ja auch zehnmal mehr angestrengt als gut für mich war, musste auf meinem Karriereweg Dinge zehn Mal sagen, während Männer für die gleichen Dinge direkt Applaus und Anerkennung bekommen haben. Ich musste mir den Arsch dafür aufreißen, damit man mir hinterher kein Versagen vorwirft, und jetzt, wo ich Erfolg habe, sagen alle: ›Na, was stellst du dich denn so an?‹ Der Punkt ist doch, dass ich es schwerer hatte und habe, weil ich bei minus fünfzig anfangen musste, wo Leute wie ihr schon bei Plus zwanzig angefangen haben. Aber ihr wollt mich entweder für meine minus fünfzig verachten oder ihr wollt von meinen minus fünfzig nichts wissen, sobald ich mit euch gleichauf bin. Ihr wollt immer nur sehen, was euch gerade in den Kram passt, und bemerkt dabei nicht mal eure Scheinheiligkeit. Wenn ich euch sage, wo wir drei groß geworden sind, dann rümpfen alle die Nase und sagen, Assigegend. Wenn dann Jahrzehnte später alle ihre hippen Läden dort eröffnen und ihre billigen WGs gründen, rasten sie plötzlich aus wegen so viel Realness. So ist das, Bärbel, ich werde nirgendwo aktiv unterdrückt, soll aber trotzdem nur das machen, was für mich vorgesehen ist, und was für mich vorgesehen ist, darüber entscheide selbstverständlich nicht ich, sondern alle anderen.« Tarkan möchte einschreiten und etwas sagen, aber Bärbel ist schneller. Im Publikum stehen bereits einige Menschen, was bedeutet, dass sie eine Frage stellen und in den meisten Fällen erst mal auch ihre Meinung sagen möchten. Jetzt kommt eine Frau an die Reihe, deren vordere Haarsträhnen blond gefärbt sind, während der Rest der Haare in natürlichem Schwarz glänzt. Sie zeigt auf Saya und sagt, »Du sagst, du wärst kein Opfer. Warum setzt du dich dann hierhin und heulst rum?«

»Ich heul nicht rum, ich beschwere mich«, sagt Saya, »so zu tun, als könnte man das nicht auseinanderhalten, ist eine ganz alte Masche, die kenne ich schon, die funktioniert bei mir nicht, merk dir das!« Die Frau guckt ratlos und setzt sich wieder hin. Als Nächstes bekommt ihre Freundin das Mikrofon. Sie trägt einen Pferdeschwanz mit Mittelscheitel und hat zwei lange Strähnen im Gesicht hängen, die sich an den Spitzen leicht wellen. Die Neunziger waren eindeutig das Jahrzehnt der Strähnen. Die Frau steht auf und sagt zu Saya, »Wenn du kein Opfer bist, warum tust du dann so, als wären alle anderen Täter?« Saya überlegt und sagt, »Okay. Dann gebe ich's zu. Ich bin das Opfer!« Das Publikum buht Saya hemmungslos aus und wird von ihr unterbrochen. Sie ruft, »Was genau ist jetzt so schlimm daran, sich *Opfer* zu nennen?«

Die Frau mit den Angebersträhnen antwortet prompt, ihre Strähnen schwingen dabei wichtig hin und her, »Das ist doch Erpressung! Wir sind alle anderer Meinung als du, dürfen das aber nicht sagen, weil du dich ja als das arme Opfer stilisieren musst! Buhuhu!« Saya brüllt, »Boah, na dann bin ich eben doch kein Opfer, Mann! Du hast doch gesagt, ich sei das Opfer!« Die Frau steht wieder auf und ruft, »Du hast doch gesagt, wir sind alle Täter!« und Saya ruft, »Ich habe doch nur erzählt, wie mein Leben aussieht, und wer Opfer, wer Täter ist, ist mir ehrlich gesagt scheiß egal! Das ist doch nicht mein Problem, ich habe ganz andere Probleme!« Bärbel bewegt sich von der Frau aus dem Publikum weg, denn sie hat ihren Zweck erfüllt. Bärbel redet, während sie sich durch die Reihen schlängelt, wir sehen sie im Profil und wir sehen, dass sie ein wenig auf den Boden schaut, um niemandem auf die Füße zu treten. Sie fragt, »Hani, ich habe dich gerade lachen gesehen, warum?« Hani guckt erschrocken und sagt schnell, »Mir ist gerade was anderes Lustiges eingefallen, sorry, hatte nichts mit dem Thema zu tun …« Bärbel hilft ihr, »Liegt das vielleicht daran, dass du deiner Freundin nicht so ganz zustimmen kannst? Übertreibt sie in deinen Augen?« Hani sucht nach Worten, lacht und schaut zu mir, wird dann von Saya unterbrochen, »Das ist auch alles zu komplex, um das hier zu beschreiben. Ich weiß nur: Wer lebt wie ich, weiß, was ich meine.« Dafür gibt es Applaus aus dem Publikum, aber nur ein bisschen, denn da sitzen nicht allzu viele Leute, die so leben wie Saya. Ich klatsche auch, denn ich gehöre dazu. »Kasih, du klatschst«, greift Bärbel den Faden kompetent auf, »aber so richtig zufrieden bist du nicht mit der Art, wie deine Freundin durch die Welt geht, oder? Kannst du uns das erklären?«

»Nein«, sage ich, »nein, und ich will euch das auch gar nicht erklären. Das ist nicht mein Job. Saya, dein Job ist das übrigens auch nicht.« »Äh, doch«, sagt Saya, »das ist ja tatsächlich mein Beruf, weißt du, ich mache neben meiner Promotion doch diese Workshops mit Jugendlichen …« »Okay, stimmt«, sage ich, »aber so allgemein, du setzt dich hierhin und willst alle von einer Sache überzeugen, die völlig klar ist. Die Leute widersprechen dir nicht, weil du unrecht hast, alle wissen, dass du recht hast. Sie widersprechen dir, weil dir recht zu geben, ihre komplette Weltordnung durcheinanderbringen würde. Solange dir dein Gegenüber nicht entweder vertraut oder aber dich gut bezahlt, solltest du ihm keinen Einblick in deine kluge Gedankenwelt geben. Du solltest keine Gespräche führen, die sich nicht lohnen, mit Leuten, die dir nur zuhören, um dir dann zu widersprechen. Also lass es doch, hör auf, es zu erklären, niemand dankt es dir. Niemand kriegt Applaus, weil er die Wahrheit sagt.« Niemand applaudiert und zum ersten Mal in der Geschichte dieser Sendung herrscht kurz absolute Stille, weswegen ich mich bestätigt fühle. Vermutlich aber hat einfach kein Mensch verstanden, was ich gesagt habe. Bezahlen? Wofür? Ich sehe mein blasses Gesicht im Monitor. Ich bin eigentlich schön, sehe aber plötzlich ziemlich ungut aus. Gewohnt und verbraucht und langweilig. Ich gehöre nicht in diese Sendung.

Saya schüttelt den Kopf und sagt, »So wird die Welt nicht besser. Ich will aber nicht tun, als wäre die Welt in Ordnung, das ist doch das, was die weiße Dominanzgesellschaft von uns will. Sie will, dass wir so müde werden, dass wir aufhören, darüber zu reden, und dass wir nicht weiterkämpfen. Wir haben aber allen Grund zu kämpfen! Wir müssen dafür kämpfen, nicht wie Menschen zweiter Klasse behandelt zu werden!«

»Es tut sich doch schon viel«, sage ich, »schau dich doch mal um, in den großen Zeitungen, in der Wissenschaft, in der Politik. Unsere Stimmen sind immer öfter vertreten, man hört uns, man gibt uns das Wort, in den letzten Jahren hat sich so viel entwickelt.«

»Das ist zu wenig«, sagt Saya, »das sind kleine Brocken, die man uns hinwirft, damit wir still sind. Was soll das überhaupt bedeuten: Man gibt uns das Wort? Was soll denn das? Merkst du nicht, was das heißt? Wir haben das Wort sowieso, wir sollten es haben, wir sollten nicht drauf angewiesen sein, dass irgendwer, der das kann, es uns gibt. Wir sollten aufhören, so zu reden wie Menschen zweiter Klasse, dann hört man auch auf, uns wie welche zu behandeln. Dann hört man vielleicht auch auf, uns einfach umzubringen. Einfach umzubringen! Hört ihr, was ich sage? Man bringt uns um, verdammt noch mal, wie viel wollt ihr denn noch, damit ihr uns endlich glaubt?« Im Publikum stehen einige Leute auf und gehen. Die, die bleiben, schwingen ihre Fäuste und rufen »Frauencatchen! Frauencatchen!«, was man nur versteht, wenn man auch amerikanische Talkshows kennt. Bärbel kennt sie nicht, denn sie stammt ja aus den Neunzigern, und da konnte man noch nicht im Internet erfahren, was gerade in den USA passiert. Deswegen nimmt sie schnell jemanden aus dem Publikum dran. Ein Mann, der nicht Tarkan heißt, aber so ähnliche Sachen sagt. »Ey, komm mal klar, Prinzessin«, ruft er Saya zu, »ich habe dich gegoogelt, du warst an Eliteunis und du verdienst mit Sicherheit mehr als ich, ich bin nämlich Mechatroniker und kann mir deine Schuhe nicht leisten. Hör mal auf deine Freundinnen und mecker weniger.« Das Publikum klatscht begeistert, Bärbel interessiert sich sehr für das prekäre Leben als Mechatroniker, weswegen der Mann, Michi, auch nach vorne darf, um bei uns zu sitzen und zu diskutieren. »Dann überzeugen wir deine Freundin jetzt mal zusammen«, sagt Michi zu mir und zwinkert, und ich schüttle schnell den Kopf. »Nein, nein, ich bin auf Sayas Seite, ich habe nur das Gefühl, dass sie sich selbst kaputt macht, ich will nur, dass sie ein bisschen mehr auf sich aufpasst, statt …« »Mimimi«, macht Michi, »ich habe hier heute noch nichts Überzeugendes gehört, ihr redet die ganze Zeit nur von euren *Gefühlen*.« Das Wort »Gefühle« zieht Michi sehr in die Länge. Dann fügt er hinzu, »Mich nervt das! Macht euch mal ein bisschen locker und kommt besser in die Sendung, wenn das Thema ›Ich suche einen schönen Mann‹ heißt, da habt ihr mehr Erfolgsaussichten.« Alle klatschen und lachen fröhlich.

»Hani, ich habe dich bei Michis Worten gerade wieder lachen sehen, gibst du ihm heimlich nicht ein bisschen recht?«, fragt Bärbel, und Saya und ich schauen empört nach links. Hani zieht ihr Top zurecht. »Nein«, sagt sie schnell und dann, weil sie ja irgendwas sagen muss, »also, Saya hat mit allem recht.« Sie klingt dabei so ungefährlich, dass die Kamera sich gar nicht mehr von ihr abwenden kann. Sie lächelt ein wenig. »Dann findest du auch, dass Frauen wie ihr nicht die gleichen Chancen haben wie beispielsweise Männer wie Michi?«

Hani schaut zu charming Michi, lächelt und sagt, »Ich finde, dass Saya recht hat und ich finde trotzdem, dass es schade ist, dass sie sich so ärgert. Solange uns niemand glaubt, müssen wir doch nicht ständig wiederholen, was schiefläuft. Die Leute glauben uns oder sie glauben uns nicht, aber dieses ständige Analysieren und Erklären, das keiner ernst nehmen will, nervt. Es bringt nämlich überhaupt nichts, außer dass es uns selbst traurig macht. Wir sollten aufhören mit Sachen, die nichts bringen. Neulich habe ich ein Buch bei amazon gesehen –«

»Du kaufst Bücher bei amazon?«, fragt Saya entgeistert.

»Ja«, sagt Hani, »und das ist das beste Beispiel. Ich kaufe Bücher bei amazon, denn ich kann mich gegen amazon eh nicht wehren, die können wir nicht mehr aufhalten, die sind zu stark. Also kaufe ich da eben, denn es ist praktisch, und ich verschwende meine Zeit nicht mit Heldentum, das mir keiner dankt, für das ich mehr zahlen und länger warten und im schlimmsten Fall auch noch aus dem Haus gehen muss. Saya, du bist von mir aus eine Heldin, aber du kannst halt auch wirklich überhaupt nichts bewirken, denn du löschst immer nur die kleinen Flammen, wo doch um dich herum der ganze Wald brennt und genau deswegen«, ruft Hani jetzt und fühlt sich vor der Kamera richtig wohl, »genau deswegen kaufe ich bei amazon und bin stolz darauf!« Das Publikum rastet aus vor Glück, klatscht und stampft und jubelt.

Saya wird laut, denn dafür sind Talkshows da, »Es sind genau Strukturen wie diese, die …«, das Publikum bleibt unruhig, ist aber nicht mehr heiter, und Saya setzt neu an, »In einer patriarchalen und kapitalistischen Gesellschaft beutet man uns aus, um …«, das Publikum buht, Saya macht weiter, verzweifelt, »Wir sitzen in Talkshows, aber kaum im Bundestag, nie in den wichtigen Räten, wir sind nie vertreten …« Ich versuche zu helfen und sage, »Damals, bei uns, in der Siedlung …«, aber Michi ist schneller, »Genau, bei euch in der Siedlung! Ihr gettoisiert euch! Ihr baut Parallelgesellschaften! Ihr wollt unter euch sein, wollt die Sprache nicht lernen, aber ihr wollt unbedingt auch Bundeskanzler sein, Mann!« Das Publikum klatscht.

Saya sagt nichts und ich sage nichts. Hani meldet sich, denn sie denkt, dass man das in Talkshows tun muss, um etwas beitragen zu dürfen. Eigentlich will sie etwas sagen, um Saya zu helfen, aber ihr fällt nichts ein, denn das mit den Strukturen und dem Patriarchat hat sie noch nie so ganz verstanden. Weil die Kamera jetzt aber auf sie gerichtet ist und ihr Gerechtigkeitssensor gerade anschlägt, sagt sie schnell, »Was ist mit Tarkan, warum sagt Tarkan jetzt eigentlich gar nichts mehr?« »Mein Mikrofon ist aus, Mann!«, ruft Tarkan, und er ist so leise, weil sein Mikrofon tatsächlich aus ist. Dann boxt er Michi in die Seite und sagt, »Du bist wenigstens Mechatroniker, du Opfer, ich habe nicht mal eine Lehrstelle bekommen. Ich muss noch bei meiner Mutter wohnen und mir von ihr die Klamotten waschen lassen, weil mich keiner einstellen will. Du beschwerst dich? Ich beschwere mich!«, und dann wird sein Mikrofon wieder angeschaltet, weil Bärbel den Disput zwischen Michi und Tarkan interessant findet. Saya, Hani und ich sagen nichts mehr und zum Ende der Sendung ruft Bärbel, »Wir haben spannende Diskussionen geführt zum Thema Opfer und haben neue Themen gesammelt für die nächsten Sendungen, zum Beispiel ›Du wohnst noch bei deiner Mutter – bist du ein Muttersöhnchen?‹ oder ›Du bist erfolgreich und trotzdem unzufrieden – ist es Geldsucht?‹ Das sind die Fragen, die uns brennend interessieren, rufen Sie an, wenn Sie dazu in unsere Sendung kommen wollen.« Hani meldet sich noch mal, weil sie glaubt, Saya nicht genügend unterstützt zu haben, »Das Thema mit dem Patriarchat und dem Kapitalismus vielleicht auch?« »Nein«, sagt Bärbel, »das betrifft zu wenige unserer Zuschauer.« Saya schüttelt den Kopf. Die fetzige Musik läuft, man sieht das Publikum klatschen, während an der Seite die Namen von den Leuten eingeblendet werden, die im Hintergrund für die Sendung verantwortlich sind. Der Nachbar von gegenüber schaltet den Fernseher aus.

Wir sind nicht mehr in den Neunzigern.

Wir sind keine Gäste einer Talkshow.

Wir sind drei Freundinnen, die sich zu lange kennen, um sich nicht zu verstehen, obwohl sie sich eigentlich nicht richtig verstehen.

Wir sind wieder ernst. Diese Geschichte ist ernst und traurig.

Zurück zu Mittwoch, dem Tag, der im Jobcenter begann und für Saya und Hani in dem Haus endete, das heute Nacht brannte.

Bis zum Abend hatten Saya und ich uns natürlich wieder beruhigt. Nachdem Saya vom Markt zurückgekommen war, hatten wir den Tag nebeneinanderher verbracht, ein bisschen was gegessen, schweigend auf unsere Handys geguckt und darauf gewartet, dass Hani Feierabend hat. Meine Jobcenter-Wunden waren zwar tief, grundsätzlich aber verlief ihre Heilung nach einem bekannten Muster. Alles, was ich brauchte, war Ablenkung. Saya wusste das natürlich und nachdem sie lange genug auf ihrem Handy herumgetippt, einen überzuckerten Joghurt gegessen und sich ein wenig naserümpfend in der WG-Küche umgeschaut hatte, widmete sie sich der Abendplanung, und wenige Stunden später saßen wir auf einem alten Fabrikgelände, vor einem besetzten Haus und einer Feuertonne, sprachen, tranken und lachten, und ich war wieder der Mensch, der ich eigentlich bin, und kein Jobcenter-Zombie mehr.

Die Leute um uns herum drehten sich Zigaretten, rückten füreinander zur Seite, damit alle sitzen konnten, führten ernste Gespräche und schauten dabei ins Feuer. Es war irgendwas zwischen einer Geburtstagsfeier und einem Konzert von Leuten, die wir vage kannten. Manchmal sprachen sie von einem Rave, von dem wir nichts wussten, was sich aber vielleicht bald ändern würde, wenn wir nur lässig genug guckten und geduldig blieben.

Die Leute, die zu dem besetzten Haus gehörten, waren alle unterschiedlich alt und auf unterschiedliche Art schön. Wenn man genau hinschaute, reichte die Altersspanne bis schätzungsweise Mitte fünfzig, wobei in diesen Bereich, ehrlich gesagt, nur noch Männer fielen. Alle anderen waren eher etwas jünger und die Frauen unter ihnen schienen alles zu tun, um ja nicht auszusehen, wie es von Frauen verlangt wird. Deswegen vielleicht fühlten wir uns in diesen Kreisen wohl, obwohl wir selbst im Vergleich eher konventionell aussahen. Hier hatten wir irgendwie so was wie Sonderrechte, denke ich manchmal, wer links ist, muss entweder aussehen wie ein Outcast oder, wie wir, einer sein. Deswegen durfte Hani auch im Gegensatz zu den anderen Frauen im Minirock kommen, musste Saya ihr hübsches Gesicht nicht durch eine hässliche Frisur ausgleichen. Aber das, ihr habt es an eurem inneren Widerstand gemerkt, ist meine Interpretation der Dinge, denn vielleicht waren wir hier auch völlig ungewollt und fehl am Platz und merkten es nur nicht, oder aber wir waren allen egal und nur ich nahm diesen Kram so wichtig, dass ich drüber nachdachte. Aber weil ich hier das Sagen habe, bleibe ich bei meiner Annahme, dass man uns wegen eines vermeintlichen Andersseins akzeptierte und wir die anderen wegen eines selbst gewählten Andersseins. Nur deswegen saßen Saya und ich so entspannt auf der Bank, beobachteten die Leute um uns und wechselten kein Wort über das, was uns am Vormittag noch so auseinandergetrieben hatte.

Ich fragte mich, ob Saya noch wusste, dass sie, als wir vor Jahren einmal auf einer ähnlichen Party waren, gesagt hatte, es sei ihr schleierhaft, warum alle Welt davon ausgehe, dass es eine politische Haltung sei, gegen rechts zu sein. Gegen rechts zu sein sei weder eine Entscheidung noch eine Einstellung; gegen rechts zu sein, war für Saya nichts anderes als ein Überlebenstrieb, der nicht einmal einer Benennung bedurfte. Sie fand es merkwürdig, dass Leute sich als Antifaschisten beschrieben und so taten, als wäre das etwas Nennenswertes. Diabetiker zu sein, das war für sie etwas Nennenswertes, oder Pferdeflüsterer, aber doch nicht Antifaschist. Wenn Antifaschismus etwas Nennenswertes war, was sollte denn dann die unbenannte Norm noch sein? Zum Glück fing Saya jetzt nicht noch einmal damit an, und ich war froh darüber, denn das hier war kein Ort, an dem ich sie laut über solche Dinge rätseln hören wollte. Wir stießen mit dem übertrieben gekühlten Radler an und schwiegen, schauten uns um und genossen den ruhigen Abend inmitten von, dessen waren wir uns sicher, Gleichgesinnten. Einige Meter weiter stand Life und zerriss ein paar große Pappkartons, die man zum Anzünden weiterer Feuer brauchen würde.

Jetzt fragt ihr euch, wer eigentlich Life ist? Das habe ich mir gedacht, denn wir haben ja schon festgestellt, dass ihr die Opfer nie kennt. Wenn ihr euch mit ihnen beschäftigt hättet, käme euch Lifes Name bekannt vor, wärt ihr an dem Foto von ihm, seiner Frau und seinem Sohn hängen geblieben. An diesem Abend war Life aber noch kein Opfer, sondern bloß ein Unbekannter, der für uns erst mal noch keine Bedeutung hatte und den wir nur kurz wahrnahmen, so, wie wir alle um uns herum wahrnahmen. Vielleicht nahmen wir ihn ein bisschen länger wahr, weil er in diesem weißen Kontext die einzige Schwarze Person war. Vielleicht hatten wir drei jeweils einen kurzen Blickkontakt mit ihm, vielleicht tat jemand etwas, das als Nicken durchgehen konnte. Vielleicht schaute daraufhin einer von uns betreten weg. Aber das glaube ich nicht, daran würde ich mich erinnern.

Saya und ich sahen uns weiter um und beobachteten Hani und ihre unvergleichliche Kunst des Assimilierens. Sie war nach der Arbeit kurz nach Hause gefahren, hatte sich dicken dunklen Kajal aufgelegt und sich zusatzstofffreie Filterzigaretten gekauft, um mit ihren schicken langen Zigaretten nicht aufzufallen. Nun stand sie in ihren ausnahmsweise ausnahmslos schwarzen Klamotten an der Feuertonne und redete mit Minh, einer von vielen Personen, die in Hanis Agentur mal ein Praktikum gemacht hatten. Hanis Agentur setzte sich für die Rechte von Tieren ein, indem sie hippes Marketing für einen artgerechten Umgang vor deren Verwertungstod betrieb. Engagiert wurden sie von Unternehmen, die zwar einerseits Tiere abschlachteten und an deren Kadavern Geld verdienten, andererseits aber vorher genau diesen Tieren ein hohes Maß an Fairness entgegenbrachten und dies gerne mit der Öffentlichkeit teilten. Hani hatte weder mit Weltverbesserung noch mit Werbestrategien wahnsinnig viele Berührungspunkte und war in dieser Agentur das, was sie mit einer hohen ironischen Stimme die »Vorzimmerdame« nannte. Leute wie Minh verirrten sich immer Mal wieder in die Agentur, weil sie extrem aktivistisch waren und einen Ort suchten, an dem sie Geld verdienen konnten, ohne dabei ihre Ideale zu verraten, und Hanis Kolleginnen und Kollegen sah man diese zwei Herzen in ihrer Brust ebenfalls an. Sie sahen allesamt aus, als hätten sie mal in Baumhäusern gelebt, als würden sie ihr Leben aber inzwischen im Griff haben. Minh fragte Hani aus, ob sich mittlerweile etwas an den Arbeitsbedingungen geändert habe. Hani druckste herum, das merkten wir sogar aus der Distanz, denn jegliche Veränderung hätte Hanis Initiative erfordert. Minh hatte das Unternehmen nach einem halben Jahr Praktikum mit einem glänzenden Arbeitszeugnis, einer weiteren Zeile im Lebenslauf und der Ansicht verlassen, dass Kommerz und Ideale einander ausschlossen, und versuchte sich gerade im Journalismus. Hani war Minh ans Herz gewachsen, vielleicht, weil sie zwar alles richtig machte, was Umweltschützer richtig machen mussten – sich vegan ernähren, im Bioladen einkaufen, auf Plastik verzichten –, dabei aber irgendwie hilflos wirkte und im Gegensatz zu allen anderen keine moralische Strenge ausstrahlte. Minh fand diesen Zug sympathisch, ich aber durchschaute ihn. Ich durchschaute, warum Hani nach den veganen Würstchen fragte, weil vegan sein für sie der einfachste Weg war, eine gesellschaftskompatible Diät zu machen, die ihr guttat. Man konnte auch vegan dick werden, keine Frage, aber vegan sein hieß, öffentlich auf Dinge zu verzichten, ohne sich in bestimmten Kreisen weiter erklären zu müssen, und Hani verzichtete also auf Dinge und blieb bei Gemüse und ein wenig Tofu. Wenn sie im Bioladen einkaufte, fühlte sie sich sicher. Jahrelang hatte sie verzweifelt versucht, zu kaufen, was andere kauften, ohne negativ aufzufallen, Stichwort Billigcola von ALDI, mit der sie dann selbstbewusst herumlief und nicht merkte, dass die anderen Teenie-Girls sich über sie lustig machten. Als sie erkannte, dass man im Bioladen zwar verdammt viel Geld ließ, dafür aber mit wirklich jedem einzelnen Kauf immer alles richtig machte, fühlte sie sich so gut und aufgehoben, dass sie lieber an anderen Stellen sparte, um dafür aber ihre Einkäufe nicht verstecken zu müssen, sondern im Gegenteil stolz präsentieren zu können.

Saya und ich wussten, dass wir das Gleiche dachten, als wir Hani und Minh beobachteten, wir schauten uns eher zufällig kurz an und lächelten. Vor uns standen zwei Männer in wild verlotterter, schwarzer Montur, mit Ohrring und partiell rasierten Haaren, und diskutierten über etwas. Wir bekamen nicht mit, über was, schnappten nur hin und wieder ein paar Stichwörter auf. Es ging um Plena und Demonstrationen, worum auch sonst, um die Organisation einer Veranstaltung, die bald anstand, und Saya fragte mich, ob ich bei der letzten Demo gegen Polizeigewalt in meinem Stadtteil gewesen sei, die so eskaliert war. Seit Saya selbst nicht mehr in der Stadt wohnte, war sie immer extrem gut über alles informiert, was hier passierte, und tat so, als wäre es selbstverständlich, dass man zu jeder Demo ging. Ich verneinte und fühlte mich schuldig. Wenn irgendwo Demos waren, musste man da natürlich hin. Das tat aber kein Mensch konsequent, dachte ich, denn nach einiger Zeit fühlte es sich schon gar nicht mehr so an, als würde man dabei etwas in die Hand nehmen. Im Gegenteil, nach all den wöchentlichen Demos gegen all das, was in der Welt schiefläuft, fühlt es sich immer eher so an, als hätte man überhaupt keine Chance, auch nur irgendwas zu ändern, denn es ändert sich ja auch nie etwas. Das müsse ja ganz schön heftig gewesen sein, sagte Saya, sie habe Videos davon gesehen, und es sei doch überraschend, dass so was hier passierte und die Nachrichten darüber nicht berichteten, es sei doch überraschend, dass die Polizei wieder und wieder tun und lassen könne, was sie wolle, ohne dass das irgendwelche Konsequenzen hatte. Einer der beiden Männer, der Ältere, dem Outfit nach vielleicht ein Handwerker, hörte ihre Worte und drehte sich zu uns um. »Das ist ja interessanterweise etwas, was auch die Rechten propagieren«, sagte er zu Saya.

»Was?«, fragte ich.

»Dass die Presse über ihre Belange, über die Größe ihrer Demonstrationen zu wenig berichte, dass sie Repressalien durch die Polizei erlitten und die Linken nicht.«

»Ist doch egal, was die Rechten propagieren«, sagte Saya, »in unserem Fall stimmt das und im Fall der Rechten nicht.«

»Das ist aber sehr kurz gedacht«, sagte der Mann, nennen wir ihn Markus, »woher weißt du, dass das bei denen nicht stimmt? Wenn wir pauschal auf die reagieren, reagieren die auch immer pauschal auf uns.«

»Was geht denn mit dir«, fragte Saya, jetzt etwas lauter, sodass die Leute, die neben uns auf den Bierbänken saßen, sich kurz zu uns umdrehten, »das ist mir doch egal, ist doch nicht meine Verantwortung, wie die Rechten auf uns klarkommen.«

»Genau das ist das Problem«, sagte Markus und setzte sich ohne Einladung neben Saya. Sein bisheriger Gesprächspartner stand vor uns und schaute mich entschuldigend an. Als würde er Markus kennen, wissen, dass er ein wenig schwierig sein konnte, und mir sagen wollen, dass man damit aber umgehen könne, umgehen müsse. Ich lächelte zurück und fragte mich, ob er sich wohl dazu eignen würde, mich von Lukas abzulenken, dann aber fiel mir ein, dass Saya ja bei mir schlief und heute Abend somit nicht der richtige Zeitpunkt war, um jemanden aus Zerstreuungsgründen abzuschleppen. Markus redete eine Weile und Saya hörte ihm demonstrativ nicht zu, was mich an die trotzige zehnjährige Saya von früher erinnerte. Als Markus seinen Monolog über die Notwendigkeit, mit Rechten zu sprechen, kurz unterbrach, um uns nach Filtern zu fragen, nutzte Saya die Chance und sagte, »Ist mir eigentlich auch ziemlich egal, wie du mit Rechten umgehst oder nicht. Fakt ist doch, die Polizei, der Verfassungsschutz, das System, die haben uns auf dem Gewissen. Die haben Tote auf dem Gewissen. Die sind schuld, dass wir sterben, immer wieder, immer vereinzelt, immer ohne Konsequenzen. Dass Rechte in Gefängniszellen sterben, habe ich noch nicht gehört, und bis dahin ist mir auch egal, ob die sich benachteiligt fühlen oder nicht.« Markus lachte, wie man über junge, wilde Rebellen lacht, wenn man selbst auch mal wie sie gedacht hat, und ich vermutete, dass er damit Zeit schinden wollte, weil er keine Antwort parat hatte. Ich dachte, dass er, wenn er clever wäre, Zeit schinden und dann ganz schnell weglaufen würde, denn Saya war gerade in einer unberechenbaren Stimmung. Mir fiel ein, dass es bei Linken so eine Geste gibt, um Zustimmung auszudrücken, ohne dafür zu viel Raum durch Worte einnehmen zu müssen; sie heben beide Hände an den Kopf und lassen die Finger wackeln, das Zeichen für Applaus unter Gehörlosen, und ich hob also die Hände an meinen Kopf, machte das Zeichen, sah dabei Saya an und erntete einen entsetzten Blick, weswegen ich gleich wieder aufhörte. Markus sagte, »Das klingt ja gerade so, als würden wir massenweise abgemurkst werden.« Markus war weiß. Habe ich das schon erwähnt? Ich hätte es von Anfang an erwähnen können, aber ich bin dagegen, so etwas zu erwähnen, wenn es keinen konkreten Anlass gibt. Jetzt aber, an diesem Punkt des Gespräches, gab es den konkreten Anlass. Denn Markus konnte das nur sagen, weil er weiß war. »Das kannst du nur sagen, weil du weiß bist«, sagte Saya und diesmal sagte sie es mit Absicht laut, denn in ihrer unmittelbaren Nähe waren alle, außer mir, ebenfalls weiß, und es wirkte, als wollte sie es allen sagen, »du wirst deswegen auch nicht massenweise abgemurkst. Wir schon.« Markus lächelte, als habe er so eine Aussage schon die ganze Zeit erwartet. Er wirkte fast erleichtert, das Wort »weiß« aus uns herausgekitzelt zu haben, gleichzeitig aber auch verunsichert. Markus studierte seit einiger Zeit, er saß mit jungen, eloquenten Leuten in Seminaren, las Edward Said und konnte nicht so richtig viel zu den Seminardiskussionen beitragen. Aber er hatte verstanden, dass der einfachste Weg, in diesen Kreisen Gehör und Aufmerksamkeit zu erlangen, der war, zu widersprechen. Denn wenn alle wild und rebellisch waren, dann war man selbst ja erst dann noch wilder und rebellischer, wenn man das, was die anderen sagten, konsequent hinterfragte. In Wirklichkeit hatte Markus trotz akribischen Lesens aller Texte nicht so richtig verstanden, worum es ging, wenn alle von weißen Perspektiven und Privilegien sprachen. Deswegen vielleicht fand er es toll, neben Saya und mir zu sitzen, vielleicht hatte er die diffuse Hoffnung, dass wir ihm etwas erklären konnten, was ihm bis jetzt schleierhaft geblieben war. Weil Leute wie Markus aber nie gelernt haben, Fragen zu stellen, sondern immer nur erklären wollen und erst recht nicht auf die Idee kommen, Leute wie uns als Expertinnen zu adressieren, versuchte er es also nun auf diese Art. Auf die Art, in der man sich ungefragt in ein Gespräch einschaltet, viel redet, die Worte benutzt, von denen man denkt, sie benutzen zu müssen, um für voll genommen zu werden, und abzuwarten, was als Nächstes passiert. Ich weiß nicht, warum Leute wie Markus dabei immer so wirken, als würden sie sich von Leuten wie Saya und mir am Ende eine Absolution für irgendwas erhoffen, und wenn sie schon keine Absolution erhielten, dann wollten sie wenigstens diejenigen sein, die uns zum Nachdenken anregten. Dementsprechend sagte er jetzt zu Saya, »Das mit dem Weißsein, ganz ehrlich, das ist zu wichtig, als dass man es immerzu als Argument heranziehen könnte.« Mit so viel Einfalt machte er Saya ganz sprachlos. »Was?«, fragte sie perplex und daher völlig wertfrei.

»Na ja, das ist doch so«, fing Markus gemächlich an und schaute auf die Zigarette, die er sich jetzt ohne Filter drehte, so genüsslich, dass ich am liebsten explodiert wäre, »dass man Weißsein benennen muss, ist ja klar. Das hat inzwischen wirklich jeder verstanden. Nur ist es doch so: Wenn wir das immer wieder benennen, dann machen wir das doch irgendwo auch aus Faulheit, weil uns die Argumente fehlen. Dir hat eben das Argument gefehlt, deswegen beziehst du dich jetzt auf mein Weißsein. Wenn wir das immer machen, dann nehmen wir der Benennung doch die Kraft.« Saya lachte, denn sie hatte in diesem Moment verstanden, dass Markus nichts verstanden hatte. »Weißsein kann man durchaus immer benennen, denn man ist ja auch durchaus immer weiß. Du bist immer weiß. Merk dir das. Dass du damit ein Problem hast, zeigt eher, dass du dir wünschst, zwischendurch mal ein kleines bisschen weniger weiß zu sein. Find dich damit ab, dass du es nicht bist.« »Ist ja interessant, was du über mich weißt, ohne mich zu kennen«, sagte Markus und interessant war, dass ich genau das auch gerade gedacht hatte. Es ist in der Tat erstaunlich, dass man über die Markusse dieser Welt so viel weiß, ohne sie im Einzelnen zu kennen. »Du hast dich ja ganz ungefragt selbst offenbart«, sagte Saya. Markus schüttelte traurig den Kopf. »Wenn du wüsstest, was ich im Kampf gegen die Faschos alles erlebt und durchgemacht habe, ganz ehrlich. Was wir uns früher für Schlachten auf der Straße geliefert, wie oft die mich windelweich geprügelt haben. Du tust hier gerade so, als wäre ich der Feind. Du kennst mich doch überhaupt nicht.« Dabei sah er so traurig auf seine Zigarette, dass Saya sich kurz schuldig fühlte. Der Typ, der zuvor mit Markus geredet hatte, fragte, ob er noch jemandem was zu trinken mitbringen solle, und ich antwortete, »Gibt es eigentlich auch Schnaps?«, er nickte mir schnell und wissend zu und ich beschloss, ihn irgendwann später nach seiner Nummer zu fragen. Ich habe noch nie jemanden nach seiner Nummer gefragt, aber ich fand den Gedanken gut und zum Glück aller Beteiligten klingelte in diesem Moment Markus' Handy und bevor er aufstand, machte er noch so eine Geste, die etwas ausdrücken sollte wie: Entschuldigt, ich muss da mal kurz rangehen, aber ich bin gleich wieder da und habe definitiv noch mehr zu sagen. Am Telefon war Markus' Mutter. Sie rief ihren Sohn nur noch selten an, seit sie das Internet und viele Gleichgesinnte gefunden hatte. Seit sie gemerkt hatte, dass es einfacher war, mit denen zu diskutieren als mit ihrem Sohn, denn der Sohn hatte eine sehr eingeschränkte Weltsicht und wollte nicht einsehen, dass Menschen aus unterschiedlichen Kulturen unterschiedliche Religionen und Gepflogenheiten hatten und es nun mal viele Gepflogenheiten gab, die sich leider, so schade es war, nicht mit den hiesigen Werten vereinbaren ließen. Markus gab trotzdem nicht auf, mit seiner Mutter zu diskutieren, auch wenn es immer schwieriger wurde. Früher hatte er ihr noch ein »Du klingst ja wie die *Flügel*-Wähler!« als provokativen Vorwurf entgegenschleudern können, inzwischen aber musste er sich eingestehen, dass seine Mutter nicht nur so klang, sondern seit der letzten Bundestagswahl auch eine war. Eine *Flügel*-Wählerin mit ayurvedischen Tees und hennagefärbten Haaren. Er gab die Diskussionen trotzdem nicht auf, sondern sah es vielmehr als seine Mission, sie zu bekehren. Darum ging er in diesem Moment ans Handy, verschwand hinter einem Bauwagen und ich sagte, »Puh.«

»Boah, was war denn das für ein Penis?«, fragte Saya ungläubig, und ich sagte, »Das hast du gut gemacht.« Saya sagte, »Echt jetzt? Jetzt sagst du mir das? Wieso denn jetzt, wo er weg ist?« Vielleicht hätte ich antworten sollen, dass ich nicht den richtigen Moment gefunden hatte, dass das Gespräch zu schnell vorbei gewesen war. Dass ich nicht gemerkt hatte, dass sie Zustimmung von mir gebraucht hätte, dass sie mir unglaublich schlagfertig erschienen war. »Ich habe dir doch Schnaps holen lassen«, antwortete ich stattdessen, woraufhin Saya sagte, »Und wo ist jetzt der verdammte Schnaps?«, und sich nach Markus' Freund umschaute. Es gab Zeiten, da hatte Saya aus Stilgründen immer einen Flachmann dabei, aber das war lange her, und irgendwann hatte sie ihn verloren und beschlossen, dass er bei jemandem gelandet war, der ihn nötiger hatte als sie. Kurz dachte ich, dass sie den Flachmann inzwischen wieder ganz gut gebrauchen könnte. Ich sah, dass ihre Hände zitterten, dass ihre Augen nervös über die Köpfe der anderen, die Bierbänke, die Bauwagen, die Bierkästen glitten, dass sie durcheinander war, und mir fiel ein, wie sie sich nachts gegen die Wand geworfen hatte. Ihr Blick wurde erst ruhiger, als sich der Typ mit dem Schnaps näherte. Er kam auf uns zu, mit kleinen Plastikbechern, einer Flasche Ouzo und einer Frau, die ihm sanft den Rücken streichelte. Er verteilte den Schnaps und sah mich wieder so entschuldigend an, und ich bemühte mich, einen Blick aufzusetzen, der sagte: Ist schon okay, alles klar, kein Stress, danke für den Schnaps. »Ich bin Jella«, sagte die Frau und gab Saya und mir die Hand, und wir nahmen die Hand und den Schnaps und stießen mit den Unbekannten an, bevor Jella sagte, »Ihr seid mit Markus aneinandergeraten? Das tut mir leid«, was ich merkwürdig fand, denn Markus war ja erwachsen und selbst für sein ausbaufähiges Sozialverhalten verantwortlich. »Markus ist mein Mitbewohner, er ist nicht ganz einfach, aber im Grunde ein Netter.« »Er hat halt den Schuss nicht gehört und muss klarkommen mit der Welt«, sagte Jellas Freund. Jella lachte. »Ja, das mit dem Gendern hat er inzwischen verstanden, jetzt arbeitet er sich gerade an seinem Weißsein ab.« Jella und ihr Freund waren beide weiß und dass ich das jetzt erwähne liegt daran, dass ich den Eindruck hatte, sie erwähnte es gerade selbst. Mir war dabei etwas unwohl und dass es Saya ähnlich ging, merkte ich, als sie allen erneut Schnaps eingoss. »Ja, das ist eben ein Prozess, der bei manchen länger dauert als bei anderen«, sagte Jellas Freund ernst, und ich nickte. Weil Saya und ich die Einzigen waren, die den nachgeschenkten Schnaps auch tranken, und auch die Einzigen waren, die nichts sagten, machte sich das merkwürdige Gefühl in mir breit, man wolle sich gerade bei den Outcasts für irgendetwas entschuldigen. Es war alles sehr unangenehm. Muss ich das weiter ausführen? Vier Menschen trinken miteinander Schnaps, reden eigentlich überhaupt nicht richtig miteinander und es ist alles einfach sehr unangenehm. Wir hörten Hani und Minh lachen und das beruhigte mich ein wenig, denn es war schön, die beiden miteinander zu sehen, nur einige Meter von uns entfernt und mit dem, was sie besprachen, so völlig woanders als wir. Entschuldigten sich Jella und ihr Freund gerade für ihr Weißsein? Ging man in linken Kreisen jetzt so weit? Oder waren sie Teil eines Awareness-Teams, das auf der Party dafür sorgen sollte, dass es allen prima ging? Ich legte meinen Arm um Sayas Schulter, einfach, weil sie sich heute schon zu oft in unangenehmen Situationen befunden hatte und diese zwei sie nicht noch weiter nerven sollten.

»Wer hat denn hier jetzt eigentlich Geburtstag?«, fragte ich, um das Thema zu wechseln und für ein wenig Entspannung zu sorgen. Wir waren auf Minhs Einladung hier und auch wegen eines Kumpels von mir, der in der Band spielte, die hier heute auftreten sollte. Eigentlich aber kannten wir niemanden so richtig und dass es bei der Party auch um einen Geburtstag ging, hatte ich erst realisiert, als ich die Torte und die Luftballons gesehen hatte, die alle, ganz ironisch, mit unterschiedlichen Werbetexten großer Firmen bedruckt waren und nach Outlet-Beute schrien. Jella druckste ein wenig herum und ihr Freund lachte verlegen, als sie sagte, »Markus wird heute fünfzig«, was meinen Versuch, das Thema zu wechseln, natürlich sofort entlarvte und konterkarierte. »Na dann«, sagte Saya und goss sich und mir wieder ein, »auf den guten Markus!« »Auf dass er wachsen und reifen möge«, sagte ich und sah Jella und ihrem Freund an, dass sie das wiederum nicht so richtig gut fanden, sich aber anpassen und schweigen würden, denn irgendwie wollte man uns ja besänftigen. Das klappte, dem Ouzo sei gedankt, dann auch, und ich kann gar nicht sagen, wie erleichtert ich war, als Saya und Jella schließlich eher zufällig in ein Gespräch gerieten, in dem es um Jellas Arbeit als Anwältin für Linke ging und um Leute, die Faschos verteidigten. Sie landeten bei dem Prozess rund um die rechte Mörder-Gruppe und Sayas Skepsis gegenüber Jella verwandelte sich augenblicklich in absolute Faszination. Ich machte innerlich drei Kreuze, atmete durch, radierte Jellas Freund aus meiner Wahrnehmung, was mir dank des Alkohols auch gelang, und schaute durch die Gegend. Hani und Minh hatten sich inzwischen hingesetzt, und ich hörte Minh sagen, dass Hani die einzig kompetente Person in der Firma sei, und ich sah, dass Hani sich geschmeichelt fühlte und das als Flirt kategorisierte, und ohne Minh zu kennen, dachte ich, dass das keine strategische Schmeichelei, sondern ganz einfach die Wahrheit war. Ich musste ja auch weniger Minh als vielmehr Hani kennen, um das Gesagte als wahr einzustufen, denn Hani machte die Dinge, für die man sie bezahlte, ordentlich, immer. Das hatte sie sich von ihren Eltern abgeschaut: Selbst wenn man dich mit Füßen tritt und du der letzte Leiharbeiter bist, mach deine Arbeit so, dass du dir selbst nichts vorzuwerfen hast. Beschwer dich nicht, bei niemandem. Sei jeden Tag, an dem du arbeiten gehen kannst, für diese Tatsache dankbar; falle noch bei Tageslicht in Tiefschlaf und sag dir selbst, dass das besser ist, als vor lauter Sorgen nicht schlafen zu können. Nur Krankheiten, wegen denen man ins Krankenhaus muss, sind Krankheiten, wegen denen man nicht arbeiten geht. Gib dein Geld aus, sobald du es hast, du hast es dir verdient und dafür ist es da.

Ich schaute mich weiter um, in einiger Entfernung hatten ein paar Leute angefangen zu tanzen, jemand legte auf, und ich wusste immer noch nicht, wann eigentlich mein Kumpel und seine Band aufkreuzen würden, ich schaute mir die unrasierten Beine der anderen an und lachte sie innerlich dafür aus, dass sie sich mutig fanden, weil sie haarig aus dem Haus gingen, denn sie hatten, im Vergleich zu mir, wirklich keine Beine, die man unbedingt rasieren musste, was es wiederum ziemlich einfach machte, mutig zu sein. Ich trug Jeans, weil ich eben keine Lust hatte, mir die Beine zu rasieren, und das fand natürlich niemand mutig. Ich schaute den Leuten zu, die sich in aller Seelenruhe ihre Tüten drehten, und denen, die ihnen dabei zusahen und warteten. Es roch gut, nach Bier und Schweiß und Gras, und dann sah ich erst, dass er am Feuer stand. Dass der lässig in sich ruhende Körper, die vertraut angewinkelten Arme, zu ihm gehörten. Es war eher unwahrscheinlich, jemanden in dieser gigantischen Stadt zufällig zu treffen. Es war dann aber wiederum nicht ganz so unwahrscheinlich, wenn man jahrelang die gleichen Bekannten hatte, wegen denen man irgendwo hinging. Lukas stand am Feuer, unterhielt sich mit ein paar Leuten und sah umwerfend aus. Ich hatte Herzrasen wie damals, als wir uns kennenlernten, und das ist doch merkwürdig, dass man sich erst trennen muss, damit Gefühle, die man vor Jahren das letzte Mal verspürt hat, wieder aufkommen. Merkwürdig war auch, dass ich ihn bisher überhaupt übersehen hatte, merkwürdig, dass alle anderen etwas anderes tun konnten, als ihn anzuschauen. Ich schaute ihn an, wie er sich beiläufig mit den Umstehenden unterhielt, dann blickte er auf und sah mich und zögerte und kam auf mich zu.

»Wie geht's dir?« »Gut. Dir?« »Auch, danke.« Schweigen. »Bist du auch wegen.« »Ja, genau, ich wollte mir die Band schon längst mal angeschaut haben.« »Ich auch.« Unsicheres Lachen. »Warst du schon mal hier?« »Nein.« »Ich auch nicht.« »Schön hier.« »Hmm. Ja, voll.« »Warst du schon drinnen im Haus?« »Nein.« »Ich auch nicht. Soll aber schön sein.« Abwartendes Schweigen. Ich schaute ihn an, er schaute sich um. »Ach, krass, ist das Saya dahinten?« »Ja, genau.« Unsicheres Lachen. »Sie ist für ein paar Tage zu Besuch. Wegen der Hochzeit.« »Stimmt, die Hochzeit.« »Ja.« Wir schwiegen, denn eigentlich wären wir ja gemeinsam zur Hochzeit gegangen, als Paar, aber einer von uns hatte dann ja alles kaputt gemacht. »Wie geht es Saya?«, fragte er. Ich glaube, es geht ihr ziemlich beschissen, hätte ich sagen können. Ich glaube, sie kriegt die Kurve nicht, ich glaube, sie kann sich nicht abschotten gegen all den Dreck da draußen und heute sind ihr nur schräge Menschen begegnet und sie will alle umerziehen und scheitert daran, und jetzt weiß ich nicht, ob ich es mir wünschen oder befürchten soll, dass sie sich heute Nacht betrinkt. Ich will sie beschützen, aber ich weiß nicht wie und ich weiß nicht wovor. Das hätte ich Lukas sagen können, aber er war nicht mehr mein Freund. Er war nicht mehr mein Verbündeter. Er war jetzt der Freund von jemand anderem, und er war weiß. Warum sollte ich ihm von Sayas Verletzungen und meiner Sorge um sie erzählen. »Ihr geht's ganz gut«, sagte ich. Wir schauten uns an, direkt in die Augen, und mir wurde heiß und ihm, glaube ich, auch. Wir waren zwei Menschen, die mal miteinander geschlafen hatten, und jetzt waren wir zwei Menschen, die es nie wieder tun würden. Was für eine merkwürdige Feststellung. »Kasih, ich wollte, also, schön, dass wir uns jetzt hier sehen, ich wollte mich bei dir melden, die Tage, ich wollte in Ruhe mit dir über etwas reden.« »Ah«, sagte ich. »Ja, also«, er klang auf einmal sehr geschäftlich und holte sein Smartphone heraus, »also, ich habe im Moment viel auf der Arbeit zu tun, aber donnerstags zum Beispiel geht es eigentlich immer oder, also diese Woche ginge es sogar auch noch, also wenn dir das morgen nicht –« »Ich habe immer Zeit«, sagte ich und fand es auf einmal doch fair, dass er sich wenigstens einmal in diesem Gespräch ein bisschen unwohl fühlte, und sagte deswegen, »Ich habe immer Zeit, ich bin ja arbeitslos.« »Eben«, sagte er zu meiner Überraschung ernst, »deswegen, also, wie wäre es denn mit morgen, zum Beispiel?« »Passt«, sagte ich und hatte keine Ahnung, was das werden sollte. »War schön, dich zu sehen, ich mache mich jetzt wieder auf«, sagte er. Wir umarmten uns, und er ging. Weil er ein fairer Mensch ist. Weil er wusste, dass er mir den Abend vermiesen würde, wenn er blieb. Vielleicht aber auch, weil er schnell zu seiner neuen Freundin wollte, bevor er sich plötzlich doch nach mir sehnte. War seine neue Freundin eigentlich weiß? Ich weiß es nicht, denn es tut in diesem Fall tatsächlich einmal wirklich nichts zur Sache. Glaube ich.

Stunden, Gespräche und Getränke später stand ich auf staubigen Pflastersteinen und tanzte zu Musik, die ich nicht im Ansatz tanzenswert fand, aber man nimmt, was man kriegen kann. Saya neben mir tanzte hingegen, als wäre es eine Musik noch nie so wert gewesen, zu ihr zu tanzen, was auf ihren Schnapskonsum hindeutete und mich beruhigte. Hani neben mir tanzte irgendwie verunsichert, denn sie und Minh hatten ihr Gespräch beendet und jetzt hatte Hani zwar ein dickes Selbstwertgefühl bekommen, was ihre Arbeit anging, aber trotzdem nicht verstanden, ob zwischen ihnen nun was war oder nicht. Ich versuchte mir bei jedem neuen Track vorzustellen, ich hätte ihn mir gerade selbst angemacht, um so richtig abzugehen, und hätte in meinem ganzen Leben noch nie etwas Besseres gehört, denn mithilfe dieser Illusion konnte ich tatsächlich kurz, für wenige Sekunden, ziemlich gut zu der Musik tanzen. Hani tanzte rauchend, mit einer Hand in der Rocktasche, was ich nicht so richtig inspirierend fand. Saya tanzte wild, mit den Händen in der Luft, und ich hatte Sorge, sie würde sich oder viel mehr jemand anderen verletzen. »Wisst ihr noch früher, auf den Partys an den Grillhütten?«, rief ich den beiden zu, und Hani war erleichtert, Saya ein wenig genervt, das Tanzen kurz unterbrechen zu müssen, um mir zuzuhören. »Wir hätten viel mehr tanzen sollen, zu dritt, dann wäre vieles besser gewesen.« Hani und Saya nickten ratlos, sie hibbelten beide mit den Füßen herum und drehten sich wieder weg, um in ihre eigenen Sphären zurückzukehren und zu tanzen, wie sie es gerade für nötig hielten.

Es gibt Momente an solchen Abenden, da denkt man: Jetzt noch ein wenig durchhalten, es wird bestimmt gleich noch mal spannender. Ich hatte gerade so einen Moment und fragte mich außerdem, was aus der Musik geworden war, die man hörte, bevor es Elektro gab, und wie lange Sayas Kondition wohl noch mitmachen würde, denn es ist anstrengend, so ausufernd zu tanzen, ohne Drogen zu nehmen, und Saya hatte vor Jahren mit den Drogen aufgehört, denn sie hatte noch nie etwas gemocht, was ihre Realität derart infrage stellte. Sayas Liebe galt nur noch dem Alkohol.

Ich saß dann irgendwann schon wieder auf einer Bank und sah den Tanzenden zu, das hat ja auch was, einfach Beobachterin zu sein, auch wenn ich, sobald ich selbst auf der Tanzfläche bin, allen Beobachtern irgendeine Perversion unterstelle. Ich beobachtete Saya und Hani, wie sie so lange nebeneinander tanzten, bis sie sich etwas anglichen. Irgendwann nämlich ließ Hani auch ihre Hände in der Luft herumwirbeln, während Saya später wiederum ein wenig ruhiger wurde und eine Hand in die Hosentasche steckte, und sie lachten miteinander über irgendetwas, was ich nicht verstand, und ich hörte Hani etwas sagen, was so klang wie »So schön, dass du da bist!«, und Saya sagte etwas wie »So schön, zu sehen, dass es dir gut geht«, und Hani erwiderte, »Klar, mir geht es gut, mir geht es ausgezeichnet«, und Saya nickte sehr wissend und sehr ernst, während sie tanzte. In Sayas Welt war es zwar unverständlich, wie es einem gut gehen konnte, wenn man von Nazi-Chats wusste, sie aber nicht im Detail kannte, gleichzeitig aber war das in ihrer Welt Wichtigste, dass bei Hani und mir alles in Ordnung war. Das mit den Nazi-Chats erledigte sie für uns mit. Vielleicht würde es ihr dabei besser gehen, wenn sie ab und zu doch wieder

Drogen nehmen würde, dachte ich, obwohl das kein Ratschlag ist, den man seinen Freundinnen geben darf. Andererseits war ich, was das Tanzen angeht, aufrichtig beeindruckt von Sayas Ausdauer. Sie hielt noch eine Weile durch, dann kam sie auf mich zugelaufen, mit strahlenden Augen, einem breiten Grinsen, umarmte mich und küsste mich auf die Wange, was sie nur tut, wenn sie betrunken ist. »Gehen wir noch woandershin?«, fragte sie Hani und mich und die zwei Typen, die neben uns standen. Vielleicht findet man sich immer dann, wenn man gerade einen ähnlichen Alkoholpegel hat, vielleicht war das der Grund, warum sich die beiden Typen zu uns gestellt hatten, wir waren zwar ziemlich betrunken, aber alle in der Lage zu reden und zu gehen und weiterzutrinken. Die beiden Typen nannten ein paar Clubs und Hani und Saya erwiderten, keine Lust auf Clubs zu haben, dazu hätten sie auch gar nicht das richtige Outfit an, und ich sagte, dass ich nach Hause wollte. »Du kannst nicht nach Hause«, sagte Saya, »ich habe Shaghayegh angerufen, sie kommt dazu.« »Warum?«

»Weil ich wissen will, weshalb sie heiratet.«

»Sie kommt extra so spät dazu, um dir das zu erklären?« »Natürlich nicht, ich frage sie das erst, wenn sie hier ist. Aber sie war selbst gerade am Feiern. Junggesellinnenabschied mit ihren dünnen Freundinnen, vermute ich.« Saya lachte laut, als wäre das der beste Witz ever gewesen.

Shaghayegh kannten wir seit hundert Jahren, aber wir hatten eigentlich keinen richtigen Kontakt mehr und passten überhaupt nicht zu den Leuten, mit denen sie sonst abhing. Wäre ich an ihrer Stelle, hätte ich uns drei nicht zu meiner Hochzeit eingeladen. Dass wir generell keine besonders guten Gäste waren, hätte Markus, das heutige Geburtstagskind, vermutlich unterstrichen, wenn er nicht gerade schlafend auf einer Bank gelegen hätte. Er schnarchte nicht, was ich irgendwie unangemessen fand. »Sollen wir ihm einen Penis ins Gesicht malen?«, fragte Saya, und ich rief, »Natürlich nicht.« Saya lachte dreckig. »Stimmt, warum auch, dann würde er ja vermutlich noch anfangen, sich zu hinterfragen.« Hani verstand überhaupt nichts, schaute Markus an und fragte, »Den wollt ihr ärgern? Aber der hat doch Geburtstag, oder nicht?« Saya sagte, dass außer Hani wohl niemand einen solchen Respekt vor Geburtstagen habe. Hani verstand das nicht, nahm das Kompliment aber wie alle Komplimente dieser Welt dankend an. »Ich erzähle dir alles über ihn, wenn wir noch was trinken gehen«, sagte Saya. »Ich muss doch morgen arbeiten«, erwiderte Hani. »Aber Shaghayegh kommt«, sagte Saya. »Also kein Club?«, fragte der eine Typ. »Ich muss ins Bett«, antwortete ich und schlug den Weg zur Bahn ein. Daran, dass die anderen vier mir so unbekümmert folgten, merkte ich, dass ich vielleicht doch etwas nüchterner war als der Rest. »Ich kenne einen Club, da kommt jeder rein«, sagte der eine Typ, woraufhin Saya und ich punktgenau anfingen, loszulachen. »Ja klar, in den will ich aber nicht«, sagte Saya. Wir gingen weiter und achteten nicht mehr auf den Typen. Der Weg zur Haltestelle war nicht weit, in unserem Zustand zog er sich aber natürlich und als wir an einer Eckkneipe vorbeikamen und der andere Typ sagte, »Hier, das ist so eine richtig urige Kneipe, ein echtes Original!«, verabschiedete ich mich und sah zu, wie die anderen ohne ein weiteres Wort die Kneipe betraten. Der Typ, der unbedingt in einen Club wollte, blieb neben mir stehen und schwieg. Ich machte mir kurz Sorgen, dass er traurig sein könnte, weil wir ihn für seinen Vorschlag ausgelacht hatten, da sagte er schon, »Ich bin übrigens Life«. »Hallo, Life.« »Hallo.« »Und du willst nicht in die Kneipe?«, fragte ich, und Life überlegte kurz und sagte dann, »Nein. Ich gehe doch lieber nach Hause.« Er holte einen Schlüsselbund hervor und öffnete die Haustür, vor der wir standen. Vielleicht hatten wir uns doch nicht gefunden, weil wir einen ähnlichen Alkoholpegel hatten, sondern weil man sich auf einer weißen Party manchmal auch so zusammentut. Life nickte mir zu und sah dabei wieder ganz nüchtern aus, dann schloss sich die Tür hinter ihm. Ich war auf einmal ziemlich einsam und schlug den Weg zur Bahn ein. Ich schaute mir das Haus nicht noch einmal an, ich drehte mich nicht noch einmal um. Aber damit hier keine falsche Melodramatik aufkommt: Es war ja auch das Hinterhaus, das zwei Tage später abfackeln würde. Doch da sind wir noch nicht. Wer immer auf die Reihenfolge pocht, wird sich ja wohl noch mal gedulden können. Ihr wisst schon: Einleitung, Hauptteil, Schluss.

^ ^ ^

Life war nach Hause gegangen, weil er immer ging, wenn Leute wie Eric, das war der andere Typ, anfingen, urige deutsche Kneipen zu hypen. Einmal, weil Leute wie Eric daran schuld waren, dass es genau diese Kneipen kaum noch gab, und auch, weil Leute wie Eric einfach nie merkten, dass es Leuten wie Life dort nicht so gut ging wie ihnen selbst. Dass er von dieser konkreten Kneipe Abstand nahm, lag aber auch an den Erfahrungen, die er bei seinem ersten und letzten Besuch gemacht hatte, als einer seiner ehemaligen Kommilitonen seinen Geburtstag dort gefeiert hatte. Damals hatten Life und seine Freundin Anna gerade das Café in derselben Straße eröffnet und allmählich angefangen, die anderen Ladenbesitzer im Kiez kennenzulernen. Die Herzlichkeit und die Unterstützung unter ihnen war rührend, nur mit der Besitzerin der Eckkneipe waren sie noch nicht ins Gespräch gekommen und nach diesem Abend wussten sie auch, weshalb. Als Life damals die Kneipe zum ersten Mal betrat, waren seine Kommilitonen bereits angetrunken, es gab Partyhütchen und Tröten, man feierte Geburtstage inzwischen kindischer, als man es als Kind getan hatte. Vielleicht auch, weil die Partyhütchen und Tröten vor zwei Jahrzehnten noch nicht zu Dumpingpreisen in China produziert wurden. Dass sie in dieser Kneipe nicht negativ auffielen, lag daran, dass außer ihnen fast niemand da war, was die Gruppe nicht auf sich bezog, sondern dankbar hinnahm. Die Kneipenbesitzerin hatte eine rauchige Stimme und einen keuchenden Dauerhusten, Dunst schwebte über den Tischen und mit Steppstoff bezogenen Stühlen, weihnachtliche Lichterketten schmückten die Wände und das Bier kostete 1,30 €. So zumindest erzählte man es sich hinterher. Dass man zudem die ganze Nacht getrunken hatte, ein Bier nach dem anderen, einen Schnaps nach dem anderen, und doch habe keiner mehr als zwanzig Euro dort gelassen. Life erzählte die Geschichte anders. Er erzählte sie auch nur Anna, und er musste nicht allzu weit ausholen, damit sie verstand. Die beiden hatten ihre Gründe gehabt, schon vor der Café-Eröffnung nie in die Kneipe zu gehen, obwohl sie direkt im Vorderhaus war. Als Life also ankam, sah er ein, dass er möglichst schnell möglichst viel trinken musste, um auf den Pegel der anderen zu kommen, weswegen er nach der Begrüßungs- und Gratulationsrunde der Vergabe eines Partyhütchens entging und sich direkt an den Tresen stellte. Die beiden Damen hinter dem Tresen schauten ihn gelangweilt an, unterbrachen ihr Gespräch jedoch nicht, und es kam ihm vor, als würden sie sich Mühe geben, ihn so lange stehen zu lassen, bis es nicht mehr anders ging, und ihn erst dann zu fragen, was es denn sein dürfe. Life hatte mit den Jahren die Erfahrung gemacht, dass das beste Mittel gegen ein solches Verhalten seine überbordende Freundlichkeit und ein breites Grinsen waren. »Ich hätte gerne ein großes Bier, bitte«, sagte er und sah in sich selbst den perfekten Schwiegersohn. Die Frauen schienen das anders zu sehen, denn in ihren Blicken änderte sich nichts. Langsam nahm die Jüngere der beiden ein Bierglas von der Hängevorrichtung und hielt es unter den Zapfhahn. »Macht zwei Euro«, sagte die Ladenbesitzerin und drückte ihre Zigarette aus. Die Jüngere sah ihn einfach an, als sie ihm das Bier reichte. Sie gab ihm das Glas, als sollte er besser die Finger davon lassen, ein für eine Wirtin eher fragwürdiger Appell. Life nahm das Bier dankend an und ging zu den anderen zurück. Als er zwei Stunden später beschloss, sich aufzumachen, kam die Wirtin an die Tische, um vor dem Thekenwechsel abzurechnen. Johlend empfing man sie, lobte die Wahl des Radiosenders und den Schnaps und wunderte sich über die niedrige Rechnung. Die Wirtin nahm das Trinkgeld entgegen, scherzte und freute sich und Life rechnete nur der Form halber nach, um sich über das zu vergewissern, was er sich schon am Tresen gedacht hatte. »Darf ich was fragen?«, rief er der Wirtin zu, die so von Glück beseelt war, dass sie ihm ein Lächeln schenkte und sich freudig vorbeugte, »Warum hat mein Bier mehr gekostet als das der anderen?« Die Wirtin wich zurück und wurde wieder ernst. »Wieso mehr?«, fragte sie, und die Freunde um ihn herum schienen auf einmal alle beschäftigt zu sein, mit ihren Handys, mit ihrem Kleingeld, mit den Gesprächen, die sie unterbrochen hatten. »Was kostet ein Bier bei Ihnen?«, fragte Life. »Eins dreißig«, antwortete die Wirtin und nahm schon den nächsten ins Visier, der dran war mit zahlen, als wäre das Gespräch beendet. »Warum hat mein Bier dann zwei Euro gekostet?«, fragte Life und sie sah ihn noch mal an, stellte sich überrascht und sagte, »Nee, nee, das hat auch eins dreißig gekostet.« Sie wandte sich an die nächste Person. Life schüttelte den Kopf, lächelte dabei und vermied es, jemand anderen anzusehen. Als er sich verabschiedet und die Kneipe verlassen hatte, schaute er sie sich von außen noch einmal an, obwohl er sie ja täglich sehen musste. Er setzte die Kneipe auf die Liste von Orten, die er in Zukunft meiden würde. Es würde ihn schmerzen, wenn die anderen von diesem legendären Abend in der Spelunke erzählen und begeistert den Plan fassen würden, da unbedingt noch mal hinzugehen. Doch Life würde ihnen keinen Vorwurf machen, sie hatten nicht verstanden, was passiert war. So, wie sie nicht verstanden, warum er lieber einen Bogen um Polizisten machte und dass er genau wusste, warum er vor Sicherheitschecks lieber etwas mehr Zeit einplante. Sie verstanden ja noch nicht mal, warum er sich ärgerte, wenn fremde Menschen ihn einfach so nach Drogen fragten. Das sei doch nicht böse gemeint. Also sagte Life in Gesprächen über diese Kneipe lieber so etwas wie »In euren langweiligen Kleinstädten habt ihr euch nie für so kaputte Kneipen interessiert, hier nennt ihr die *urig* und *ein Original* und fahrt drauf ab, ihr Anfänger.« Weil Life meist der einzige Nicht-Zugezogene war, schüchterte er die anderen damit ein und kam um einen weiteren grauenhaften Abend herum.

Mit dieser Information endet mein kleiner Block zu Life. Nein, ich füge noch kurz an, dass ich überlegte, ihm hinterherzulaufen und ihn erstens zu fragen, warum genau er nicht in die Kneipe ging, und zweitens, ob er mir seine Nummer geben würde. Doch dann fiel mir ein, dass er mir nichts erklären musste, dass ich um die Probleme solcher Kneipen wusste, obwohl mich die Polizei nicht ständig kontrollierte oder Fremde mich nach Drogen fragten, und dass er eine umwerfende Frau hat, die zu Hause mit ihrem Neugeborenen auf ihn wartete. Die ihn wirklich gerne darum gebeten hätte, bei ihr zu bleiben und nicht feiern zu gehen, die aber wusste, dass es wichtig war, ihn zu lassen, damit sie, wenn sie das Kind eines Tages nicht mehr stillen müsste, ebenfalls alles machen konnte. Sie hasste es auch, dass er das Café gerade alleine führte, und zählte die verbleibenden Tage, bis ihr Mutterschutz vorbei wäre. Das alles sah ich Lifes Hinterkopf an, als er sich abwandte. Ich fühlte mich einsam, ging nach Hause und verpasste einen Abend mit Shaghayegh, Saya und Hani in einer original urigen Eckkneipe.

^^^

Shaghayegh dachte nicht mal an so etwas wie die ewigen No-Go-Areas einer Stadt. Sie dachte, dass es ein großes Glück war, hübsch zu sein. Sie sah in den Spiegel und freute sich. Das tat sie jeden Tag, heute aber freute sie sich besonders darüber, denn sie war ein wenig aufgeregt und hätte es an diesem Abend sehr anstrengend gefunden, sich gegenüber Saya und Hani in irgendeiner Form minderwertig zu fühlen. Sie dachte kurz an mich, daran, dass es schade war, dass ich fehlte. Denn für sie erdete ich Gruppen immer, indem ich meine Meinung, wenn nötig, für mich behielt, auch wenn man sie mir ansah.

Woher ich das weiß? Woher ich überhaupt alles weiß? Die Backgroundstory zu Markus' esoterischer Mutter? Das mit Life?

Ich weiß es nun einmal, ihr wisst doch auch immer so viel und alles besser. Ihr wisst um unsere Gepflogenheiten, ihr wisst, dass wir uns nur aufspielen, dass wir hyperkorrekt und völlig humorlos sind. Da kann ich doch auch mal was besser wissen als ihr. Ich weiß all das eben. Ich weiß nämlich alles. Ich kenne Leute wie Markus und wie Life, und ich weiß, was Shaghayegh über mich denkt. Ich kenne meine Realität. Das zumindest könnt ihr mir nicht nehmen.

Saya und Hani saßen in der gleichen Ecke, in der Life vor langer Zeit einen Kindergeburtstag mitgefeiert und sich unwohl gefühlt hatte, was natürlich keine der Anwesenden wusste und auch keine von ihnen interessierte. Dass Eric, der unbekannte Partygast, wegen dem sie überhaupt in der Kneipe gelandet waren, sich schon wieder verabschiedet hatte, störte auch niemanden. Saya kannte das schon: Männer, die sie interessant fanden und, sobald sie verstanden, mit wem sie es da zu tun hatten, lieber nach Hause gingen. In den meisten Fällen freute Saya sich darüber. Die Wirtin begrüßte Shaghayegh mit einem Nicken, die beiden Männer am Tresen sahen sie länger an als nötig, nickten aber auch kurz, bevor sie wieder wegsahen. Shaghayegh deutete das als Willkommenszeichen. Sie ging auf die Ecke zu, die beiden Freundinnen standen auf und sie umarmten sich lange. »Wie lange ist das her!«, rief Hani und rieb Shaghayegh die Wange, erst die eine, dann die andere, als wäre sie eine Hundertjährige. »Viel zu lange«, sagte Shaghayegh pflichtbewusst und setzte sich auf den wackligen Stuhl. Saya sah sie prüfend und etwas nachdenklich an. »Das muss vor zwei Jahren gewesen sein, du hast diesen Workshop gegeben«, richtete Shaghayegh das Wort direkt an sie. Die anderen beiden nickten, obwohl nicht ganz klar war, ob sie sich daran erinnerten und ob das überhaupt stimmte. Shaghayegh war sich auch nicht ganz sicher. »Worüber habt ihr geredet?«, fragte sie nun, weil sie den Eindruck hatte, die beiden zu stören, aber nicht genau wusste, weshalb. »Wir haben nicht geredet«, sagte Saya, »wir haben gestritten.«

»Oh.«

»Egal. Erst mal Schnaps für dich.« Saya drehte sich in Richtung Theke, hob die Hand und schnipste erstaunlich laut nach der Wirtin. »Drei Schnäpse und ein Bier für meine Freundin hier«, rief Saya, und Shaghayegh war beeindruckt. Die Wirtin brachte auf der Stelle drei Schnäpse und ein Bier. »Nicht so kippeln mit den Stühlen«, sagte sie dabei zu Hani, »die haben schon ein paar Jahre aufm Buckel«, und dampfte ab. Hani hörte auf zu kippeln, hob das Schnapsglas und sagte, »Wir haben über Hochzeiten gestritten, Beziehungen und so. Zum Wohl.« Shaghayegh lachte und kippte den Schnaps, um keine Zweifel an ihrer Trinkfestigkeit aufkommen zu lassen. Saya und Hani redeten über Dinge, die nur im Entferntesten etwas mit der Ehe zu tun hatten. Sayas

Stimme wurde von Minute zu Minute tiefer, obwohl Hani diejenige war, die eine Zigarette nach der anderen rauchte. Je länger Saya stritt, desto mehr verwandelte sie sich in so etwas wie einen Mann, zumindest, was ihre merkwürdigen Gebärden, ihre Sitzhaltung und eben ihre Stimme anging. Ihr Standpunkt schwankte, wie tags zuvor auf dem Dach, irgendwo zwischen »Heiraten ist nur ein Mittel, um Frauen zu unterdrücken« und der neu hinzugekommenen Komponente »Heiraten ist eine Erfindung der Nationalsozialisten«, was Shaghayegh dazu brachte, ihr an irgendeinem Punkt einfach recht zu geben und den Stuss drum herum zu ignorieren. Sie war sich ziemlich sicher, dass nicht alles immer eine Erfindung der Nationalsozialisten war, aber mit Saya war es gerade so, wie neulich mit ihrer Mutter am Telefon. Shaghayegh hatte nicht gemerkt, dass sie ihr Mikrofon ausgeschaltet hatte und ihre Mutter immer wieder vergeblich zu unterbrechen versucht, während diese wiederum stoisch weitersprach. Shaghayeghs Mutter hatte dadurch ziemlich irre gewirkt. Saya dagegen konnte zwar hören, was die beiden anderen erwiderten, sprach aber trotzdem einfach weiter von Nazis. Hani konterte mit dem alten und in Shaghayeghs Ohren ziemlich schwachen Argument, dass sich viele Paare getrennt hätten, wären sie nicht verheiratet gewesen, und jetzt alt und glücklich seien. Menschen unterschieden sich ja nun mal von den meisten Tieren eben auch darin, dass sie monogame Beziehungen führten. Hani, schloss Shaghayegh, hatte offensichtlich einen Job, der mit Tieren zu tun hatte, denn das Thema Tiere kam immer wieder zur Sprache, ohne dass ihr bisher klar geworden war, weshalb. Eigentlich aber hätte sie wissen müssen, wo Hani arbeitet, weswegen es ihr zu peinlich war, nachzufragen. Hani betonte die ganze Zeit, dass Menschen Tiere ausbeuten würden, dass ihr Arbeitgeber aber wiederum das Ziel habe, Menschen für das Tierwohl auszubeuten, was nach einer Aussage klang, die auch auf Nachfrage nicht das Potenzial haben würde, Sinn zu ergeben oder irgendwas mit dem Heiratsthema zu tun zu haben.

Shaghayegh, die Einzige unter den dreien, die ja wirklich im Begriff war zu heiraten, passte ihre Sprache und Denkweise den beiden anderen bald an. Das passierte automatisch und war auch das einzig Vernünftige. Sie brüllte, fiel den anderen ins Wort, rief nach noch mehr Schnaps, der aber erst kam, als Saya schnipste und breitbeinig mit der tiefsten Stimme der Welt orderte. Als die Wirtin weg war, nicht ohne einen prüfenden Blick in die Runde geworfen und angemerkt zu haben, dass das eigentlich der Stammplatz vom Rudi sei, der jeden Moment kommen könne, kam Shaghayegh endlich auch zu Wort. »Also, ich heirate ja übrigens in ein paar Tagen«, sagte sie, und sie lachten darauf zwar alle drei, klangen dabei aber auch sehr müde. »Und wieso?«, fragte Saya nun endlich und Hani zischte, »Na, weil er so süß ist!«, und Saya sagte, »Aber deswegen muss man ja nicht heiraten!« Eine Weile war es still, weil Shaghayegh nachdachte, was vielleicht ein Fehler war, denn Saya machte sofort weiter, »Hör mal, wenn ich jeden heirate, nur weil er süß ist, komm ich ja aus dem Heiraten nicht mehr raus«, und Hani prustete los, und Saya prustete los und weil ich nicht da war, um den Begriff »Altherrenwitz« in die Runde zu werfen, entstand nach dem Prusten eine kurze peinliche Stille, in der Shaghayegh endgültig entschied, die Wahrheit für sich zu behalten und stattdessen zu fragen, »Was hast du denn dagegen, dass ich heirate?« Das war eine Frage, die direkt an Saya ging. An eine breitbeinige Saya, die zwar ständig sprach, dabei aber nicht auf das einging, was man ihr entgegnete. »Nix. Gibt hoffentlich gutes Essen.« »Gibt es.« »Wie kamt ihr denn auf die Idee«, fragte Hani nun endlich, versöhnlich, »also, wie war das so, hat er dir einen Antrag gemacht? Oder du? Oder wie kommt man darauf?« »Ich glaube, man kommt automatisch darauf, weil ja alle heiraten«, sagte Shaghayegh mit einer wirklich nur leichten Spur von Verachtung in der Stimme, »also, in meinem Freundeskreis zumindest. Hier sind alle inzwischen verheiratet und wenn man ständig eingeladen ist und das schöne Brautpaar feiert und selbst Trauzeugin ist, denkt man eben ganz schön viel über sich selbst und die eigene Beziehung nach. Wir haben dann gemerkt, dass wir das auch wollen. Dass wir jetzt an einem Punkt sind, an dem wir das der ganzen Welt sagen wollen. Dass wir miteinander alt werden wollen und mit niemandem sonst.« »Und dann hat er den Antrag gemacht?«, fragte Saya. »Nein«, sagte Shaghayegh ernst und kippte das restliche Bier in sich hinein, wischte sich über die Lippen und griff nach dem zweiten Glas, das Saya vorausschauend bestellt hatte, um nicht wieder auf die Wirtin warten zu müssen, »ich habe den Antrag gemacht.« Shaghayegh war müde. Ihr ging das Gespräch auf die Nerven. Alles, was sie sagte, war wahr. Alles, was sie sagte, war aber auch ungefähr das, was ihre blonden Freundinnen ihr abkauften, weil es bei ihnen selbst so lief: Sie liebten ihren Freund, er liebte sie, und sie freuten sich auf ein Fest, bei dem nur sie im Mittelpunkt stehen würden. Und er und die Liebe natürlich. Das war, was täglich Tausende Leute taten. Das war das, was man eben tat, wenn man erwachsen war. Das war nicht der Grund, weshalb Shaghayegh heiratete, es hätte aber so sein können. Nichts daran war verwerflich, es hatte nichts mit Fesseln oder Unterdrückung oder Spießertum zu tun, sondern mit der Normalität, die Shaghayegh sich eigentlich wünschte. Es tat gut, so zu tun, als wäre das auch ihre Normalität. In Shaghayeghs Bier schwamm eine kleine Fliege. Sie überlegte, ob sie das Bier zurückgeben, die Fliege mit dem Fingernagel rausholen oder einfach heimgehen sollte. »Ooooh, romantisch«, sagte Hani, bevor Saya etwas erwidern konnte, »und wie hast du den Antrag gemacht?« Sie blinzelte unter ihrem verschmierten Lidstrich hervor. Hani würde nie selbst einen Antrag machen. Aber sie würde vermutlich erst mal jeden Antrag annehmen, den man ihr machte. Einfach, weil Anträge so etwas schrecklich Romantisches waren. In ihrer Welt. In der man Duftkerzen auf den Badewannenrand stellte und sich von Tieren unterscheiden musste, bevor man Sinn ergab. Shaghayegh hatte ihrem Freund tatsächlich einen romantischen Antrag gemacht, weil sie eine gemeinsame Erinnerung schaffen wollte, die ihre Selbstachtung, trotz allem, wahren würde. Auf der ihrer Meinung nach schönsten Brücke der Stadt hatte sie auf Theo gewartet, an der Stelle, an der sie sich zum ersten Mal geküsst hatten, damals, nachts, betrunken, als man dort noch feiern konnte, ohne sich wie eine Touristin zu fühlen. An dieser Stelle wartete sie, inmitten des Pissegeruchs und des Dröhnens einer Musikanlage betrunkener Punks, die ein paar Meter weiter auf ihren Decken lagen und abwechselnd bettelten, feierten oder entspannten. Sie wartete auf Theo, denn sie wusste, dass er hier entlangkommen würde, was er sonst nie tat, aber an diesem Tag, wegen des Vorwands eines Freundes, eben doch. Als Theo kam und erst an den Punks, dann an Shaghayegh vorbeiging, warf sie ihm einen Beutel zwischen die Füße, der die Kronkorken der beiden Biere enthielt, die sie in der Nacht damals noch beim Späti geholt hatten. Erst hatte Theo sich wütend umgedreht, dann sah er seine Freundin auf sich zukommen und als sie wortlos vor ihm auf die Knie ging, hatte er endlich verstanden, was Sache war. Dabei hatten sie schon vor langer Zeit, ganz unromantisch, in der Schlange eines Autoverleihs beschlossen, dass sie heiraten würden. Er hätte am liebsten losgeheult, denn die Frau, in die er so verliebt war, hatte nicht nur in den vergangenen Jahren bewiesen, dass sie uneingeschränkt zu ihm stand. Sie würde auch dafür sorgen, dass sie ganz normale Menschen mit einem ganz normalen Leben bleiben würden. Ein Leben, das nicht weniger von schönen und romantischen Geschichten geprägt sein würde als das der anderen.

Saya würdigte die romantische Geschichte keine Sekunde. »Viel wichtigere und wirklich ernst gemeinte Frage«, sagte sie, »wieso hast du einen Antrag gemacht? Was ist das, was man in sich hat und das einen drängt, diese Frage zu stellen? Das einen drängt, heiraten zu wollen?« Shaghayegh hasste die Arroganz in Sayas Stimme. Als wüsste nur sie, was richtig ist und was nicht. Den Teufel würde sie tun, sich jemandem wie Saya anzuvertrauen, gemeinsame Kindheit hin oder her. Endlich sagte sie, »Dass man zusammenbleibt und aufeinander aufpasst.« Sie trank ihr Bier, ohne die kleine Fliege darin zu beachten. »Is' jetzt schon Kasse, Mädels«, sagte die Wirtin, die plötzlich neben ihr stand, »der Rudi is' eh gleich hier, da müsstet ihr eh umziehen, an 'nen andern Tisch.« »Macht ja nichts«, sagte Hani, die Shaghayeghs Antwort einzuordnen versuchte. Saya sagte nichts, obwohl sie sich langsam fragte, warum die Wirtin eigentlich ständig irgendein Problem zu haben schien. Sie blickte Shaghayegh nur stumm an und überhörte die Wirtin, als diese sagte, »Zahlen müsst ihr trotzdem schon, Mädels. Thekenwechsel.« Und die dann, als niemand sich rührte, hinzufügte, »Macht zwei Euro pro Bier.«

^^^

So, jetzt mal Klartext, Saya. Jetzt mal wirklich Klartext. Das ist alles nichts, weswegen man explodieren muss. Bist du ja auch nicht, jedenfalls nicht wegen der Wirtin oder wegen Markus oder wegen Frau Suter. Eigentlich bin ich mir nämlich ziemlich sicher, dass Saya nicht explodiert ist, weil ihr zufällig innerhalb weniger Tage eine Reihe unangenehmer Leute begegnet ist. Explodiert ist sie am Ende allein wegen der Nachrichten und wegen der einen, besonders beschissenen Person. Aber vielleicht hätte das wiederum, ohne die Reihe an unangenehmen Leuten in den Tagen davor, nicht gereicht, um zu explodieren.

Nachts kam sie in mein Zimmer gestolpert, ich hatte ihr meinen Wohnungsschlüssel gegeben und sie hatte mir getextet, bevor sie aus der Kneipe getorkelt war. Saya schaltete das Licht an und sagte, »Der Dönerladen hatte zu, Alter. Was ist mit dieser Stadt nur los? Seit wann hat denn der Dönerladen zu? Nachts?« Sie legte sich auf mich und meine Bettdecke, sie hatte Mundgeruch, stank nach Alkohol und Großstadt. »Die haben bestimmt Schiss nachts. Hast du Brot?«, fragte sie, das Gesicht in meinem Kissen. »Brötchen von heute Morgen«, sagte ich und versuchte, mich unter ihr aufzurichten. Als ich in die Küche ging und mich bemühte, meine inzwischen nicht mehr studierenden, sondern sozialversicherungspflichtig angestellten Mitbewohner nicht zu wecken, schlief sie ein. Ich kam mit einem Nutellabrötchen zurück und zögerte, mich neben sie zu legen, aus Angst, dass sie sich im Schlaf wieder gegen die Wand werfen würde. Ich wollte möglichst ohne blaues Auge durch die Welt gehen, auch weil man ja nie die Hoffnung verlieren durfte, zu einem Vorstellungsgespräch eingeladen zu werden. »Saya«, flüsterte ich, »hier ist was zu essen für dich.« »Danke«, murmelte sie, aber es kam zu schnell, wie ein Reflex, den man im Schlaf hat, ohne wirklich gehört zu haben, was der andere gesagt hat. »Saya«, flüsterte ich noch mal, »wir müssen uns doch heute nicht mehr mein Bett teilen, willst du dich nicht auf deine eigene Matratze legen?« »Ich darf nicht«, antwortete Saya, wieder wie aus Reflex. »Klar darfst du, du Wurst«, sagte ich. »Ich darf nicht. Wir dürfen nicht, Kasih, verstehst du denn nicht, wir dürfen nie. Das ist dem Rudi sein Stammplatz.«

Wer zur Hölle eigentlich Rudi ist? Rudi ist für das, was heute Nacht passierte, völlig irrelevant, aber so viel sei trotzdem gesagt, dass Rudi in besagtem Moment wie jeden Mittwoch an seinem Tisch saß und von der Zumutung, die im Hinterhaus wohnte, erzählte, während seine Wirtin, die Chrissi, ihm weise verschwieg, was für Leute da eben noch an seinem Tisch gesessen hatten. Jetzt könnt ihr Rudi wieder vergessen, merkt euch nur das unangenehme Gefühl, das er in euch ausgelöst hat, sonst denkt ihr am Ende noch, die Welt sei schön und ihr größtes Problem sei, dass man manchmal mehr für sein Bier bezahlen muss.

Saya drehte sich weg und vergrub ihr Gesicht in der Decke. Ich stellte das Nutellabrötchen auf dem Nachttisch ab und legte mich auf die Matratze am Boden, auf der in der Nacht zuvor Hani geschlafen hatte. Wenn Saya nachts wieder ihren Körper gegen die Wand knallen würde, bestand eine fünfzigprozentige Chance, dass sie dabei die falsche Seite wählen und aus dem Bett fallen würde. Auf mich drauf. Dann aber würde sie sich erklären, würde ich fragen müssen. Dann würde ich sie beruhigen können und sagen, dass sie nicht allein ist und dass es alles nur noch schlimmer macht, wenn man sich so in die eigene Wut hineinsteigert. Dass man dann irgendwann explodiert. Ich würde sinnvolle Tipps auf Lager haben, sie würde sich öffnen und erzählen und einmal richtig heulen und dann wäre alles gut, wären alle Wunden geheilt. Bestimmt.

»Neulich, als ich den Nazi im Flugzeug neben mir ertragen musste, habe ich seine Bordkarte gesehen«, sagte Saya plötzlich, reckte dabei ihr betrunkenes Gesicht unter der Decke hervor und sah mich im Halbdunkel an.

»Wie denn das? Und noch mal: Du weißt doch gar nicht, ob das ein Nazi war.«

»Jetzt schon. Die Karte ist ihm runtergefallen, zusammen mit seinem tollen deutschen Pass, den er in der Hand hatte. Voll überflüssig, weiß doch jeder, dass man den bei Inlandsflügen nicht braucht. Ich habe ihm beides aufgehoben und dabei seinen Namen lesen können und der kam mir bekannt vor, aber ich war mir nicht sicher, ob ich mir das nur einbildete, weil er mir unangenehm war. Vorhin habe ich online nach ihm gesucht.« Saya lallte, aber sie tat es sehr würdevoll.

»Das klingt gruselig, stell dir mal vor, er hätte das mit

dir gemacht«, unterbrach ich sie. Aber ich wollte natürlich trotzdem wissen, was sie herausgefunden hatte.

»Ich hatte recht. Er ist ein Nazi. Patrick Wagenberg. Ein Nazi mit Zertifikat. War mehrmals in U-Haft, hat in traurigen Städten Demos gegen Moscheen und Zeug organisiert, hat Anzeigen bekommen und hat die Eier, einen Blog unter seinem Klarnamen zu führen, auf dem er ganz seriös Scheiße verbreitet. Alles, was er schreibt, kratzt an den Grenzen der Legalität. Er benutzt Fremdwörter und klingt wie einer, der sich, ganz bürgerlich, von seinen alten Idealen gelöst und sich weiterentwickelt hat. Man muss schon Plan von Sprache haben, um entlarven zu können, dass er da nur versucht, gebildet zu klingen, in Wirklichkeit aber Hetze betreibt und dabei mit klugen Wörtern um sich schmeißt.«

Es war niedlich, Saya so etwas sagen zu hören, wo sie selbst gerade nicht ganz auf der Höhe war. Sie klang wie eine Tatort-Kommissarin, die Schwierigkeiten mit dem Skript hat, sich aber sehr viel Mühe gibt. Die schwierigen Wörter, die sie da aneinanderreihte, kannte sie, konnte sie aber nur zögernd und nuschelnd von sich geben. Doch es war ihr sehr wichtig, dass ich all das erfuhr. Ich lachte kurz und war froh, dass sie zu betrunken war, um das mitzukriegen. Am meisten beeindruckte mich, dass Saya tatsächlich über einen Nazi-Sensor zu verfügen schien, was ich für eine extrem erfreuliche Entwicklung in der menschlichen Evolution hielt. Patrick Wagenberg war mir egal. Saya erzählte mir detailreich, was seine bevorzugten Themen waren. Ich werde das nicht im Einzelnen wiedergeben, denn ich arbeite nicht für, sondern gegen ihn, und wenn euch sein Dreck interessiert, fragt euch erstens, was mit euch nicht stimmt, und sucht zweitens selbst danach.

Zusammengefasst sind seine Themen Chancengleichheit, Intersektionalität und Stadtentwicklung. Nein, Spaß. Sein Thema ist die Rassenideologie und wie man sie mit allem verflechten kann, was in der Zeitung steht. Dabei liebt er es, sich darüber zu beschweren, dass Menschen gerne gemeinsam in bestimmten Ecken einer Stadt wohnen und da ihre Läden eröffnen, in denen sie Gewürze und Gemüse verkaufen und dass sie dabei die Sprache sprechen, die sie am besten beherrschen. Das macht Patrick Wagenberg fertig. »Wie soll ich das meinen Kindern erklären?«, hat er unter ein Foto geschrieben, das er eigenhändig geschossen habe, als er, wie er schreibt, durch seinen Stadtteil spaziert sei. Ich unterbrach Saya wieder, »Saya, du musst mir nicht alles erzählen, was er so schreibt, sonst schlafen wir zwei ja nie. Nie wieder.« »Ich habe ihm geschrieben.« »Was?« »Dass er scheiße ist.« »Mit deinem richtigen Namen?« Saya schwieg betrunken. »Hast du ihm echt geschrieben?« »Ich hasse dich, habe ich geschrieben.« »Hast du?« »Altes Arschloch, habe ich geschrieben«, jetzt lachte Saya, »weißt du noch, damals im Regen?« »Saya, spinnst du? Weißt du nicht, dass der gefährlich sein könnte? Am Ende landest du auf deren Todeslisten!« »Tut das nicht gut, dir das vorzustellen?« »Nein, Saya, mir macht das Angst, hörst du, ich habe Angst um dich.« »Mir tut die Vorstellung aber gut. Stell dir vor, ich hätte ihn die Treppe runtergeschubst, als er aus dem Flugzeug stieg. Er ist vor mir rausgegangen! Ich hätte ihn einfach schubsen können und es hätte mir vermutlich gefallen. Ist das sehr gestört?« Saya biss in ihr Nutellabrötchen und grinste beim Kauen. Auf ihren Zähnen klebte die Schokocreme und obwohl sie ihren Mund wieder schloss, hörte man Brötchenmatsch und Speichel und mehr, als man hören wollte. »Es muss ihn schrecklich geärgert haben, dass er nicht nur im Flugzeug neben mir sitzen musste, sondern dass ich ihn jetzt auch noch identifizieren konnte.« »Also hast du ihm mit deinem echten Namen geschrieben?« »Ich bin nicht lebensmüde, Kasih. Ich habe mein Fake-Profil benutzt.« »Dann weiß er doch gar nicht, dass du die Frau aus dem Flugzeug bist und ihn identifizieren konntest.« Saya kaute. Dann schluckte sie und sagte, »Stimmt. Vielleicht hätte ich ihm nicht betrunken schreiben sollen.« »Du hättest ihm überhaupt nicht schreiben sollen, was soll das denn bringen?« »Bisschen Ärger.« Saya biss wieder in ihr Brötchen und sagte dann mit vollem Mund, »Vorhin, auf der Party, da hat es mich so wütend gemacht, dich mit Lukas reden zu sehen. Ich war so dermaßen sauer auf ihn, dass ich mir vorgestellt habe, ich würde zu ihm rennen und ihm eine reinhauen.« Sie wartete kurz ab, wie ich reagieren würde, aber ich reagierte nicht. »Das tut doch gut, sich so was vorzustellen, oder?«, fragte sie. »Hm. Mir gibt das nichts.« Saya schob sich das restliche Brötchen in den Mund und legte sich wieder hin. Sie kaute eine Weile und dachte nach. »Mir gibt das was«, sagte sie dann, »ich mochte Lukas übrigens noch nie. Er hat mich irgendwie immer an Leo erinnert.« »Wieso denn das?« Ich wurde wütend, wie man auf betrunkene Menschen irgendwann immer wütend wird, weil sie nerven, irgendwelches Zeug von sich geben und Aufmerksamkeit wollen, obwohl nichts von dem, was sie von sich geben, irgendwen weiterbringt. »Ich weiß nicht. Nur so, weil ihm auch die Sonne aus dem Arsch scheint, vielleicht.« »Jetzt wirst du wirklich unfair. Das sind zwei grundverschiedene Menschen.« »Ja, ja, stimmt«, sagte Saya, hob den Kopf und setzte sich aufrecht hin. Sie sah plötzlich sehr nüchtern aus und lachte ein waches, böses Lachen. »Für mich sehen diese weißen Boys eben alle gleich aus. Ich alte Rassistin.«

^^^

Leo war Sayas erster richtiger Freund und seine Mutter ihre erste richtige Beinahe-Schwiegermutter. Über beide redete sie nur dann, wenn sie sich über sie lustig machen wollte, was ziemlich gemein war, denn an ihnen war – außer dass sie Saya mal außerordentlich wichtig gewesen waren, sie sich aber letztlich als doch ziemlich egal entpuppt hatten – überhaupt nichts auszusetzen. Es gab diese Geschichte über Leos Familie, die ich vorhin schon kurz erwähnt hatte und die Saya jahrelang nicht müde wurde zu erzählen, wobei es ewig dauerte, bis ich verstand, was diese Geschichte so explosiv machte.

Saya hatte ihren ersten richtigen Freund mit zwanzig. Für andere Mädchen mit vergleichbarem Coolness-Faktor war das ziemlich spät, gleichzeitig haftete dieser Beziehung dadurch eine ganz andere Ernsthaftigkeit an. Weil Saya fast schon so was wie erwachsen war – und weil sie Saya war. Der Vorteil war natürlich auch, dass man mit zwanzig nicht mehr so stark unter Beobachtung stand, denn alle anderen in unserer Klasse waren damals achtzehn, mit den Köpfen schon in ihren Universitätsstädten und hatten mittlerweile festgestellt, dass unser Schulhof und die Grillhütten doch nicht der Nabel der Welt waren, sondern nur irgendwas Banales, was man hinter sich bringen und hinter sich lassen musste.

Dass Leos Mama runden Geburtstag hatte und ihn groß feierte, gehörte im Leben von jemandem wie Leo zur regelmäßig wiederkehrenden, nicht zu vermeidenden Routine. In der Welt von jungen Pärchen war die gemeinsame Einladung zu so einer Feier dagegen eine unendlich große Angelegenheit. Es war der Beweis für die Ernsthaftigkeit der Beziehung. Saya war natürlich aufgeregt, denn sie war in Leo verliebt, seine Familie sollte sie mögen und akzeptieren und bestenfalls toll finden. Sie war außerdem aufgeregt, weil sie Situationen wie diese nicht kannte. Sie kannte sich mit »runden Geburtstagen« nicht aus, was zwangsläufig hieß, dass sie sich mit Geburtstagen von Erwachsenen nicht auskannte. Wenn ihre Mutter oder ihr Vater Geburtstag hatten, gab es maximal einen selbst gebackenen Kuchen und Minimum eine Gratulation. Mehr Aufhebens machten die beiden nicht um diesen Tag, denn es war in ihrem Fall sowieso nur ein Tag, der für Dokumente erdacht worden war. Niemand aus ihrer Generation und ihrem Geburtsland wusste tatsächlich, wann er zur Welt gekommen war. Abgesehen davon ging in Sayas Familie auch nie jemand essen. In Leos Familie ging man essen. Man ging gemeinsam Pizza essen, wenn es etwas Kleines wie den letzten Tag der Sommerferien oder das erste Schwimmabzeichen zu feiern gab. Und man ging gemeinsam in schickere Restaurants, wenn es etwas Richtiges zu feiern gab, die bestandene Abiturprüfung oder eine Gehaltserhöhung. Man ging auch manchmal gemeinsam in irgendwelche Restaurants, wenn man einfach schon lange nicht mehr in irgendwelchen Restaurants gewesen war, wenn man Lust hatte, etwas Schönes zu tun, oder natürlich wenn man im Urlaub war, und das war mindestens einmal im Jahr der Fall. In Sayas Leben ging man nur dann essen, wenn es sein musste. Wenn die ganze Klasse nach der Zeugnisvergabe oder die ganze Turngruppe vor der Weihnachtspause Pizza essen ging. Weitere Beispiele gab es für sie damals nicht, denn Saya war, wie gesagt, erst zwanzig.

Sie saß geduscht, gekämmt, geföhnt, etwas geschminkt und in Schuhen ihrer Mutter an einem Tisch in einem Lokal, umgeben von Erwachsenen, die alle miteinander verwandt waren. Und sie war viel zu schick. Essen gehen war schicker als zu Hause zu essen, das war schon richtig, aber Essen gehen, sonntagmittags, in einem ländlichen Hotel-Restaurant am See, war nicht automatisch etwas, zu dem man sich aufbrezeln musste. Sayas Schuhe hätten zu einer Abendveranstaltung in einer Cocktailbar gepasst. Hier begleiteten Leos Tanten ihre Kinder barfuß auf den Spielplatz hinter dem Lokal. An Sayas Schuhen, an ihrem Kleid und an ihrer Aufregung aber schien sich niemand zu stören. Alle liebten Saya, denn es war so schön niedlich, wie erwachsen sie und Leo sich fühlten, und es machte den Tanten und Onkeln Spaß, den kleinen Leo zum ersten Mal in Begleitung zu sehen; zum ersten Mal war er fast einer von ihnen, aber eben nur fast. Saya wusste noch nicht, dass sie in einem wohlwollenden Kontext wie diesem eigentlich sowieso alles durfte. Sie empfand eine merkwürdige Art von Freiheit, für die sie bis an ihr Lebensende niemals dankbar sein würde: War Saya zu schick, verzieh man ihr das und schob es auf ihre Kultur. War Saya zu höflich, verzieh man ihr auch das, denn in ihrer ursprünglichen Heimat war man eben so schön höflich. Saya konnte diese Freiheit, die man ihr mit einem aufmunternden Blick und einem

Lächeln signalisierte, zunächst nicht recht einordnen, sie verstärkte ihre allgemeine Verunsicherung darum nur noch. Denn was, wenn sie plötzlich etwas tat, was man mit ihrer vermeintlichen Kultur nicht erklären konnte? Wie sollte sie das schöne Bild, das sie von ihr hatten, aufrechterhalten, wenn sie gar nicht so richtig verstanden hatte, welche Bilder welcher Kultur es waren, die man ihr unterstellte? Zum Glück war die zwanzigjährige Saya aber noch gar nicht so weit, in diesen Dimensionen zu denken, auch wenn sie sie mit jeder Faser ihres Körpers erahnte. Die zwanzigjährige Saya hatte zwar angefangen, das Wort »Rassismus« an Stellen zu benutzen, an denen es um das Offensichtliche ging, sie hatte damit aber erst einmal wieder aufgehört, nachdem sie es vor den Jungs am Lagerfeuer laut ausgesprochen und schnell bereut hatte.

Für den Moment war Saya jedenfalls gewappnet, denn für Situationen wie diese hatte sie Strategien entwickelt. Wenn Saya bei anderen Kindern zum Mittagessen eingeladen war, hatte sie immer den Ellbogen-Check gemacht, und den machte sie auch jetzt, um herauszufinden, ob es ein Drama sein würde, wenn sie ihre Ellbogen auf dem Tisch abstützen würde. Irgendwo, in Filmen oder Büchern, hatte sie nämlich aufgeschnappt, dass Eltern ihre Kinder ermahnten, wenn sie die Ellbogen beim Essen auf dem Tisch abstützten. Sie rätselte, ob das auch auf Familien wie die von Leo zutraf, oder ob das eher etwas war, was man nur in Filmen und Büchern tat. Also hatte sie angefangen, den Tisch vor der Mahlzeit abzuscannen. Wenn einer oder zwei aus der Familie die Ellbogen abstützten, war sie entspannt und aß wie immer. Wenn es niemand tat, wurde sie aufmerksam. Denn das hieß ja, dass diese ominöse Regel hier galt, und wo diese

Regel galt, gab es ja eventuell auch noch andere Regeln, die sie nicht kannte. Also scannte sie auch jetzt, auf diesem runden Geburtstag. Wie saßen die anderen, was taten sie mit ihren Servietten, wie gingen sie mit den Weißbrotscheiben und der Butter um, die vor dem Essen serviert wurden. Sie sah zu und tat das Gleiche. Legte sich die Serviette nicht auf die Knie, obwohl sie das irgendwie angebracht gefunden hätte, sondern neben den kleinen Teller, nahm sich eine kleine, trockene Brotscheibe, bestrich sie mit Butter, salzte sie und knabberte daran. Sie fragte sich, was genau das bringen sollte, und beließ es bei der einen Scheibe, als sie sah, dass Leo gar nichts aß. Leo sprach mit einem Onkel, der ihm gegenübersaß und der fröhliche Augen und viele zarte Lachfalten hatte. Er sah aus wie jemand, der in Kindersendungen mitspielte, bei der *Sesamstraße* zum Beispiel oder bei *Löwenzahn*; oder wie ein Singer-Songwriter für Kindergartengruppen, der Reinhard Mey der Vierjährigen vielleicht. »Manche haben sich auch ausmustern lassen«, erklärte Leo ihm gerade in dem ernsten Tonfall, den er, Saya und alle anderen in diesen Wochen und Monaten trainierten, wenn sie über ihre ominöse Zukunft sprachen. Eine Zukunft, die bei den männlichen Klassenkameraden erst einmal noch auf Pause gesetzt wurde, weil die meisten zunächst zur Bundeswehr oder zum Zivildienst mussten. »Ja, ja, so ähnlich ging das bei uns ja auch zu. Wir hatten damals auch keine Lust, im Gleichschritt zu marschieren. Sind wir eben nach Westberlin gezogen«, sagte der Onkel und zwinkerte Saya zu, die in derselben Sekunde, zack, zurücklächelte. Das gefiel ihr an Verwandten von Gleichaltrigen, dass sie Geschichten aus ihrem Leben erzählten, die sich mit dem deckten, was sie gelesen und in Dokus auf Phoenix gelernt hatte. Sie wünschte, er würde weiter von Westberlin reden. »Aber für den Zivildienst braucht man keine Ausmusterung, dachte ich«, sagte der Onkel, und Leo nickte sehr schnell und sehr ernst, »Nein, nein. Wer ausgemustert wird, ist raus aus allem. Ich wollte aber nicht raus aus allem, deswegen habe ich mir auch nicht irgendeine Krankheit attestieren lassen. Ich würde gerne Zivildienst machen, das schadet ja nicht, man lernt was und man hilft ja auch damit.« Leos Onkel setzte ein schon fast übertrieben beeindrucktes Gesicht auf, obwohl ihm der Edelmut seines Neffen ja tatsächlich gefiel, und sagte in Sayas Richtung, »Was sagt man dazu!« Saya war zwar in Leo verliebt, hatte aber trotzdem keine Lust, ihn für so einen Satz jetzt von der Seite anzuhimmeln und dabei auch noch eine Allianz mit dem Onkel einzugehen. »Das ist ja im Grunde nichts anderes als ein Freiwilliges Soziales Jahr«, erklärte sie dem Onkel, »das machen viele, auch Mädchen zum Beispiel.« War Saya zu diesem Zeitpunkt eigentlich noch ein Mädchen? Ist man mit zwanzig noch ein Mädchen? Sie nannte sich auf jeden Fall noch so, denn etwas anderes wäre ihr gar nicht eingefallen. Was ihr aber einfiel, war etwas, das sie neulich auf arte gesehen hatte und ihr als ein supergeeignetes Small-Talk-Thema für Situationen wie diese erschien, weswegen sie ergänzte, »Ich finde ja, alle sollten zu so einem sozialen Jahr verpflichtet sein. In Costa Rica zum Beispiel, da muss man so ein Jahr machen. Da gibt es gar keine Armee und deswegen auch keinen Wehrdienst. Logischerweise.« Sie schaute zwischen Leo und Leos Onkel hin und her und wartete auf ihre Reaktion, denn sie wollte zwar unbedingt etwas zu dem Gespräch beitragen, aber auch schnellstmöglich das Wort und die Aufmerksamkeit an den nächsten weiterreichen. »Costa Rica!«, sagte der Onkel da auch schon, »Kommst du aus Costa Rica? Ich habe mich schon die ganze Zeit gefragt, ob Saya nicht vielleicht eher ein arabischer Name ist, aber du siehst nicht so arabisch aus.« Saya lächelte. Das Thema Soziales Jahr schien damit irgendwie schon wieder beendet und sie schüttelte den Kopf und war dankbar, dass sich Leos Mutter in diesem Moment in das Gespräch einschaltete und sie nicht erklären musste, dass sie trotz der Begeisterung des Onkels nicht aus Costa Rica kam.

Saya wollte ursprünglich auch gar nicht den Onkel begeistern, sie wollte Teil dieser erwachsenen Familienwelt sein, in der man sich ernsthaft über gesellschaftliche Themen, Entscheidungen über die eigene Zukunft und das, was man bei arte gelernt hatte, unterhielt. Leos Mutter beugte sich über die Schulter des Onkels und gab ihm einen Kuss auf die Wange. Das immerhin war wie in ihrer Familie, dachte Saya, man gab sich Küsschen vor allen Leuten, denn man war eben eine Familie und gehörte zusammen. Die Mutter und der Onkel schienen sich zu verstehen, aufrichtig zu mögen, und Saya stellte sich die beiden als gesunde, braun gebrannte Kinder vor, wie sie im Urlaub Fangen am Strand spielten, Sandburgen bauten, in Zelten schliefen und Wörter wie »Dünen« benutzten. Leos Mutter beugte sich immer noch zum Ohr des Onkels und dass die beiden so schnell miteinander lachen konnten, ohne langen Anlauf, erinnerte Saya wieder an den Besuch ihrer Tanten, als ihre Mutter mit ihren Schwestern nur so brüllte vor Lachen. »Costa Rica? Da war ich auch mal kurz, war echt schön. Nach Lateinamerika würde ich aber trotzdem nicht noch mal reisen«, hörte Saya eine Stimme von der Seite. Zu Leos Linken saß ein Mädchen in etwa ihrem Alter, vielleicht etwas älter, sie sprach zumindest so, als wäre sie Small Talk mit Fremden gewohnt, und Saya ging davon aus, dass auch sie kein Familienmitglied war, sonst hätte Leo schon mal von ihr erzählt oder sie einander vorgestellt. Sie musste also auch die Partnerin von jemandem sein und das machte sie für Saya erst einmal sehr sympathisch. »Echt nicht? Ich würde gern mal nach Lateinamerika, das muss doch eine Wahnsinnslandschaft sein«, sagte Leo jetzt zu ihr, und Saya merkte, wie sie anfing, ungeduldig zu werden, so wie sie immer irgendwann ungeduldig wurde, wenn Menschen von Reisen und Ländern und Wahnsinnslandschaften redeten. Früher dachte sie noch, das läge ganz einfach daran, dass sie nicht mitreden konnte. Sie kannte nur Deutschland und das andere Land. Sie kannte die Strände dieser Welt nicht und auch nicht die Geheimtipps aus dem super hippen Reiseführer, den nur eingeschworene Reisende besaßen.

Inzwischen, heute, hat sie zwar vier der fünf Kontinente gesehen und kennt mehrere Metropolen der Welt so gut, dass sie sich souverän in ihnen bewegen kann, langweilt sich bei Gesprächen dieser Art aber immer noch von der ersten Sekunde an. Für sie gibt es nichts Schlimmeres, als Leute von ihren Reisen erzählen zu hören. Von ihrem neuen Ich, das sie sich für einige Tage oder Wochen aneignen konnten, als sie so ganz fremd etwas völlig Unbekanntes entdeckten und eroberten. Na gut, das mit dem Erobern hat Saya so noch nie gesagt, aber ich glaube, ein wenig hängt das alles zusammen. Egal, Saya erzählte uns die Geschichte so, dass Leo also die junge Frau, die neben ihm saß und nicht mit ihm verwandt war, danach fragte, warum sie nicht noch mal die Wahnsinnslandschaften Lateinamerikas bestaunen wollen würde, und die junge Frau, lasst sie uns Lena nennen, weil sie ein wenig so aussah wie Lena aus der Serie *Türkisch für Anfänger*, begann zu erzählen. Die Landschaft sei der Wahnsinn, erklärte sie, die Menschen überall so freundlich, die Strände die schönsten, die man sich vorstellen könne, und noch gar nicht so touristisch erschlossen, wie man annehmen würde. Fast hätte sie sich dort gefühlt, als wäre sie die erste Entdeckerin dieser Strände. Na gut, um ehrlich zu sein, hat sie Letzteres wohl eher nicht gesagt, aber es würde doch irgendwie passen. Leute reden ja oft wie Kolumbus, wenn sie im Urlaub mal was Neues gesehen haben. Vielleicht bin in Wirklichkeit aber auch ich diejenige, die anderen nicht gern bei ihren Reiseberichten zuhört.

»Und warum hast du dich dann dort nicht wohlgefühlt?«, fragte Saya nun endlich, auch um Lena zu signalisieren, dass sie übrigens ebenfalls Teil des Gesprächs war und sie beide ja, so als Anhängsel der Familie, irgendwie zusammenhalten könnten. »Na ja, für mich war das Essen der Hauptgrund«, sagte Lena, »ich bin Vegetarierin und dafür hatten die da natürlich so überhaupt kein Verständnis.« Leo nickte wissend. Saya dachte an all die Leute aus ihrem Umfeld, die dafür auch überhaupt kein Verständnis hätten. »Wenn man nachgefragt hat und was ohne Fleisch wollte, dann haben die immer gesagt, es wäre ohne Fleisch, obwohl es dann am Ende doch mit Fleisch war.« »Und deswegen willst du nicht mehr dorthin? Das ist in anderen Ländern aber ja vielleicht ähnlich«, versuchte Saya Lena aus diesem grundlegenden Missverständnis herauszuhelfen. Niemand, der es sich leisten konnte, die Welt zu sehen, sollte darauf verzichten müssen, weil er zuvor völlig unlogische Rückschlüsse gezogen hatte. »Ja, vielleicht. Aber es war auch alles so unhygienisch. Ich hatte echt Magenprobleme, die ersten Wochen, und hohes Fieber. Ich musste mich erst mal akklimatisieren.« Leo nickte noch mal verständnisvoll. Saya nahm einen Schluck vom Sprudelwasser, das der Onkel ihr und allen anderen Umsitzenden wie selbstverständlich eingeschenkt hatte. Sie überlegte einen kurzen Moment, ob sie noch etwas sagen sollte, da hörte sie sich schon reden. »Das ist ja das Spannende, eigentlich«, sagte sie freundlich, »dass in den Ländern, in denen die Versorgungslage schlechter ist und die Dinge unhygienischer, die Menschen, die dort leben, viel reinlicher sind. Die würden nie auch nur daran denken, ungewaschenes Obst zu essen, zum Beispiel. Und die Touris aus dem Westen, die kommen da an, sind so unhygienisch wie immer und dann überrascht, dass sie Dünnpfiff kriegen.« Lena schaute Saya an und zwinkerte ungläubig. Sie war ein gut erzogenes und liebes Mädchen. Zu gut erzogen, um Worte wie »Dünnpfiff« zu benutzen, und zu lieb, um jemand anderen anzugreifen. Sie selbst wiederum wurde aber auch nicht gerne angegriffen. Hatte dieses merkwürdige Mädchen mit dem komischen Namen ihr gerade zu verstehen gegeben, sie sei dreckig? Weil sie aus einem sauberen Land kam? »Das glaube ich nicht«, sagte sie nur und Saya merkte sich diesen Satz. So schön schlicht und abschließend. Saya sagte dann auch erst einmal nichts mehr. Einerseits, weil sie sich nicht sicher war, ob das, was sie gesagt hatte, nicht vielleicht wirklich Quatsch war. Es erschien ihr logisch und es passte eben zu dem, was sie beobachtet hatte. Andererseits war sie auch noch nie in diesem »Lateinamerika« gewesen, hatte sich nirgendwo erst einmal akklimatisieren und dann anpassen müssen.

Im nächsten Moment stieß eine weitere Tante zur Runde. »Pünktlich zum Hauptgang!«, rief Leos Mutter und umarmte auch die neue Tante, die, wie Leo Saya zuflüsterte, die Zwillingsschwester seiner Mutter war. Zwillinge, die jedoch, aufgrund der unerbittlich tickenden Uhr, ihren Geburtstag an zwei verschiedenen Tagen feierten. Zwillinge, die sich trotzdem ähnlich sahen und deren Namen ähnlich klangen – Birgit und Brigitte. Wie Hanni und Nanni, dachte Saya sehnsüchtig und stellte sich die beiden vor, wie sie mit dreizehn Mitternachtspartys in ihrem schönen Mädcheninternat gefeiert haben mochten. Ihr Äußeres passte sogar ein wenig zu den Illustrationen in Sayas *Hanni-und-Nanni*-Büchern. Birgit und Brigitte hatten beide braunes Haar und wache, nussbraune Augen. Brigitte machte die Runde um den Tisch, nachdem sie einmal auf die Terrasse gewunken und »Ich komm gleich zu euch!« gerufen hatte, und küsste und umarmte die anderen Familienmitglieder, die verwandten, die angeheirateten, die liierten. Als sie Lena über den Tisch hinweg die solariumgebräunte Hand hinstreckte und »Ich bin die Biggi« sagte und als Lena freundlich »Lena!« beziehungsweise ihren tatsächlichen Namen nannte, strahlte Biggi ihren Neffen Leo an. »Deine Freundin«, rief sie mit ihrem strahlenden Mädcheninternatslächeln, »wie schön, ich habe schon so viel von dir gehört, so viel!«, und hörte nicht auf, Lena zuzunicken. Leo schüttelte den Kopf und sagte verlegen, »Nein. Saya. Saya ist meine Freundin.« Biggis Lächeln verschwand augenblicklich und als Leo seine Hand auf Sayas Schulter legte und Saya wirklich sofort ihre Hand ausstreckte, um Biggi wie alle anderen die Hand zu schütteln, war Biggi die Irritation noch immer anzusehen. »Entschuldige bitte«, sagte sie nur und blickte zwischen Saya und Leo hin und her, so lange, bis das Bild der beiden doch in irgendeiner Form Sinn zu ergeben schien, und sie sagte noch schnell »Schön, dich kennenzulernen, Saya« und »Wir plaudern dann später, ja?« und setzte ihre Runde fort.

»Warum nimmst du denn das jetzt eigentlich persönlich?«, hatte ich damals gefragt, als Saya zum ersten Mal an diesem Punkt der Geschichte angekommen war, der übrigens auch bereits ihr Ende darstellt. Wir saßen auf dem Balkon bei Hanis Eltern. Sie hatten das Haus damals gerade erst bauen lassen und der Balkon unterschied sich so ziemlich in allem von dem in der Siedlung. Doch auch auf diesem Balkon rauchte man viel und inzwischen war es Hani und nicht mehr nur ihre Eltern, die den Aschenbecher füllte. »Weiß ich nicht«, sagte Saya, »aber ist doch komisch, dass sie ganz einfach davon ausging, dass die Tennispartnerin von Leos Schwester, die völlig grundlos auch da war, Leos Freundin ist, einfach so, obwohl ich doch genauso neben ihm saß.« »Ist überhaupt nicht komisch«, sagte ich, »sie hat dich vielleicht einfach nicht gesehen.« »Klar hat sie mich gesehen«, hätte Saya gern gesagt. Sagte sie aber nicht. Sie wusste ja genauso wenig wie wir, warum genau sie sich geärgert, warum genau sie diese Situation verstört hatte. Sie hatte es uns erzählt, weil sie wissen wollte, ob sie sich ärgern oder einfach nur wundern sollte. Hani sagte nichts, was hieß, dass sie auch nicht wusste, was mit der Geschichte anzufangen war. »Was wäre denn aus deiner Sicht besser gewesen«, fragte ich, nachdem wir eine Weile geschwiegen hatten, »wenn sie dich gesehen und sofort gesagt hätte, ›Ah, du musst Leos Freundin sein!‹? Obwohl neben Leo ein anderes Mädchen saß, das sie genauso wenig kannte wie dich? Hätte sie damit nicht viel mehr zugegeben, dass man ihr von dir erzählt hatte, und zwar als eine ganz außergewöhnliche Person, die man sofort erkannt hätte, weil es sonst keine wie sie gab? Wäre das nicht auch komisch gewesen?« Saya antwortete nicht. Hani sagte, »Ihr zwei. Hört auf. Nichts an alldem ist merkwürdig. Nichts ist ungewöhnlich. Menschen verwechseln Menschen, das passiert jedem. Hört auf, euch die Ohren vollzuheulen wegen Situationen, die nicht schlimm sind. Hört auf, euch Situationen vorzustellen, wegen denen ihr euch die Ohren vollheulen *würdet*, obwohl sie nicht schlimm sind. Hört endlich auf damit.« Woraufhin wir damit aufhörten. Und doch sollte Saya das letzte Wort behalten, indem sie ab da jedes Mal, wenn es um Beziehungen zu weißen Männern ging, von diesem Geburtstag anfing. Erzählt wurde sonst nichts über Leo. Nicht, dass er ein loyaler erster Freund war, dass sie es war, die sein Herz brach, dass er heute ein astreines spießiges Leben führte und viel Geld in einer NGO verdiente. Leo war zu einem Joker geworden, den Saya spielte, um uns nachträglich noch mal reinzuwürgen, dass sie sich in einer Situation unwohl gefühlt und alles Recht der Welt hatte, deswegen wütend zu sein. Für mich ist die Erinnerung an ihn dementsprechend auch die Erinnerung daran, dass ich Saya ihren Ärger mit den Jahren zähneknirschend zugestehen musste. Denn das, was Saya damals passiert war, kannte ich. Dass man uns sah und uns Personen zuordnete, oder es eben unterließ, weil es keinen Sinn zu ergeben schien, dass wir in den Kreisen verkehrten, in denen wir verkehrten. Dass man uns auf Englisch ansprach; dass man uns über Dinge aufklären wollte, die wir viel besser wussten als andere; dass man uns aus heiterem Himmel fragte, woher wir eigentlich kommen; oder uns, wenn wir schon längst ordentlich einen sitzen hatten, fragte, ob wir eigentlich Alkohol trinken. Das war einer unserer Lieblings-Fails. Darüber konnte Saya mit zunehmendem Alter immer öfter lachen. Nach dem runden Geburtstag hatte Saya eine Situation dieser Art zum ersten Mal benannt, und ich hatte ihr widersprochen, statt zu sagen, »Du hast recht. Dir ist etwas Merkwürdiges passiert. Nichts Schlimmes, aber etwas Merkwürdiges. Und es passieren schlimme Dinge, weil Leute wie wir jeden Tag unhinterfragt diesen Merkwürdigkeiten ausgesetzt sind.« Mein Widerstand war die einfachere Reaktion gewesen, auch, weil Hani sich genauso wehrte. Das tut sie bis heute. Ihre Stärke liegt darin, Saya ihre Erfahrung nicht abzusprechen, das immerhin tut sie nicht – und darin unterscheidet sie sich grundlegend von den Jungs am Lagerfeuer damals.

Du hattest ja auch recht mit allem, Saya. Deswegen wird man trotzdem nicht zum lebenden Brandbeschleuniger, oder? Deswegen zettelt man trotzdem keinen Krieg an. Damals nicht und auch heute nicht.

Wir hätten ihr vielleicht trotzdem länger zuhören können, bevor wir ihr widersprachen, Hani auf ihre, ich auf meine Art.

Nach all den Malen, die ich diese Geschichte hören musste, ahne ich jetzt erst, dass Lena, die in dieser Story nicht besonders gut wegkommt und noch nicht einmal einen echten Namen hat, die Geschichte sicher auch nicht vergessen hat. Dass Lena im Nachhinein ebenfalls mit Leuten sprach, um sich bestätigen zu lassen, dass sie sich völlig zu recht darüber geärgert hat, für Leos Freundin gehalten zu werden, obwohl sie doch genauso neben Alice, Leos Schwester, saß. Ich würde jetzt gerne Saya von diesem viel zu spät gefallenen Groschen erzählen, damit wir uns beide schämen können, Saya noch mal ein bisschen mehr als ich. Um uns erst für unsere Ignoranz zu schämen, uns dann wie unsensible Trampel zu fühlen und uns schließlich dafür zu schämen, die unsensiblen Trampel zu sein, die wir selbst so verachten. Zu Recht. Trotzdem haben wir all die Jahre nicht an Lena gedacht, als wir Biggi wieder und wieder ihre Worte sagen hörten: »Deine Freundin! Ich habe schon so viel von dir gehört! So viel!«

^^^

Hani ging sofort ans Telefon, obwohl es sechs Uhr in der Früh war. Sie ging immer ans Telefon, auch wenn sie die Nummer nicht kannte. Saya würde das niemals tun, denn unbekannte Nummern waren für sie wie das Klingeln an der Wohnungstür, damals, bei ihren Eltern, wenn man keinen Gast erwartete und den Geheimdienst befürchtete. Immer hörte ich erst Sayas Stimme »Wer ist da?« fragen, wenn ich unangemeldet bei ihr klingelte. Bei Hani stand die Tür manchmal sogar offen, wenn ich vorbeikam. Die Mutter lüftete ständig, und es gab bei ihnen ohnehin nichts zu klauen. Oder besser gesagt: Niemand in Hanis Familie wollte sich gedanklich damit beschäftigen, dass es unvorsichtig sein könnte, so durch die Welt zu gehen. Wie auch immer, Hani ging direkt ran und fragte, »Kasih, warum um alles in der Welt bist du schon wach?«

»Saya lässt mich nicht schlafen«, sagte ich, »sie ist immer noch betrunken, glaube ich, sie wälzt sich herum, sie seufzt und schnaubt, sie schläft so laut, dass ich nicht schlafen kann.«

»Saya schläft doch nie laut. Sie ist die leiseste Schläferin der Welt. Was ist nur mit ihr los?«

»Das wollte ich dich fragen. Deswegen rufe ich an«, sagte ich und war mit einem Mal so erleichtert, dass wir wenigstens fast darüber geredet hatten, was Saya im Schlaf mit sich anstellte. Ich war natürlich wach geworden, weil sie sich schon wieder gegen die Wand geworfen hatte, und diesmal war der Aufprall so laut gewesen, dass ich mich fürchterlich erschreckt hatte und an Einschlafen nicht mehr zu denken war.

»Ich mache mir Sorgen um sie«, sagte ich und hoffte inständig, dass Hani sagen würde, was sie immer sagte, dass meine Sorge unnötig sei, weil mit Saya alles stimmte, dass sie nur mal wieder übertrieb.

»Ich mir auch«, sagte Hani stattdessen, »sie hat gestern so viel getrunken, die in der Kneipe haben uns am Ende richtig rausgeekelt, die hatten wahrscheinlich Angst, dass Saya den Laden auseinandernimmt.«

»Echt? Meinst du?«

»Klar. Die wollten uns irgendwann schon loswerden, glaube ich.«

»Saya denkt, dass es nicht an ihr lag.«

»Wann denkt Saya schon, etwas läge an ihr?«, fragte Hani und klang dabei etwas müde, wobei mir auffiel, dass es eigentlich gemein war, sie anzurufen, wo sie doch nicht nur verkatert und übernächtigt war, sondern im Gegensatz zu mir gleich auch noch arbeiten gehen musste. Absurd eigentlich, dass ich sie selbst in diesem Moment dafür beneidete, dass sie eine Arbeit hatte und Verpflichtungen nachgehen musste.

»Also, sorry, dass ich anrufe, Hani, aber ich wollte fragen, was wir mit Saya machen?«

Hani lachte, »Das Gleiche wie immer. Nur nicht allzu oft widersprechen, sonst wird es nur noch schlimmer mit ihr. Gib ihr einfach in allem recht.«

»Hat sie denn recht?«

Hani überlegte. Das sah ihr nicht ähnlich, Hani überlegt eigentlich nicht, ihre Strategie der Welt gegenüber hat sie derart verinnerlicht, dass sie immer, überall ad hoc deeskalierend wirkt. Selbst wenn sie Saya widerspricht, tut sie das, um mit ihr hinterher auf einen friedlichen Ausgang ihrer Diskussion anzustoßen. Würde dieser Part ausbleiben, würde sie Saya nie mehr widersprechen, sondern ihr stattdessen nicht mehr zuhören. Aus diesem Grund hatte ich sie angerufen, ich wollte Frieden, ich wollte von ihr hören, dass ich übertreibe, dass wir uns um Saya keine Sorgen machen müssen.

»Sie hat diesen Nazi-Chat auf ihrem Handy und liest den die ganze Zeit«, sagte Hani, »das bringt ihr nichts.«

»Hat sie den gestern auch gelesen?«

»Ja. Betrunken in der U-Bahn. Sie hat daraus laut vorgelesen. Alle anderen Betrunkenen haben es gehört. Es war echt peinlich.«

Ich war zu müde, um zu erzählen, dass Saya außerdem dem fremden Nazi aus dem Flugzeug geschrieben hatte, dass er ein altes Arschloch sei, sie ihn hasse und, ach ja, stimmt ja, dass die Geschichte über ihren Flug außerdem sowieso frei erfunden war. Allein der Gedanke daran, diese

Tatsache plausibel zu erklären, verwirrte mich, sodass ich die Klappe hielt.

»Was machen wir mit ihr?«, stellte ich also die einzig relevante Frage.

»Lenk sie ab«, sagte Hani, »mehr geht vielleicht gerade nicht. Sie soll aufhören, den Kram zu lesen, der bringt niemanden weiter.«

»Ablenken. Okay.« Das war ja überzeugend.

»Genau. Ablenken, Aufheitern. Aber ich wollte dich auch noch was fragen.«

»Bitte, bitte, sprich von was anderem.«

»Es geht um gestern. Also, meinst du, Minh hat Interesse an mir oder nicht? So, allein körperhaltungsmäßig und so?«

Ich rief mir vor Augen, wie Hani und Minh am Feuer gestanden hatten. Ich sah Hanis Körperhaltung: definitiv interessiert. Ich sah Minhs Körperhaltung. »Schwer zu sagen, ihr habt auch eher so über die Arbeit geredet, oder? Nicht so viel über Persönliches?«

»Ja. Leider. So ein Unding, dass Menschen immer über ihre Arbeit reden.«

»Wenigstens habt ihr alle eine Arbeit.«

»Ja. Sorry. Also was jetzt?«

»Minh hat dauernd gesagt, dass du zu gut für deine Arbeit bist, oder?«

»Ja, ja, blablabla, aber sagt man das, weil man Interesse an jemandem hat?«

»Ich glaube, so was sagt man, weil jemand zu gut für seine Arbeit ist. Hani, ich wollte dir sowieso lange schon sagen: Ich glaube, du bist wirklich zu gut für deine Arbeit. Du bist da der Mülleimer für alle, aber keiner dankt es dir.«

»Ja, blablabla, ich wollte wissen, ob ich Minh anrufen soll oder nicht. Wie deuten wir denn jetzt die allgemeine Körpersprache?«

»Also, offen gestanden: eher nicht.« Hani schwieg und mir tat es leid, ich hätte auch lieber etwas anderes gesagt, aber das bringt ja nichts. Ein bisschen tat es auch gut, um ehrlich zu sein, obwohl sie mir leidtat. Wenn man selbst gerade Liebeskummer hat, sollen die anderen auch keine niedlichen Flirts abkriegen.

»Tut mir leid«, sagte ich.

»Okay, danke.«

»Aber vielleicht nimmst du dir trotzdem zu Herzen, was Minh gesagt hat? Das mit deinem Job?«

»Puh, also, ich muss jetzt los. Was machen wir heute Abend?«

»Ich weiß es nicht. Vielleicht trinken? Vielleicht Saya ablenken?«

»Geh doch heute mit ihr raus, legt euch in die Sonne oder so, das tut bestimmt gut.«

»Okay.«

»Mir fällt noch was ein.«

»Ja?«

»Saya hat dauernd davon gesprochen, dass heute irgendein Prozess losgeht. Ich glaube, es ging wieder um Nazis. Vielleicht sorgst du dafür, dass sie das einfach wieder vergisst.«

»Ha. Na klar. Als ob Saya irgendwas vergessen würde. Aber okay, ich versuch's.«

»Bis dann.«

»Bis dann.«

Wir legten auf und ich legte mich wieder schlafen, während Hani damit begann, womit Menschen ihren Tag in einer kapitalistischen Gesellschaft eben beginnen, wenn sie nicht gerade arbeitslos oder betrunken sind. Sie duschte, frühstückte, stieg auf ihr Fahrrad und dachte an das, was Minh gestern zu ihr gesagt hatte. »Du warst die Einzige im Büro, von der man immer wusste, wann sie da ist und dass sie da ist und dass sie anpackt. Alle anderen wollten sich immer unsichtbar machen und möglichst undurchschaubar sein, was bestimmt total Style hat, aber wenn man da sein Praktikum macht, ist das einfach nur nervig.« Hani freute sich nachträglich über das Lob, das in diesen Worten steckte, und ahnte noch nicht, dass es gar nicht ihr Interesse für Minh war, sondern diese goldenen Worte, die an ihr nagen würden. Sie trat kräftig in die Pedale und freute sich auf die Puffer-Zigarette, die sie sich durch möglichst schnelles Fahren erarbeiten würde. Das war nämlich der eigentliche Grund, weswegen sie Fahrrad statt Bus fuhr. Wir haben alle drei eine panische Angst davor, irgendwohin zu spät zu kommen, und deswegen sind wir alle immer gute zehn Minuten zu früh irgendwo. Selbst an Orten, an die wir jeden Tag müssen und bei denen wir ja eigentlich auf die Minute genau abschätzen können, wie lange man dahin mit den öffentlichen Verkehrsmitteln braucht. Auf dem Fahrrad konnte Hani den überflüssigen Zeitpuffer selbstbestimmt vergrößern und vor dem Büro zum Rauchen nutzen. Außerdem waren Busse das unzuverlässigste Verkehrsmittel dieser Stadt, doch davon mal abgesehen hatte Hani ihr Vertrauen in Busse seit dem Tag, an dem sie nicht mehr zur Siedlung fuhren, sowieso verloren. Das war auch der Tag, an dem wir den Begriff »altes Arschloch« zu unserem Lieblingsschimpfwort Nummer eins erkoren haben. Nicht, weil es so supercool klingt, sondern weil es all unsere Wut und Energie in genau dem richtigen Maß bündelt. Dieser Tag hatte also auch etwas Gutes, Erhellendes, es war ein wichtiger Tag in unserer verkehrstechnischen Biografie.

^^^

An dem Tag, an dem die Busse nicht mehr zur Siedlung fuhren, ahnte ich vielleicht zum ersten Mal, dass es mit ihr bergab ging. Bergab ist in diesem Zusammenhang allerdings ein irreführendes Wort, denn an dem Tag, an dem die Busse nicht mehr fuhren, gingen Saya, Hani und ich bei strömendem Regen ziemlich lange bergauf. Außerdem ist es schwer vorstellbar, dass es mit einer Gegend, in der seit Generationen der soziale Abschaum einquartiert wird, überhaupt bergab gehen kann. Aber das kann es, das tut es automatisch, wenn die entsprechenden Verantwortlichen alles daransetzen.

Noch hingen Saya, Hani und ich nachmittags vor unseren Häusern ab, was uns schlechte Laune machte, weil dort absolut nichts passierte. Wir versuchten, einander zu Hause zu besuchen, aber seit wir und unsere Probleme größer geworden waren, erschienen uns die Wohnungen nur noch enger und der Geruch des Teppichbodens nur noch muffiger. Wir zogen manchmal los, um zum kleinen Waldspielplatz zu gehen, uns ironisch auf die Schaukeln zu setzen und Hani beim heimlichen Rauchen zuzusehen. Bis sich jemand auf dem Spielplatz umbrachte und er abgebaut wurde. Wir waren nicht mal traurig darüber, denn so richtig hatte uns auch der Spielplatz nicht gehört. Vielleicht fingen wir deswegen, aus Mangel an Alternativen, an, im Kinder- und Jugendhaus abzuhängen, das natürlich nicht in unserer Gegend, sondern am anderen Ende der Stadt lag, und in dem Saya schon damals als Ehrenamtliche Kindergruppen bespaßte, wovon sie uns regelmäßig vorschwärmte. Irgendwann schlossen Hani und ich uns ihr natürlich an, gemeinsam organisierten wir Ausflüge für die Kinder und betreuten Bastelstunden. Die angestellten Sozialarbeiterinnen liebten uns dafür, dass wir ihnen Arbeit abnahmen, und obwohl sie sich nie dafür interessierten, war das der erste Kontext, in dem mir auffiel, wie besessen Saya, Hani und ich davon waren, pünktlich irgendwo aufzutauchen. Uns hat niemand kontrolliert oder bewertet, uns hat natürlich auch kein Mensch bezahlt, aber wir haben uns verhalten, als ob, warum auch immer. Wirklich gelohnt hat es sich allerdings höchstens, weil wir nach zwei Jahren Ehrenamt ein Zeugnis bekamen, von dem ich mir damals noch was versprach. Damals, als ich noch nicht wusste, dass ich eines Tages sehr viele Zeugnisse haben würde und trotzdem keine Zukunft. Für Saya aber waren die Erfahrungen mit den Kindern der ausschlaggebende Grund, Pädagogik zu studieren, und Hani, die normalerweise nach einigen Wochen das Interesse an dem Laden und der Arbeit dort verloren hätte, sah darin einige Zeit später, nach ihrem Umzug in das Neubaugebiet, die Gelegenheit, Saya und mich trotzdem jeden Tag sehen zu können. Außerdem dachte sie sich heimlich, dass die Sozialarbeiterinnen es doch sehr gemütlich hatten, wie sie da mit ihren Computern und Kaffeetassen saßen, telefonierten und planten.

Jedenfalls hatten wir an dem Tag, an dem die Busse nicht

mehr fuhren, die Mädchengruppe auf einen Ausflug begleitet, der keinen Spaß gemacht hatte, weil es die ganze Zeit regnete. Wir waren in einem Museum gewesen, das zwar imposant und geschichtsträchtig war, aber niemanden interessierte. Hingefahren waren wir sowieso nur, weil es auf dem Außengelände des Museums einen Spielplatz inklusive Sommerrodelbahn gab. Aber es regnete eben und die fünfzehn schlecht gelaunten kleinen Mädchen hassten uns drei schlecht gelaunte Gruppenleiterinnen dafür, dass wir nicht einfach ins Kino gegangen waren. Nachdem wir die Kinder wieder ihren Eltern übergeben hatten, wollten wir so schnell wie möglich nach Hause, in die Siedlung. Erst als wir an der Bushaltestelle vor dem Kinder- und Jugendzentrum standen, auf den Bus warteten und die übrig gebliebenen Äpfel und Müsliriegel in uns reinstopften, sahen wir, dass unsere Buslinie gestrichen worden war. Es war nicht einfach nur ein Bus ausgefallen, man hatte die komplette Linie gestrichen, man hatte die Verbindung, die zwischen der Siedlung und dem Rest der Welt bestanden hatte, durchtrennt und uns nicht einmal vorgewarnt. Am Morgen hatte Sayas Vater uns noch gefahren. Jetzt standen wir da und kamen nicht weg. Sayas Vater war arbeiten, mein Vater musste wegen der anstehenden Nachtschicht schlafen, Hanis Vater hatte kein Auto. Unsere Mütter spielten in Abwägungen dieser Art sowieso keine Rolle. Während wir zu diesen Erkenntnissen kamen, fiel weiter der Regen auf uns herab, als würde uns eine gnadenlose Autorität für irgendetwas bestrafen wollen. »Na dann«, sagte Saya und stiefelte los. Ich sah Hani an, die die Unterlippe nach vorne schob, als hätte Saya sie getadelt, vermutlich dachte sie noch, der Regen würde gleich aufhören. »Du kannst meinen Schirm haben«, sagte ich zu ihr, »komm, sonst ist Saya gleich weg.« Hani nahm meinen Schirm, hielt ihn über meinen und ihren Kopf und wir stapften Saya hinterher. Der Weg würde uns mindestens fünfzig Minuten Lebenszeit kosten und der Hügel, auf dem die Siedlung lag, war steil. Es dauerte nicht allzu lange, bis Hani und ich uns von der Vorstellung, man könne einen Schirm zu zweit nutzen, verabschiedet hatten und Hani einsah, dass dies eine Art Regen war, bei der ein Schirm selbst einer einzelnen Person keinen Schutz bot. Saya ging noch immer vor uns, obwohl wir sie inzwischen eingeholt hatten. Es schien ihre Wut zu lindern, zumindest schneller als Hani und ich zu sein. Die Straßen unserer Kleinstadt waren leer gefegt und wenn zwischendurch doch mal ein Auto an uns vorbeifuhr, spritzte das Wasser zu allen Seiten und klang dabei wie eine laute, grölende Menschenmenge. Die uns auslacht. Jeder lacht uns aus, dachte ich, als wir drei mitten auf der Straße gegen den Wind ankämpften, wahrscheinlich saßen in den gemütlichen Wohnungen ringsum gerade Leute, die rausschauten und sich fragten, was mit uns dreien nicht stimmte. Als Teenager denkt man ja immer, dass alle um einen herum nichts anderes zu tun haben, als sich zu fragen, was mit einem nicht stimmt. Ich sah nur nassen Boden, kniff wegen der wütend prasselnden Tropfen die Augen zusammen und wenn ich den Blick einmal langsam nach oben wandern ließ, blieb er an Sayas Hintern hängen. Das ließ sich nicht verhindern, nicht wegen des Regens, sondern weil ich Menschen, die vor mir gehen, immer auf den Hintern gucke, obwohl es mir schon immer ein Rätsel war, was an Hintern toll oder nicht toll sein soll, für mich waren sie zumindest nie ein Kriterium für Attraktivität. Sayas Hintern erst recht nicht, denn ihn kannte ich so gut wie meinen eigenen. Wir kannten unsere Hintern besser, als uns lieb war, was heißen soll, dass wir einen Code hatten, den wir uns gegenseitig öffentlich zuraunten und der uns darauf hinweisen sollte, wenn bei einer von uns die Hose so tief hing, dass alle die Arschfuhr sehen konnten. »Du riechst heute gut«, lautete der Code. Klingt wie ein Kompliment, bedeutete in Wirklichkeit aber Rettung in höchster Not. Ich weiß nicht, wie lang eure Schulzeit so her ist, ich will nur sagen, dass in einem Raum, in dem lauter Teenies sitzen, die unter ständigem Wachstum leiden, ungewollt sehr viele Arschfuhren präsentiert werden. Was umso dramatischer ist, als wir hier von einem Raum ausgehen müssen, in dem alle einander ständig beobachten und gleichzeitig jeder panische Angst davor hat, sich wegen irgendetwas zu blamieren. Als wir Hani in unseren Code einweihten, verlor er allerdings seine Wirkung, denn wenn man Hani auf ihr Missgeschick aufmerksam machen wollte und »Du riechst heute gut« sagte, freute sie sich natürlich erst mal, bis ihr einige Minuten später einfiel, wofür das vermeintliche Kompliment stand, und sie roten Kopfes »Ach so!« rief, um die Hose hochzuziehen.

Wie auch immer, ich sah den nassen Asphalt, den Regen und Sayas kämpferisch weitereilenden Hintern vor mir, als ich die erste Erkenntnis an diesem Tag hatte, die nicht die Siedlung, sondern den Regen betraf. Zu diesem Zeitpunkt war bereits alles an mir nass. Die Socken und die Schuhe sowieso; meine Jeans war zu einer zweiten, unangenehm glitschigen Haut geworden, ich fror an den Oberschenkeln und im Nacken, an den Schlüsselbeinen, meine Kleidung klebte an mir und umhüllte mich mit boshafter Kälte.

Meine Erkenntnis war aber, dass mich, jetzt, da wir schon lang genug gegangen waren, das alles nicht mehr störte. Die Kälte, die Glitschhaut, das Wasser in den Schuhen waren egal, ich war eins mit der nassen Welt. Was nervte, war allein der verdammte tröpfelnde Scheißregen, der mir ins Gesicht stichelte, die endlos fallenden Tropfen, die viel zu viel Energie zu haben schienen. Sie waren hyperaktive Nervensägen, die nicht merken, dass niemand mit ihnen spielen möchte. Je länger ich darüber nachdachte, desto schlimmer war jeder einzelne Tropfen: eine einzige Provokation, ein einziges Piesacken, und als ein Tropfen, einer von der wirklich schnellen und fiesen Sorte, genau in mein Auge flog, was mir an diesem Tag schon zum zehnten Mal passierte, aber jetzt eben einmal zu viel, rastete ich aus, blieb stehen, lehnte mich zurück, streckte den Kopf zum Himmel und schrie, »War das wirklich nötig, du gottverdammter beschissener Kack-Tropfen?« Saya blieb vor mir stehen, Hani neben mir, und beide fingen an zu lachen, bis Saya sich umdrehte und durch die nächste Windböe brüllte, lauter als ich zuvor: »War das nötig, du Kack-Tropfen?« Ich schrie zurück, »Du Arsch-Tropfen!« »Du Flachwichser-Tropfen!«, schrie Hani, die, wenn sie will, wirklich beeindruckend laut brüllen kann. »Fickt euch!«, brüllte Saya in den Himmel, »Fickt euch, Wolken!« »Fickt euch, Wolken!« Wir brüllten alle drei durcheinander und es schien, als würde uns der Regen antworten, indem er noch lauter auf uns einprasselte, »Ich hasse dich!«, schrie Saya ihn von unten an, sie machte sich sogar die Mühe, ihre Hände wie einen Trichter an den Mund zu halten, »Du altes Arschloch!« »Altes Arschloch!«, schrien Hani und ich. Wir bekamen nicht genug von diesen zwei Worten, sie kamen so schön wuchtig raus. Wir gingen langsam weiter, schlurften in Dreiecksformation über die Straßen und brüllten dabei das, was uns noch so einfiel, um immer wieder auf »altes Arschloch« zurückzukommen.

Als wir die Siedlung erreichten, der Regen nachließ und der Himmel schon fast freundlich anmutete, trat Saya gegen den Kaugummiautomaten, der wie ein Willkommensschild den Anfang unserer Straße markierte. Mit aller Kraft, die in einem adidas Superstar steckt, trat sie von allen Seiten auf den Automaten ein. Saya hatte sich totgespart, um sich diese Schuhe kaufen zu können, und sie ist der einzige Mensch auf der gesamten Welt, der so gut auf Dinge aufpasst, auf die er hingespart hat, dass er sie auch zu ihrem Revival Jahre später noch anziehen kann. Und der adidas Superstar hält offensichtlich auch mehr aus, als man denken würde; nicht nur dass Saya genau diese Schuhe heute wieder trägt, auch die wuchtigen Tritte gegen den Kaugummiautomaten überlebte der nasse Schuh problemlos. »Altes Arschloch, fick dich!«, schrie sie. Der Kaugummiautomat war ein Relikt aus den Siebzigern, er war blau und mit diesem ewigen Wrigley's-Logo beklebt, das schon zu Barock-Zeiten so ausgesehen haben muss. Kein Mensch in der gesamten Siedlung ging mehr zum Kaugummiautomaten, um sich Kaugummis zu holen, auch wenn er direkt neben dem Zigarettenautomaten stand. Der alte Automat hatte in seinem Leben einige schlimme Wörter von einigen schlimmen Kindern gehört und wackelte nach Sayas Tritten zwar kurz, zeigte sich ansonsten aber unbeeindruckt. Das schien für Saya der blanke Hohn zu sein. Hatte sie eben noch Tropfen, Wolken und Autos, Zäune und Steine beschimpft, kam jetzt also der Kaugummiautomat dran und ihre nassen Haare peitschten ihr ins Gesicht, als sie wieder auf den

Automaten eintrat, wieder und wieder, bis er schließlich langsam, fast gemächlich, umfiel. Erst kippte er zur Seite, stumm und wehrlos, dann krachte er vornüber auf den nassen Gehweg. Hätte er Arme und Hände gehabt, er hätte sich dabei ans Herz gefasst. Saya, Hani und ich schauten den Automaten, der bis dahin Teil unserer Kindheit, Teil unseres Alltags gewesen war, an und spürten auf einmal eine tiefe Demut. Als hätten wir einen alten weisen Baum gerodet oder zumindest tief gekränkt. Saya bückte sich und hob etwas vom Boden auf. In ihrer Hand hielt sie zwei Packungen Wrigley's. Wir hätten den Automaten zu dritt anheben und plündern können. Was für eine satte Ausbeute an Kaugummis hätte das gegeben. Aber kein Mensch hat Interesse an uralten Kaugummis. Auch wenn der Automat sie all die Jahre über merkwürdig gut konserviert hatte. Die strahlend weißen Kaugummis hatten eigentlich zwischen den strahlend weißen Zähnen gesunder und wohlgenährter Siebziger-Jahre-Teenies landen sollen. Stattdessen lagen sie jetzt auf dem nassen Boden, so traurigen Gestalten wie Saya, Hani und mir zu Füßen. Saya schmiss die Kaugummis ins Gebüsch und wir gingen weiter.

Als wir die Häuser der Siedlung erreichten, war der Himmel nur noch hellgrau, und der Regen hatte aufgehört. Sein Tosen wurde von verhaltenem Vogelgezwitscher abgelöst. Wir waren mit den Kräften am Ende und das lag weniger an Weg und Regen, sondern vielmehr am Brüllen und Fluchen. Wir verabschiedeten uns ohne viele Worte. Die Gebäude sahen nach Regen immer noch schäbiger aus als sonst, obwohl man jedes Mal die Hoffnung hatte, dass das Wasser sie von ihrem Schmutz befreien würde. Stattdessen verschmierte es nur den Dreck auf dem Putz.

Das Schicksal des Kaugummiautomaten wurde versehentlich zu einer Prophezeiung für die weitere Entwicklung der gesamten Siedlung. Das dämmerte uns einige Tage später, als wir an dem Automaten vorbeigingen, um den sich in der Zwischenzeit kein Mensch gekümmert hatte, keine Stadt, kein Ordnungsamt, kein Besitzer, niemand. Im Gegenteil, man hatte ihm offensichtlich noch weiter zugesetzt und ihn durch die Straße geschmissen. Doch er war nicht verschwunden, die Kaugummis lagen auf dem Asphalt verteilt, und es schien vielen Menschen ein Anliegen gewesen zu sein, an das im Automaten befindliche Geld zu gelangen, aber offensichtlich war es niemandem gelungen. Nach einiger Zeit schien der tote Automat dann gar nicht mehr beachtet zu werden, er lag einfach im Gebüsch und verweste vor sich hin. Bis auch noch ein Kackhaufen auf ihn gesetzt wurde, welcher der Größe und Beschaffenheit zufolge von einem Menschen stammen musste. Die Prophezeiung verhieß nichts Gutes. Wenn wir nicht 16 und mit unserem eigenen Kram beschäftigt gewesen wären, hätte uns die Streichung der Buslinie bereits alarmieren können. Was dann aber ein paar Monate später in der Siedlung passierte, war zu offensichtlich, um sich einzubilden, dass es bald von selbst wieder gut werden würde: Die Siedlung leerte sich, sie blutete aus, sie wurde krank und begann zu stinken. Ich weiß nicht, ob die Mietpreise woanders irgendwann radikal gesunken waren oder die Kreditzinsen für ein Eigenheim, in jedem Fall blieb plötzlich eine große Anzahl an Wohnungen unbewohnt und verfiel, was traurig ist, wenn man sich vor Augen hält, wie lebendig es in der Siedlung einmal war. Manchmal wurde eine der Wohnungen neu bezogen, doch es kamen keine Familien mit

Kindern, die das Lachen zurückbrachten, sondern merkwürdigerweise eher junge, wilde Leute, Typ öffentliche Unterhemdträger, die im Sommer auf der Wiese grillten und selbst die allerletzten Bewohner, die ihre Wäsche in die Sonne hängen wollten, durch besoffenes Gegröle und Fäkalsprache an die Wäscheleinen im Keller zurückdrängten. Immer mal wieder setzte einer von ihnen ein paar Mülltonnen in Brand, die gefährlich nah an den Häusern standen. Diese Dinge sind früher nicht passiert. Keiner pinkelte je in den Hausflur und keiner bewarf die Fenster mit verfaultem Obst. Es muss politisch-strategische Gründe gehabt haben, dass so viele Wohnungen leer blieben und schlagartig alles nach Fisch und Kotze roch, so was passiert doch nicht einfach so. Die Siedlung hatte sich seit Generationen gehalten, weil alle, die hierhergeschickt wurden, einfach für immer blieben und sich heimisch fühlten. Jetzt schickte man Sozialhilfeempfänger und Ausländer wohl woanders hin, während ihre Vorgänger auf magische Art und Weise inzwischen ein besseres Leben in einer besseren Gegend zu führen schienen. Deswegen würden auch Hanis Eltern bald von dem Fertighaus und dem Neubaugebiet am Rande der Stadt reden; deswegen hatten Sayas Eltern schon lange einen Bausparvertrag abgeschlossen, den sie in den Kauf einer soliden Wohnung für zwei investieren würden, sobald Saya ausgezogen war; und deswegen würden meine Eltern irgendwann in eine andere schäbige Wohngegend ziehen, so wie ihre Freunde und deren Freunde.

Damals wussten wir das natürlich noch nicht, wir fühlten uns erst mal nur von allen Bussen der Welt verraten und legten uns Fahrräder zu. Als die uns schließlich nach und nach geklaut wurden, hatten wir den Glauben an die Welt sowieso schon verloren.

^^^

Mir wurde vor einiger Zeit wieder ein Fahrrad geklaut, eines, das ich mir extra für Gäste zugelegt hatte, denn die hatten damals noch kein Geld für Bahntickets und fanden es schön, sich selbstständig in der Stadt orientieren zu müssen. Dass man mir das Rad geklaut hatte, war eigentlich egal. Ich hatte sowieso vergessen, wo ich den Schlüssel hingetan hatte und meine Gäste leisteten sich inzwischen Bahntickets und wollten nicht mehr verschwitzt zu ihren Terminen erscheinen, wegen denen sie in Wirklichkeit in die Stadt kamen. Das Fahrrad war geklaut und vergessen. Irgendjemand Bedürftiges wird sich darüber gefreut haben, dachte ich, denn dass es jemand geklaut hatte, um es weiterzuverkaufen, war auszuschließen. Ich hätte es einfach in den Keller stellen sollen, als es gerade keiner nutzte, es war die reine Faulheit, das Rad in den Hof zu stellen, es war die reine Faulheit, es darauf ankommen zu lassen, ob es nach einigen Wochen noch dort stehen würde oder nicht. Hätte ich Saya heute einfach ein Fahrrad anbieten können, dann hätte sie nicht in der Bahn gesessen und Menschen beobachtet. Sie wäre nicht derart wütend geworden und nicht ausgerastet. Es hätte nur ein Fahrrad gebraucht, um ihr zu ersparen, was sie gesehen hat. Ich habe eigentlich wirklich überhaupt keine Lust, mir eine Mitschuld an dem Ganzen zu geben, denn ich bin nicht auf die Welt gekommen, um anderen Leuten Fahrräder klarzumachen, damit am Ende niemand stirbt. Aber ganz ehrlich, dem Typen, der mein Fahrrad geklaut hat, dem wünsche ich Hodenkrebs und Hämorrhoiden, jetzt, nach all der Zeit, soll ihn gleich beides treffen. »Woher weißt du, dass es ein Mann war?«, höre ich Hani sagen, als säße sie hinter mir, und ich würde am liebsten aufstehen und sie schütteln. Weil ich es einfach wissen *will*, ohne mich deswegen schlecht fühlen zu müssen. Ich weiß es schon allein deswegen, weil ich schon mal Bahn gefahren bin und Männer in der Bahn sind das, was am Bahnfahren am allermeisten nervt. Würde Hani nicht immerzu alle möglichen Personengruppen konsequent verteidigen, würde auch sie das sehen. Männer in Bahnen sind der eigentliche Grund, warum ich mir am liebsten die Stellenanzeigen raussuche, aus denen hervorgeht, dass ich zur Arbeit nicht lange fahren müsste. Beim Einsteigen weiß ich nie, was das kleinere Übel ist: neben Männern zu sitzen und sie mir zu nah kommen zu lassen oder ihnen gegenüberzusitzen und mich damit ihren Blicken auszusetzen. Und es gibt nichts Schlimmeres als überfüllte Bahnen. Nicht, weil jemand einem an den Arsch packen würde oder so, das passiert tagsüber tatsächlich eher selten und in solchen Momenten wüsste ich, zugegebenermaßen dank Saya, wie ich zu reagieren hätte. Ich hasse volle Bahnen vielmehr, weil es in ihnen keinen Ort gibt, an dem man sich festhalten kann. Die an den oberen Stangen angebrachten Schlaufen befinden sich in der perfekten Höhe für Männerarme, nicht für meine, vermutlich, weil Männer die Bahnen gebaut und an Männern getestet haben. Die Haltestangen, an denen sich Menschen jeder Größe festhalten könnten, sind meistens belegt. Nicht von Menschen, die sich eben festhalten müssen, sondern von Menschen, die diese Stangen nutzen, um sich an ihnen anzulehnen, und es sind wirklich, wirklich immer nur Männer, die das machen, weil sie erstens nicht wissen, dass es für Leute wie mich keine andere Möglichkeit gibt, sich festzuhalten, und zweitens nicht realisieren, wenn man sich dann doch irgendwie zaghaft dort festhält, dass man das deswegen zaghaft tut, weil man ihnen nicht zu nah kommen will. Etwas, worauf jeder Mensch, der kein Mann ist, sofort sensibel reagiert und den Platz freimacht. Männer machen das nicht. Männer sitzen breitbeinig in der Bahn und merken nicht, dass sich niemand neben sie setzen kann. Ein breitbeiniger Mann ist kein Rucksack, auf den man kurz deutet und der daraufhin weggenommen wird. Ein breitbeiniger Mann in der Bahn ist wie zwei besetzte Plätze in der Bahn.

Deswegen und nur deswegen ist mein Fahrrad von einem Mann geklaut worden. Und hätte der Mann das Fahrrad nicht geklaut, wäre Saya heute nicht wegen den Leuten in der Bahn ausgerastet. Ich hasse breitbeinige Männer, und ich gehe jetzt runter zum Späti und kaufe mir Zigaretten und ein Bier, denn ich habe hier gerade den Erzählfaden verloren, aber jetzt, wo mir eingefallen ist, dass es wirklich wieder ein Mann ist, der mich davon abhält, runterzugehen, der Späti-Mann mit den pseudocharmanten Sprüchen nämlich, macht mich das rasend und trotzdem, ich mache das, wirklich, ich gehe jetzt da runter, in Schlafanzughose, und wenn er sagt, dass ich immer hübscher werde, und so tut, als wäre das eine Frage, dann antworte ich nicht, denn ich höre ihn nicht, denn ich stecke mir Ohrstecker in die Ohren und tue so, als gäbe es ihn nicht. Bis gleich.

Der junge Gigolo war gar nicht da. Sondern eine Frau. Die habe ich dort noch nie gesehen. Sie hat allerdings ziemlich kompetent gewirkt, sodass ich mich ein wenig geschämt habe, wegen meiner Schlafanzughose und weil ich die Kopfhörer in den Ohren hatte, obwohl das Kabel aus meiner Hosentasche gefallen ist und sie sofort sehen konnte, dass da gar nichts drangestöpselt ist und ich gar nichts höre und dass ich so arm bin, dass meine Kopfhörer überhaupt noch Kabel haben. »Marlboros, bitte«, habe ich gesagt, so cool wie möglich, und sie hat enorm lässig eine Schachtel auf den Tresen gelegt und gesagt, »Ich rauche eine mit dir.« Also haben wir zusammen geraucht, sie und ich, auf den Plastikstühlen vor dem Laden, ich links, sie rechts von der Tür, und sie hat von ihrem Sohn erzählt, der einmal so ein schlaues Kind war. Manchmal trifft man ja so verlorene Seelen, die plötzlich ihr Leben vor einem ausbreiten, aber so eine war sie nicht. Sie wirkte sehr klar und so, als hätte sie mich aus gutem Grund als Gesprächspartnerin auserkoren. Ihr Sohn sei fort, sagte sie, am Flughafen, denn ihr Mann könne nicht fahren, schwaches Herz, zu gefährlich allein, und sein Bruder, also der Onkel des Sohnes, sei auf Durchreise und gerade im Transit-Bereich des Flughafens. Ob ich glaube, dass sie ihn sehen könnten, wo er doch kein Visum für Deutschland habe und die beiden kein Flugticket, um in den Transit-Bereich zu kommen? Sie fragte das ganz aufrichtig mit ihrer rauchigen Stimme, und ihre schwarzen Augen blitzten unter den gemalten Augenbrauen hervor. »An welchem Flughafen?«, fragte ich und dachte, manche Flughäfen sind doch so klein, da kann man sich ja vielleicht auch durch die Scheibe zuwinken. »Frankfurt am Main«, sagte die Frau und ihr Frankfurt klang so wie das von Sayas Eltern. Sie hatten es früher ganz schön oft gesagt, denn in den Neunzigern ist, glaube ich, jeder, der nach Deutschland zu Besuch kam, immer nur in Frankfurt am Main gelandet. »Dann glaube ich nicht, dass sie sich sehen können«, sagte ich, und sie nickte ernst. Sie hatte eindeutig auch schon vorher gewusst, dass es völlig sinnlos war, den herzkranken Mann und den klugen Sohn mit dem Auto quer durchs Land zum Frankfurter Flughafen fahren zu lassen. »Mein Sohn hat das auch gesagt. Er wollte nicht fahren, aber mein Mann hat seinen Bruder seit dreißig Jahren nicht gesehen«, sagte sie, ihren runden Kopf in meine Richtung gedreht, mit ihren Händen jedes Wort unterstreichend, »dreißig Jahre.« Ich nickte. So ist das, es gibt Menschen, die einander dreißig Jahre nicht sehen, damit schockt man mich nicht. »Das ist mein Sohn«, sagte die Frau und hielt mir ihr Portemonnaie hin, in dem ein verblasstes Foto des Sohnes steckte, den ich natürlich kannte, weil er der Typ war, der hier normalerweise saß. Auf dem Foto hatte er die Haare ordentlich gegelt und schaute an der Kamera vorbei. Sie sah sich das Foto eine Weile an, ohne Regung im Gesicht, sie war eindeutig zu cool für Sentimentalität. Aber ihr Sohn war ihr Sohn und also war er alles für sie, deswegen durfte er in ihrem Portemonnaie in ihrer Gürteltasche wohnen. Ich fragte mich, was sie sagen würde, wenn ich erzählen würde, dass ich wegen genau diesem ihrem Sohn ziemlich lange nicht runterkommen wollte. Aber mir ging es ja gar nicht nur um ihren Sohn, sondern auch um die anderen Männer. Das hätte ich ihr allerdings nicht erzählen können, denn sie wirkte nicht, als würden ihr Männer irgendetwas anhaben können. Hätte ich versucht, ihr das zu erklären, hätte sie ganz trocken geantwortet, »Ist doch sowieso keiner mehr wach«, und sie hätte damit recht gehabt. In anderen Stadtteilen war es egal, wie spät es gerade war,

Spätis und Dönerläden säumten dort jede Straße, Menschengruppen tummelten sich an Kreuzungen und ständig schlich jemand über die verdreckten Bürgersteige. Hier nicht, oder: hier nicht mehr. Hier war es still, alles schlief, nur die Frau und ich ließen leise den Tabak knistern. Ich weiß nicht, was ich mir von der Zigarette erhofft hatte, dass sie mich ablenken würde vielleicht, aber sie machte mich nur nervös, denn sie würde irgendwann, ziemlich bald, runtergeraucht sein. Ich öffnete das Bier, denn ich wollte auch nach der Zigarette noch einen Grund haben, mit der Frau vor ihrem Späti zu sitzen. Sie gab mir Sicherheit. Selbst wenn jetzt noch jemand wach wäre und uns zu nah käme, sie würde ihn sofort vernichten. Ihr Gesicht, ihre Falten, ihre starken Hände, alles an ihr sprach von den Geschichten einer Frau, die sich wehrte. Vielleicht dachte der Sohn ja deswegen, er müsse Frauen zeigen, dass es auch okay ist, einfach nur hübsch und keine Kriegerin zu sein. Vielleicht war der Sohn aber auch einfach eine reine Nervensäge. »Was arbeitest du?«, fragte die Frau, während sie sich die zweite Zigarette aus meiner Schachtel anzündete, und ich musste kurz überlegen, bis mir wieder einfiel, dass ich ihr gesagt hatte, ich müsse gleich wieder an die Arbeit. Weil ich da noch nicht abschätzen konnte, ob sie okay war oder durchgeknallt. »Ich schreibe«, sagte ich und dachte: Wir sind gerade bei Donnerstagfrüh, wir sind bei Hani, die zur Arbeit fährt, und deswegen habe ich von den Bussen und dem Regen, von Fahrrädern und Männern im Straßenverkehr geschrieben, ich bin ganz schön vom Thema abgewichen, weil meine Gedanken immer wieder bei Saya landen, auch wenn es gerade um Hani geht, und vielleicht ist es einfach das Los der armen Hani: irgendwer ist immer gerade doch ein wenig wichtiger als sie. »Du schreibst«, sagte die Frau und nickte, es tat eindeutig gut, mit dieser Frau zu reden, denn sie schien alles ernst zu nehmen, auch wenn es ein bisschen erfunden war, »dann bist du eine Schriftstellerin«, sagte sie daraufhin, und ich dachte, wenn ich jetzt nicke, kommen wir der Wahrheit vielleicht tatsächlich am nächsten. Ich bin eher eine Schriftstellerin als eine Hartz-IV-Empfängerin, denn Hartz-IV-Empfängerin kann man nicht sein. Was soll das sein, außer ein Zustand, der etwas über deinen Kontostand und deine Sorgen aussagt, aber nichts über das, was dich interessiert oder beschäftigt. »Ich bin auch eine Schriftstellerin«, sagte die Frau, und ich nickte. »Worüber schreibst du?«, fragte ich, aber das scheinen Schriftstellerinnen einander so nicht zu fragen. Sie antwortete mir jedenfalls nicht und schaute bloß die Straße entlang, ob noch jemand käme. »Ich schreibe nicht mehr«, sagte sie dann und schien mit den Gedanken irgendwo anders zu sein, auf jeden Fall nicht mehr bei mir und bei unserem Gespräch. Vielleicht ist sie bloß eine Angeberin, die sich in der Öffentlichkeit Schriftstellerin nennt, um dann hinterher bedeutungsschwanger zu sagen, dass sie inzwischen aber nicht mehr schreibt. Das ist möglich. Es ist aber auch möglich, dass ich da gerade neben jemandem saß, der den geilsten, aber auch wirklich den allergeilsten Scheiß zu fabrizieren im Stande ist. Der sich hinsetzt, den Kugelschreiber übers Papier bewegt und all die Fragen löst, die uns umtreiben, und zwar in fünf bis sechs markanten, klugen, witzigen und noch dazu poetischen Sätzen. Vielleicht hat sie Schubladen voll mit diesen Sätzen, vielleicht wurden sie gedruckt, in einer Sprache, die man spricht, sobald die Späti-Tür zufällt und niemand mehr im Laden ist.

Vielleicht ist das die größte Autorin aller Zeiten, die mich gerade eine Schriftstellerin genannt hat. Ich dankte ihr, nahm die Kippen vom Tisch und überlegte, ihr noch welche dazulassen. Dann fiel mir ein, dass sie einen ganzen Laden voller Zigaretten führte, und ich hob kurz mein Bier in ihre Richtung und sagte, »Schönen Abend noch.« Sie nickte und winkte kurz mit der Hand, mit der sie die Zigarette hielt. Wie unterschiedlich rauchende Menschen aussehen, dachte ich. Hani würde diese Geste niemals fertigbringen, für sie waren Zigaretten edel und schön, mit ihnen wurde nicht durch die Gegend gefuchtelt. Mir war schlecht und mir ist auch jetzt noch schlecht, denn ich finde, dass Zigaretten wirklich nicht besonders gut schmecken. Ich bin ein ganz klein wenig angetrunken, und es ist schön, wieder am Schreibtisch zu sitzen und weiterzuschreiben. Die Frau sitzt draußen und passt auf uns auf. Und ich bin ab jetzt Schriftstellerin. Denn wenn sie mich so nennt, dann wird das schon die korrekte Bezeichnung sein. Also: Donnerstagfrüh, zurück zu Hani, die zur Arbeit fährt und die man um ihre Gelassenheit der Welt gegenüber beneiden darf.

^^^

Hani kam pünktlich ins Büro, das nach Pflaumentee roch. Sie verbrachte ihre Tage mit Pflaumentee, weil er sie davon abhielt, einen Kaffee nach dem anderen zu trinken und gelbe Zähne zu bekommen. Die Leute in ihrem Büro gehörten nicht zu denen, die einen Kaffee nach dem anderen tranken, nur weil man das in Büros so machte. Sie waren Leute, die niemals gedacht hätten, überhaupt eines Tages in Büros zu arbeiten, und es deswegen umso akzeptabler fanden, doch in einem gelandet zu sein. Denn gerade ihre eigentliche Skepsis bewies ja, dass sie keinesfalls ins Hamsterrad des Kapitalismus geraten waren, sondern sich ihre Fähigkeit zu selbstbestimmten Entscheidungen erhalten hatten und einzig für das Tierwohl kämpften. Hani saß im Empfangszimmer und war damit das erste Gesicht, das man in der Agentur sah. Noch ein Grund, immer geduscht zu erscheinen und gut auszusehen, fand sie, und dass ihr Büro immer eine leichte Pflaumentee-Note verströmte, konnte ebenfalls nur hilfreich sein. Hätte jemand sie gefragt, wie es ihr geht, dann hätte Hani erzählt, dass sie am Abend zuvor lange weg gewesen war. Doch niemand fragte. Sie war auf dem Weg ins Büro an einem telefonierenden Mann vorbeigefahren, der gerade irgendwem erzählt hatte, dass er gestern »mit den Jungs weg war« und sich ihm sehr verbunden gefühlt. Hani würde zwar niemals sagen, dass sie »mit den Mädels weg gewesen war«, aber manchmal hatte sie den Eindruck, dass es ihr stehen würde, so zu sprechen. Wenn ihre Chefin Carolin, eine Frau mit Sidecut und einer Handvoll Dreadlocks, die auf einem selbstverwalteten Hof in den Bergen Rinder gezüchtet hatte, bevor sie Businesslady wurde, ihr mild lächelnd sagte, dass sie heute ganz besonders schöne Ohrringe trug, wusste Hani im selben Augenblick, dass die Chefin damit meinte, dass es für *jemanden wie sie* ganz besonders schöne Ohrringe waren. Die Chefin, Carolin ohne e, was ihr wichtig zu betonen schien, würde niemals Ohrringe tragen, die nicht selbst gemacht, aus einem anderen Land importiert und unter freiem Himmel verkauft worden waren. In Bezug auf Hani aber schien es sie nicht zu stören, dass hier jemand die farblich auffallenden pseudosilbernen Ohrringe von C&A trug. Wenn

Hani genauer darüber nachdachte, dann war eigentlich alles, was Carolin in ihrer freundlichen, welterfahrenen Art an sie richtete, etwas, was sie zu der Frage führte, ob man ihre Persönlichkeit hier nicht versehentlich fehlgedeutet hatte. »Ich *liebe* deine Ohrringe, wow, tolle Farbe!« war ein Satz, den man auch an Leute richtete, die erzählten, gestern Abend »mit den Mädels« unterwegs gewesen zu sein. Hani fuhr den Rechner hoch, staubte die Tastatur mit dem Ärmel ihres blassrosafarbenen Cardigans ab, sah in der Spiegelung des Monitors ihre Augenringe und fragte sich, ob sie so eine Person war. Wenn ja, würde ihr das nichts ausmachen, aber irgendwie machte es ihr etwas aus, dass Carolin sie für so jemanden hielt. »Guten Morgen!«, tröteten die Kollegen, die an ihrer Bürotür vorbeigingen und dabei strahlten, als wäre ihr morgendlicher Smoothie mit Glückshormonen gestreckt worden. Hani strahlte und grüßte zurück und nannte dabei jeden der Kollegen beim Namen. In anderen Unternehmen war man nie so gut gelaunt, nicht mal vor den Weihnachtsferien, das wusste Hani zu gut, deswegen war das morgendliche Grüßen und Strahlen Hanis tägliche Bestätigung dafür, dass sie hierhergehörte.

In Hanis Postfach warteten Mails mit Bitten verschiedener Kollegen. »Habe gerade die Homepage gecheckt, die Bilder zum letzten Projekt unbedingt austauschen, siehe Server, die Unterschiede sind für Fachleute sichtbar!!!« lauteten sie oder »Nächste Weihnachtsfeier: habe eine tolle Location gefunden, check mal hier, meinst du, das käme infrage, ruf die doch mal unverbindlich an!« oder »Habe Kontakt zur Pressestelle von Projekt C nicht mehr vorm Wochenende geschafft, musst du leider übernehmen, danke dir und schöne Rest-Woche!« Unter den Mails der Kollegen stand »Papier frisst Ressourcen und Bäume – bitte drucke mich nur aus, wenn es nicht anders geht! Danke!« Dieser Spruch war in seinem Wortlaut auf Hanis Mist gewachsen. Sie war bis heute extrem unzufrieden mit dem Ergebnis, dass aber niemand der Kollegen auf diesen Teil der Signatur zu achten schien, beruhigte sie. Sonst hätte ihr schon längst jemand angetragen, den Spruch doch mal umzuformulieren. Wahrscheinlich las ihn eh niemand, wahrscheinlich schalteten einfach alle an der Stelle der Signatur eine automatische Musik im Gehirn ein, die immer dann erklang, wenn es Zeit für den obligatorischen weltverbessernden Moment wurde.

»Guten Morgen, Hani«, trällerte Carolin, die in der Tür erschien und dort stehen blieb. Das machte sie nur, wenn es etwas zu bereden gab, wovor Hani sich grundsätzlich fürchtete. Warum eigentlich schrieb die eine Kollegin, etwas »vor dem Wochenende« nicht mehr geschafft zu haben, wenn sie die Mail gestern, an einem Mittwochnachmittag, verfasst hatte? Auch wenn es selten vorkam, manchmal sehnte Hani sich danach, im Büro eines Unternehmens mit geregelten Arbeitszeiten zu sitzen, in dem niemand wegen der Kinder oder der Entschleunigung oder beidem in eine undurchschaubare Teilzeit verschwand, die in erster Linie daraus zu bestehen schien, an den einzigen zwei Arbeitstagen Mails wie diese zu schreiben. Carolin nahm einen Schluck aus ihrem Bambus-Kaffeebecher und wartete Hanis antwortenden Gruß gar nicht ab. Sie kam sofort zur Sache, »Ich soll dich ganz lieb grüßen!«, sagte sie in gelangweiltem, aber hellwachem Ton. »Danke!«, sagte Hani lächelnd, wartete ab, was passieren würde und hoffte, dass auf diesen eigenartigen Beginn des Gesprächs kein Hauptteil folgen würde, in dem es um irgendwelche Fehler ging. Wenn Carolin etwas wollte, dann meistens entweder über sich selbst reden oder Fehler beheben, von denen sie nie genau wusste, wer sie ursprünglich zu verantworten hatte, weswegen Hani dann investigativ werden oder die Sache selbst korrigieren musste. Nach diesem Gesprächsanfang war es schwer einzuschätzen, worum es Carolin gehen würde. »Von wem?«, fragte Hani endlich und Carolin lächelte, während sie ihren Kaffeebecher ein wenig wippen ließ. Hani kannte tausend Menschen, die diese Kaffeebecher besaßen, sie selbst eingeschlossen, aber an niemandem sah er so aus wie an Carolin: als wäre er ein Objekt gnadenloser Coolness, als müsste man ihn so halten und bewegen und dabei die Lippen schürzen. Manchmal wirkte es so, als hätte Carolin auf dem Hof in den Bergen vor dem Spiegel geübt, wie man mit wenigen Bewegungen Blicke auf sich ziehen und dort halten kann. »Jemand, der von deiner Arbeit hier ganz begeistert ist«, sagte Carolin, und Hani entging das leichte Schmunzeln dabei, Hani dachte an die Überstunden, die sie sich nicht aufschrieb, aus Angst, man könne sie für zu langsam halten; sie dachte an die vielen Male, als sie bis in die tiefste Nacht im Büro geblieben war, um den Projekten ihrer Kollegen fristgerecht den nervigen Feinschliff zu verpassen; sie sah sich, wie sie in einem fort den Milchaufschäumer von klebriger Hafermilch befreite, obwohl das ganz eindeutig die Aufgabe von allen war. Eigentlich war sie die Einzige, die das immerzu tat, dabei trank sie gar keine Hafermilch. Sie trank hier nicht einmal Kaffee. Wer trank hier eigentlich Kaffee? Warum die ganze Hafermilch? Carolin, die in der Tür stand und endlich verstanden zu haben schien, was sie an Hani hatte, war einer der Gründe,

Aufgaben wie die des Milchaufschäumens zu übernehmen und immer pünktlich und gepflegt im Büro zu erscheinen. Gute Arbeit macht sich am Ende immer bezahlt, hatte Hanis Vater gesagt, wenn er von der Baustelle kam und in den Arbeitsklamotten auf dem Sofa einschlief. Er hatte sich nie beschwert und stattdessen dafür gesorgt, dass es keinen Grund zur Beschwerde über ihn gab. Das war in seinen Augen der Deal bei der ganzen Sache. Und auch wenn er nur ein einfacher Bauarbeiter unter fünfzehn anderen Bauarbeitern war: Er war immerhin Bauarbeiter. Im Gegensatz zu anderen Leuten aus der Siedlung, die keinen Arbeitsvertrag auf einer abgesicherten Baustelle bekamen, und also gab er sich Mühe, ein besonders guter Bauarbeiter zu sein, damit sich an diesem Status nichts änderte.

Hani schaute Carolin an und wartete, bis diese endlich mit der Sprache rausrückte, »Thorsten, der Fotograf von der letzten Messe! Ich habe ihn gestern zufällig getroffen, und ich glaube, er hätte dich gern mal wieder vor der Linse.« Sie zwinkerte Hani zu, eine Geste, mit der sie sparsam war, und drehte auf ihren Lederimitatstiefeln die notwendige Runde, um sich elegant von der Tür zu entfernen, »Guten Morgen, Stefan!« zu rufen und weiterzuschlendern.

Carolin wollte nie Chefin genannt werden, »Wir haben hier flache Hierarchien!« war einer der Sätze, die im Vorstellungsgespräch am häufigsten gefallen waren. Das war etwas, was man anderen Leuten hinterher stolz erzählen konnte, denn so wollen ja eigentlich alle arbeiten. Hani dagegen hatte überhaupt kein Problem mit Hierarchien, noch nie gehabt, bei Hierarchien, das war ihre Überzeugung, wusste wenigstens jeder, woran er war und was er zu tun hatte. Hätten sie Hierarchien, würden Hani und

Carolin öfter und gehaltvoller miteinander reden, Hani würde ihre Aufgaben direkt von Carolin zugeteilt bekommen und Carolin hätte zwangsläufig den Überblick darüber, welche dieser Aufgaben Sinn und welche keinen Sinn ergaben, welche davon mit Aufopferung gemeistert wurden und welche dagegen eigentlich von den tatsächlich zuständigen Kollegen hätten erledigt werden müssen. Hani starrte weiter auf ihren Bildschirm, markierte wichtige Mails mit dem »Wichtig«-Symbol ihres Postfaches und wünschte sich währenddessen, Carolin wäre eine normale Chefin mit strengem, prüfendem Blick, der nicht entging, wenn jemand etwas gut gemacht hatte. Etwas Sinnvolles gut gemacht hatte. Nicht etwas Banales, wie Thorsten, den Fotografen, respektvoll zu behandeln. Hanis Laune war mit jeder Mail, die sie als »Wichtig« markierte, gesunken. Es waren viele Mails und das versprach viel Arbeit und einen langen Arbeitstag. Dabei fand sie das, was sie da tat, eigentlich überhaupt nicht wichtig. Sie fand, ihr Mailprogramm sollte einen Marker haben, der nicht »Wichtig«, sondern »In diesem Arbeitskontext wichtig, im Kontext der gesamten Welt völlig irrelevant« hieß. Das traf eigentlich auch auf ihre übrigen Aufgaben außerhalb des Mailprogramms zu. Hätte Hani am Ende eines beliebigen Arbeitstages zusammenfassen sollen, was ihre schwerpunktmäßige Aufgabe gewesen war, hätte sie vermutlich »Aufräumen« gesagt. Oder, wenn sie ehrlich gewesen wäre, »Hinter den anderen herräumen«. Das hatte sie zwar so konkret noch nie formuliert, doch nach dem Gespräch mit Minh kam sie um diese Erkenntnis nicht herum. Es musste schön sein, wenn man wie Carolin, Stefan und all die anderen jeden Morgen im Bewusstsein aufwachte, den besten Job der Welt zu haben, denn immerhin machte man die Welt besser und das war wichtiger als alles andere.

Der Weltverbesserung hatten die Kollegen sich, wenn man ihren Erzählungen glaubte, ihr Leben lang verschrieben. Zumindest mit Blick auf den tierischen Teil der Welt. Was den anderen Teil anging, schien es nicht allzu viele Themen zu geben, die sie umtrieben. Sie hatten sich schon immer mit der Fleischfrage beschäftigt, waren besessen von ihr. Waren schon im Kindergarten Vegetarier gewesen, hatten als Studenten Tierbefreiungsaktionen durchgeführt und später in Redaktionen von veganen Lifestyle-Magazinen gearbeitet. Wurden schließlich richtig seriös, arbeiteten guten Gewissens hier und machten Werbung, damit alle wieder mehr konsumierten – aber eben richtig. Dieser letzte Part war Hani sympathisch. Niemand hier schimpfte über einen obskuren Feind namens Kapitalismus, man wollte den Kapitalismus verbessern und das war sehr angenehm, fand Hani, denn dafür musste sich niemand selbst geißeln. Dass Menschen irgendwann Einsicht zeigten, erwachsen wurden und aßen, wonach ihnen gerade war, erschien ihr logisch. Nicht logisch erschien ihr jedoch, dass sie nun alle Hebel in Bewegung setzten, damit es den Tieren »gut ging«, bevor sie sie aßen. Was sollte das bringen, fragte sie sich im Geheimen, wenn sie die Fotos von grünen Landschaften und freundlich blickenden Schweinen auf Auflösung und Format prüfte. Was sollte das bitte schön bringen, dass es jemandem gut geht, bevor er gegessen wird. Hani war beim Thema Essen zu allem fähig. Sie konnte in die Augen der Schweine blicken und sich eingestehen, dass sie sich dieses Tier schmecken lassen könnte. Sie hatte das als Kind schon gekonnt; sie war beim Schlachten dabei und freute sich währenddessen auf das Essen. Auch auf Griebenschmalz und Knochenbrühe und Blutwurst – Resteverwertungen, von denen Hanis Kollegen bis zu einem entsprechenden Auftrag nicht einmal wussten, dass es sie gab. Hani aß gern. Ihr schmeckte Gemüse, Fleisch, alles. Das Drumherum langweilte sie eher. Nur dass es Menschen gab, denen das nicht egal war und die Fleisch – statt konsequent darauf zu verzichten – trotzdem aßen, vorher aber für diffuse Verbesserungen sorgen wollten, das war so – Hani stockte. Während sie die Mails, die keiner Antwort mehr bedurften, weil sie das Ende einer Kommunikationskette darstellten, als gelesen markierte, stellte sie sich vor, wie Saya den Satz mit »deutsch« beenden würde. Das war so deutsch. So durchexerziert logisch aufgebaut, dass es seinen eigentlichen Sinn verlor. So bemüht, alles richtig zu machen, dass es seinen eigenen Witz verkannte. Wie wäre das, dachte Hani, wenn ich jemandem ein richtig schönes Leben bereite, ihn hege und pflege und liebkose und streichle und ihn anschließend esse. Besser, als wenn ich ihn vorher schlage und trete und dann esse. Das immerhin. Schlagen und treten darf man aber eh niemanden, unter keinen Umständen. Darum muss man sich auch nicht den ganzen Tag dafür abfeiern, wenn man es nicht tut. Abgesehen davon ist »deutsch« keine Eigenschaft. Vor allen Dingen nicht, wenn man Saya ist, das Wort »deutsch« als Identitätskonstrukt bezeichnet, es deswegen ablehnt und dann doch immer verwendet, wenn man sagen möchte, dass etwas scheiße ist. Wie gut, dass Saya nicht Teil der Agentur war, dachte Hani, sie wäre wohl schon längst rausgeflogen, wenn sie nicht selbst sofort gekündigt hätte. Nicht wegen der Tiere, Saya war kategorisch für alles Weltverbessernde zu haben, auch wenn das eine gewisse Paradoxie mit sich bringen konnte, das nahm sie schulterzuckend in Kauf. Nein, Saya hätte die Gespräche, die wahlweise beim Mittagstisch, dem vietnamesischen Imbiss oder dem veganen Galette-Laden geführt wurden, nicht ausgehalten. Hani hielt sie auch nur aus, weil sie ihre Kollegen mochte, ihre Eigenheiten inzwischen kannte und mit ihnen lachen konnte. Und doch: Diese Gespräche fanden oft auf einem anderen Planeten statt. Das wurde ihr schon in der ersten Woche in der Agentur klar, als es beim Mittagessen um Tiny Houses ging, die winzig sind und trotzdem die Erde retten könnten. Erst war Hani von dem, was sie hörte, beeindruckt, bis sie auf Häuser im Allgemeinen zu sprechen kamen und zwei Kollegen anfingen, fachmännisch über Fertighäuser zu reden und zu lachen. Woher wussten die so viel über Fertighäuser? Vermutlich wussten sie gar nichts über Fertighäuser, außer dass man sie als Häuser nicht so richtig ernst nehmen durfte und dass dieser Fakt völlig unangreifbar war. Fertighäuser waren offensichtlich die Hauptschulabgänger unter den Häusern, die Masthaltungsschweine unter den Häusern, die Schnittblumen aus Holland, die Wintertomaten aus Marokko, die PET-Flaschen unter den Häusern. Sie entsprachen allem, was man aus seinem Leben verbannt hatte. Man wohnte ja sowieso in einer schönen Altbauwohnung oder dem alten Landhaus außerhalb der Stadt, in dem man selbst Hand anlegte und Renovierungsarbeit leistete und sich nicht über das eiskalte Wasser und die Kachelöfen beschwerte. Das war alles schick. Fertighäuser waren nicht schick. Hani verstand in ihrer ersten Woche, dass sie zuhören, lernen und schweigen würde, wenn es um diese Themen ging. Ihre Eltern hatten sich nach den Jahren in der Siedlung ein eigenes Haus gebaut, das selbstverständlich einen Symbolwert für sie hatte: Sie waren nicht nur der Hölle entkommen, sie hatten in Deutschland neue Wurzeln geschlagen. Sie hatten kein Haus gekauft, weil die Kredite dafür damals schwieriger zu bekommen waren, und sich stattdessen eben eines gebaut, das ihren Vorstellungen entsprach. Voller Tatendrang hatten sie Kataloge mit Grundrissen und gelayouteten Außenfassaden gesichtet und sich schließlich für ein Haus entschieden, ihr Traumhaus, ein Fertighaus.

Als man einige Wochen nach dem Gespräch über Häuser Carolins Geburtstag in den Räumen der Agentur mit einem Catering feierte, das aus verschiedenen Suppen bestand, hatte Hani bereits verstanden, dass sie einen Weg finden musste, mit den Mittagstisch-Gesprächen umzugehen. Sie feierten an diesem Tag ein Suppenfest, mit kleinen Schälchen und einer Suppe nach der anderen und Hani linste immer wieder auf die Uhr, denn auf ihrem Schreibtisch stapelte sich die Arbeit, und sie für ihren Teil würde auch nach der zehnten Suppe noch hungrig sein. Die Kollegen redeten währenddessen angeregt über eine Debatte, die sich rund um ein Fußballspiel ergeben hatte. Einige Fans hatten einen Spieler nach einem angeblichen Foul durch Affenlaute beleidigt, woraufhin der Schiedsrichter das Spiel einfach weiterlaufen ließ, was wochenlange Diskussionen über Rassismus im Sport und null Konsequenzen nach sich zog. Hanis Kollegen waren empört, sowohl über den Vorfall selbst als auch darüber, wie die anschließende Debatte in den Medien verlief. Sie waren aufrichtig genervt davon, dass Tiere noch immer für Beleidigungen herhalten mussten und dass eine Gesellschaft eine hitzige Debatte über einen solchen Vorfall führte, ohne auch nur ansatzweise zu merken, dass sie die Würde des Tieres dabei komplett außer Acht ließ. Es machte sie wütend, dass die Menschen ausgerechnet für diese Form der Diskriminierung nicht sensibilisiert waren und dass man Menschen außerhalb der eigenen »Bubble« gegenüber auch gar nicht wusste, wo man anfangen sollte zu argumentieren, weil sie sich derart ignorant zeigten. Der Fußballspieler wurde nicht mehr erwähnt. Hani sehnte sich nach ihrer Bubble, die eine andere zu sein schien, und fing an, laut vor sich hinzugrübeln, die Gewürze in der Suppe zu erraten und sich durch ihre Kräuterkenntnisse zu profilieren. Das kam gut an, Kräuter waren fast so wichtig wie Tiere. Hani kannte Kräuter von ihrer Oma und ihr Nischenwissen zu reaktivieren und gezielt einzusetzen, machte ihr inzwischen Spaß. Sie wollte lieber weiterhin mit den anderen lachen und strahlen können, statt sich vorzustellen, wie Saya an ihrer Stelle auf den Tisch hauen und kündigen, die Tür hinter sich zuschlagen und für immer verschwinden würde.

Hani holte tief Luft und sah ein, dass die Mails nicht weiter stupide sortiert werden konnten und sie mit der richtigen Arbeit beginnen sollte. Thorsten, ging es ihr durch den Kopf, wie sah Thorsten noch mal aus? Sie nahm sich vor, das später rauszukriegen – nicht am Arbeitsrechner. Lieber in der Mittagspause, oder auf dem Weg zum Klo, auf dem Smartphone. Oder warum eigentlich nicht jetzt? Hani nahm das Gerät aus der Handtasche und sah, dass Saya ihr geschrieben hatte. *Kater meines Lebens, aber Mann, danke für den schönen Abend, das habe ich so gebraucht*. Hani freute sich und antwortete mit einem Herzchen, obwohl sie sah, dass Saya bereits dabei war, noch etwas zu schreiben. Sie gab Thorstens Namen in die Suchmaschine ein, als Sayas nächste Nachricht einging. *Hat gutgetan, mit jemandem über die ganze Scheiße zu reden. Danke fürs Zuhören und für deinen Support.* Hani starrte auf die Nachricht und anschließend auf die gefundenen Thorstens, die natürlich allesamt die falschen waren, denn wenn man die Namen von Fotografen in die Suchmaschine eingibt, landet man leider auf den Seiten mit ihren Fotos und nicht allzu häufig auf Fotos von ihnen selbst. Was konnte Saya denn meinen. Danke fürs Zuhören. Sie hatten sich doch alle drei zugehört, Bier um Schnaps um Bier, gelacht, geredet und dabei versucht, den Oldie-Sender zu übertönen. Welche Scheiße genau meinte Saya wohl. Welchen Support. Hani antwortete Saya diesmal mit drei Herzchen und legte das Handy beiseite, denn ihre Arbeitsmoral verbot ihr, jetzt noch mehr Zeit mit Saya und Thorsten zu verbringen.

Wenn Hani weiter über all das nachgedacht hätte, wäre ihr vielleicht aufgefallen, dass Saya nicht meinte, was in der Kneipe geschehen war. Dass Saya meinte, was nach der Kneipe passiert war. Auf dem Heimweg, an den Hani sich nicht mehr so richtig erinnerte und den sie nicht hinterfragte, der in ihrem Zustand ewig gedauert, auf dem Saya sich die ganze Scheiße von der Seele geredet und in Hani eine schrecklich gute, ihr nicht ein einziges Mal widersprechende Zuhörerin gefunden hatte. Hani hatte einfach nur genickt und genickt und Saya schließlich in den Arm genommen, lange und fest. In Gedanken war sie schon in ihrem Bett gewesen. Sie hatte Saya nicht zugehört und inzwischen vergessen, dass sie nicht zugehört hatte. Sie hatte jetzt trotzdem allerbeste Laune, jetzt, da sie wusste, dass sie ihr gutgetan hatte.

Vom Flur hörte Hani, dass Carolin sich mit Stefan unterhielt. Sie führten ein Gespräch über einen Auftrag, das nicht in den Flur gehörte, sondern in eines der Büros, wie Hani fand. Hier hatte nichts seine Ordnung. Als Hani sich für den Job als Büromanagerin entschieden hatte, nannte man ihn noch Bürokauffrau und so oder so hatte sie sich dafür entschieden, weil diese Arbeit so geregelt wirkte. Man würde selten Überstunden machen, würde vor allen Dingen kommunizieren, dabei an der Heizung sitzen und wäre die engste Vertraute der Geschäftsführerin. Wie angenehm, wie behütet, hatte sie damals gedacht. Carolin und Stefan redeten über einen landwirtschaftlichen Betrieb, der plante, jeden einzelnen Schritt jedes Rindes online nachvollziehbar zu machen, über Jahre hinweg, sodass man Teil eines Rinderlebens werden und ganz sichergehen konnte, dass in diesem alles seine Richtigkeit gehabt hatte. Stefan erzählte Carolin von einer Idee, die ihm nachts gekommen war und über die er gestern mit den anderen dreien aus dem Team ausgiebig diskutiert hatte, eine Idee, die das bisherige Konzept noch mal komplett verändern, aber auch grundlegend verbessern würde. Carolins Stimme klang müde, als wäre sie inhaltlich von dem, was er sagte, nicht überzeugt, aber dennoch nicht darauf aus, ihm und somit auch den anderen dreien zu widersprechen. Für Hanis Begriffe fiel ihr eigener Name in diesem Gespräch, in das sie nicht involviert war, zu oft, sie merkte immer wieder auf, weil sie sich natürlich angesprochen fühlte, aber es ging wohl nur um einzelne Erledigungen, die man ihr auftragen würde, nicht um größere Verantwortungsbereiche, bei denen sie mitdenken müsste. Im Gespräch zwischen zwei Kollegen sollte man seinen eigenen Namen eigentlich nur dann so oft hören, wenn man die Chefin des Ganzen war, dachte Hani. Die Versuchung lag nahe, sich einzubilden, die geheime Chefin zu sein, aber dafür war ihr Gehalt nicht hoch genug.

Hani erahnte, dass sich das Gespräch auf dem Flur langsam seinem Ende näherte. Carolin gab Stefan recht, obwohl deutlich war, dass sie annahm, dass das, was er vorhatte, an dem, was der Landwirt sich wünschte, vorbeigehen würde. Was bringen einem flache Hierarchien eigentlich, dachte Hani, wer hat was davon, dass alle irgendwann einer Meinung sind, nur um nicht länger diskutieren zu müssen. Gestern hatte sie Minh gegenüber noch versucht, ihre Kollegen zu verteidigen. »Alle sind doch immer so ultranett«, hatte sie gesagt, »das ist ein Arbeitsklima, das man nicht überall findet.« Minh hatte dazu geschwiegen, was wohl heißen musste, dass sie unterschiedliche Auffassungen von »nett« hatten. Die Erinnerung an ihr Gespräch ging Hani allmählich auf die Nerven, sodass sie mit dem Gedanken liebäugelte, aus Prinzip Minhs Nummer zu löschen. »Ich gebe das mal so an Hani weiter«, hörte sie Stefan in diesem Moment sagen. Na toll. Was man da draußen gerade beschlossen hatte, bedeutete offensichtlich noch mehr Arbeit für sie, so war das eigentlich immer, wenn sich ein Konzept kurzerhand wieder geändert hatte. Sie seufzte, aber nur kurz, denn im nächsten Moment stand Stefan in der Tür. Hani lächelte.

^ ^ ^

Wir haben ferngesehen. Während Hani ihre To-do-Liste um all die Aufgaben, die sich dank Stefans revolutionärer Idee ergaben, erweiterte und die übrigen Einwohner der Stadt sich auf den Straßen und auf ihre Arbeitsplätze verteilten, lagen Saya und ich auf der Couch und starrten den stummen Fernseher an. »Fernsehen? Könnt ihr nicht streamen?«, fragte Saya entsetzt und drückte die Taste der Fernbedienung, die für den gängigen Streamingdienst vorgesehen war, was allerdings nur einen blauen Bildschirm zur Folge hatte. »Dafür reicht das WLAN nicht«, sagte ich. Eine lange, langweilige Geschichte, mit der man viele Stunden in einer WG-Küche verbringen konnte. Router, die kaputtgegangen waren, alte Router, die wieder rausgekramt wurden, schlechter Empfang und niemand, der sich um einen Termin mit dem Telefonanbieter kümmerte, denn irgendwie kam man ja auch klar mit dem langsamen, alten WLAN. Außer man wollte streamen.

Man könnte also auch sagen, dass unsere Internetsituation schuld an allem ist. Dass Saya, statt heute auszurasten, bestimmt entspannt und ausgeglichen gewesen wäre, wenn sie gewusst hätte, dass sie einfach zu mir nach Hause kommen und sich mit den positiven Gefühlen ablenken kann, die jede beendete und jede neu angefangene Folge in ihr freisetzen. Jetzt gerade würde ich mich auch viel lieber mit Serien ablenken, statt weiterzuschreiben, oder habt ihr gedacht, ich mache das hier gerne?

Wir saßen also vor dem Fernseher, und ich musste Saya erklären, dass wir nicht streamen können, und sie blickte sehr ungläubig. »Dann guckst du richtig fern? So wie früher?«
»Ja, wie damals, im Krieg«, sagte ich und schüttelte mein Sofakissen auf, in der Hoffnung, es würde dadurch gemütlicher. Durch die zugezogenen roten Vorhänge des Wohnzimmers drang gedämpftes Licht, und obwohl alle Fenster geöffnet waren, war es warm und stickig. Es war ein heißer Sommertag, den wir konsequent ignorierten, trotz Hanis Ratschlag, ich solle Saya mit einem Sonnenbad ablenken.

Manchmal, wenn es draußen richtig heiß war, ich in der Wohnung saß und alle anderen am See waren, hätte ich Saya am liebsten geschrieben. So was wie »Jetzt fehlst du mir« oder »Heute wäre ein perfekter Tag, um mit dir Fernsehen zu gucken« oder so. Aber irgendwie schrieben wir uns so kitschige Sachen nicht, damit hatten wir nie angefangen und jetzt damit anzufangen, wäre wie ein Bruch unseres stillschweigenden Deals gewesen, dass wir auch so genau wussten, was wir aneinander hatten. Wir tranken lauwarmes Leitungswasser, und Saya zappte herum. Erst sagte sie, »Geil, Fernbedienung«, dann wurde sie ungeduldig. Ich dachte erst, das läge daran, dass nur langweilige Dokus und die zehnte Wiederholung sexistischer Sitcoms liefen. »So weiß, Fernsehen ist so weiß«, sagte sie und hatte für den Moment leider recht, »deswegen gucke ich nur noch online, da gibt es wenigstens Leute wie uns. Was gucken Nazis wohl so? Gucken die den ganzen Tag fern und werden hohl?« »Vielleicht gucken die ja auch online und werden hohl. Die gucken ja vielleicht andere Sachen als du. Sachen mit Weißen, weil sie sich da aufgehoben fühlen.« »Hm. Guck mal, das läuft noch«, sagte Saya. Sie war auf eine Telenovela deutscher Produktion gestoßen, die es schon in unserer Kindheit gegeben hatte: weiße Adelige auf dem Land mit Pferd und Intrigen. Wir hatten diese Serie geliebt und fanden unsere Begeisterung sofort wieder, wir vergötterten die neue weibliche Hauptfigur nach zehn Minuten von Herzen und schauten eine Folge nach der anderen. Wir verstanden die Verhältnisse der Figuren sofort, litten mit, konnten über sie lachen, wenn uns danach war, und wollten wissen, wie es weiterging. Wir fingen irgendwann an, zu sprechen, wenn die Schauspieler sprachen, überzogen die schlechten Dialoge mit unseren eigenen und stellten den Ton schließlich ganz ab, um ihnen unsere Worte in den Mund zu legen. Saya blieb beim Sprechen ernst, es war ihr zu wichtig, was sie sich für die Menschen im Fernsehen so zurechtgelegt hatte, und ich war es dann, die die Schauspieler nicht adäquat darauf antworten lassen konnte, weil ich lachend auf der Couch lag. Saya lachte auch, aber nicht, wenn ihr dadurch der nächste Spruch entgangen wäre, und manchmal, wenn klar war, dass ich jetzt erst mal den Dialog nicht weiterbringen würde, weil ich lachte, lachte auch sie endlich und dann lachten wir beide und konnten nicht damit aufhören und dann ging die Tür auf. Robin stand in Boxershorts da, obenrum frei, was hier sonst eigentlich nicht vorkam, er musste also geradewegs aus dem Schlaf zu uns gestolpert sein, seine Haare waren so verstrubbelt wie sonst nie. Er sah eigentlich ganz witzig aus, wie ein verträumter Schuljunge, doch es war klar, dass es ihm hier gerade nicht um etwas Witziges ging. »Seid ihr eigentlich einfach nur so richtig scheiße oder seid ihr scheiße?«, fragte er, mit der einen Hand die Augen abschirmend, als wäre selbst unser vorhangverdunkeltes Zimmer noch zu hell für ihn. Er sagte es so leise, dass seine Worte noch bedrohlicher klangen als eh schon. Wir hörten sofort auf zu lachen und weil der Fernseher ja auf lautlos gestellt war, kam es zwischen uns dreien zu einer Schweigeminute, in der Saya und ich Robin anschauten und Robin uns. »Sind wir zu laut?«, fragte ich irgendwann, mir tat er leid, mir tat alles leid, aber ich hatte keine Ahnung, was los war mit dem netten Robin. Aus seiner Boxershorts hing ein langer Faden. Ich fragte mich kurz, ob er merkte, dass ich auf den Faden schaute, und dachte daran, dass ich es hasste, wenn Männer mir auf die

Brüste schauten und ernsthaft dachten, ich würde es nicht merken. Mit Blick auf den Faden fragte ich mich, ob Männer eigentlich umgekehrt auch merkten, wenn man ihnen dann mal aus Versehen und wirklich ohne tieferen Grund an absurde Stellen wie auf so einen Faden am Bein guckte. Warum sollten sie es nicht merken, sie haben ja auch Augen. Und doch: Sie würden es nicht merken, weil man nicht merken muss, was einem egal ist. Mir sind Blicke auf meine Brüste nicht egal, denn wer Brüste indiskret anschaut, fasst sie vielleicht auch indiskret an, und Menschen, die das für eine angebrachte Aktion halten, gibt es an so vielen unverdächtigen Orten, dass man die Alarmbereitschaft nie abstellen kann und die Erinnerungen daran immer wach bleiben. Ich weiß nicht, was das mit Robin machte, als ich auf den Faden starrte, der seine haarigen Oberschenkel streifte. Ein weißer Faden, der aus einer hellblauen Boxershorts herausschaute. Warum überhaupt tragen Männer so viel Stoff an ihrem Arsch, wo es doch viel angenehmer ist, den Slip so sparsam wie möglich zu halten. »Das ist so ultra ignorant, dass du das fragst, Kasih, ich fass es nicht«, sagte Robin jetzt und schien das mit dem Faden, sofern er es gemerkt haben sollte, gerade für nicht allzu wichtig befunden zu haben, »du weißt ganz genau, dass ich heute die Prüfung habe, das muss ich dir wirklich nicht noch mal erzählen, damit du auf die Idee kommst, dass ihr mal ein bisschen mehr Rücksicht zeigen könnt, oder?« Ich würde jetzt gerne schreiben, dass Robin laut war und mit der Faust gegen den Türrahmen schlug, dass er mich anbrüllte und sein Gesicht so nah an meinem war, dass ich in seine blutunterlaufenen Augen starren und um mein Leben fürchten musste. Aber mit so jemandem wohne ich natürlich nicht zusammen. Robin ist nett, und er sagte das, was er sagte, zwar wütend und entschlossen, aber trotzdem wie ein normaler Mensch. »Ihr wart gestern Nacht schon so mega laut, als ihr heimkamt, ihr habt seit heute früh die scheiß Kiste an und macht nicht mal die leiser. Und jetzt lacht ihr voll laut und denkt echt nur an euch.« Saya und ich starrten ihn noch immer an. Wir hatten eben wirklich keine einzige Sekunde an ihn gedacht. »Du hast voll recht. Sorry«, sagte ich. Robin atmete ein paarmal durch und schien sich mit Situationen dieser Art auch nicht besser auszukennen als wir, denn er wusste nicht so recht, was er mit meiner Entschuldigung anfangen sollte. »Nicht cool«, sagte er noch und zog die Tür dann zu. Er sah traurig aus dabei. »Nicht cool«, sagte Saya leise und schaute mich mit einem übertriebenen Dackelblick an, in den Augen immer noch der Glanz ihrer Lachtränen, »nicht cool, Kasih, dass du nicht Tag und Nacht daran denkst, dass der weiße Mann eine wichtige Prüfung hat, und dein Leben danach richtest.« »Tsss«, machte ich und starrte auf den Fernseher. Robin war kein weißer Mann. Also doch, Robin war der Prototyp eines weißen Mannes. So weiß, dass er bis vor Kurzem noch nicht wusste, dass er weiß ist. Und trotzdem war er im Recht. Denn manchmal, Saya, ist es völlig egal, ob jemand ein weißer Mann oder ein blauer Kakadu ist. Meistens nicht. Aber manchmal eben schon.

»Du willst doch immer, dass alle Rücksicht auf alle nehmen, denke ich«, sagte ich zu Saya.

»Will ich das?«

»Das willst du andauernd, überall, im Flugzeug, in der U-Bahn, du schimpfst und stänkerst ständig, weil niemand Rücksicht auf niemanden nimmt, und wenn dir das mal jemand sagt, dann machst du dich darüber lustig?«

»Ja«, sagte Saya, »das eben war ja auch lustig. Dein Mitbewohner ist lustig. Zeigt der sich immer halb nackt? Gibt ja Leute, die finden das gar nicht schön, wenn sie nicht vorher gefragt werden, ob sie das sehen wollen. Darüber könntet ihr ja mal reden. Dann kann er auch mal anfangen mit Rücksicht.«

Ich hatte keine Ahnung, was man zu der ganzen Sache überhaupt noch sagen konnte. Ich hatte mir gewünscht, dass Saya und ich uns hier in meiner sicheren Höhle einsperren, ohne dass sie sich über irgendetwas ärgern muss, aber das war irgendwie nicht möglich. Ich wollte Saya vor allem, was sie wütend machte, beschützen, aber ganz ehrlich, Robin hatte recht und nur, weil Saya gerade eine harte Phase durchmachte, konnte ich doch nicht einfach so tun, als wäre er der Durchgeknallte.

»Robin wohnt hier und darf machen, was er will«, sagte ich und dachte, dass das das Demokratischste war, was man sagen konnte, und dass es sich trotzdem so anfühlte, als würde ich Saya damit in den Rücken fallen.

»Warum soll ich dafür sorgen, dass er machen darf, was er will? Ich kann ja auch nicht machen, was ich will. Nicht hier, nicht zu Hause, nicht draußen, nirgendwo auf der Welt. Wenn ich zum tausendsten Mal sage, dass ich bitte schön auch berücksichtigt werden möchte, dann hört das auch beim tausendsten Mal keiner. Aber schön, dass dein Mitbewohner so durch die Welt kommt, dass Menschen das für ihn machen, dass Menschen sich nach seinen Bedürfnissen richten. Schön für ihn. Aber auch unfair.« Irgendwas an der Situation fühlte sich tatsächlich unfair an. Mit einem Mal hatte ich vor Augen, wie ich nachts in meinem Zimmer lag, dringend schlafen wollte und irgendwer laut war.

Irgendwer, der im Treppenhaus grölte, sodass es durch die Wohnungen hallte, der mit seinen Kumpels unter meinem Fenster rauchte, sang und lachte. Irgendwer, der morgens um vier die Anlage aufdrehte. Vielleicht waren es Robin und seine Freundin, die vom Feiern heimkamen und die Wohnungstür hinter sich zuschmissen, statt sie leise zuzuziehen, wie man es gelernt hätte, wenn man in einer Mietwohnung groß geworden wäre. Vielleicht war es auch einer der anderen Mitbewohner, der morgens um sieben angefangen hatte zu staubsaugen, obwohl alle anderen noch schliefen.

Ich dachte an all diese Situationen und wie ich, statt hinzugehen und in eine Wutrede auszubrechen, wie Robin eben, genervt im Bett gelegen und mir lediglich vorgestellt hatte, hinzugehen, ihnen die Meinung zu sagen. Ich begann, Robin zu beneiden und Saya dafür zu verfluchen, dass ich sie ein wenig verstand. Aber Leuten wie Robin einen Vorwurf zu machen, weil sie in der Lage sind, sich zu beschweren, ist mir irgendwie auch zu albern.

»Wollen wir nicht einfach weiterspielen?«, fragte ich und meinte unser Synchronisationsspiel. Saya schaltete den Ton wieder an und schien überhört zu haben, dass ich gerade Worte benutzt hatte, die ich ihr gegenüber seit Jahren nicht mehr benutzt hatte. Weiterspielen war doch mal eine so lebensnotwendige Sache gewesen. Man war gerade richtig schön beschäftigt, mit den Barbies, den Kuscheltieren, mit irgendetwas, mit irgendwelchen Berufen, und wurde dann gestört. Danach benutzte jemand das Zauberwort »Weiterspielen« und die Störung war vergessen. Man brauchte einen Moment, um sich kurz zu sammeln und wieder anzusetzen, wo man eben aufgehört hatte, man musste sich erst wieder einfinden, in die Rolle der Barbie oder der Anwältin, das Spiel fühlte sich kurz fremd und neu, manchmal aber auch uninteressant an. Man spielte trotzdem weiter, denn das Spiel nahm dann doch irgendwann wieder Fahrt auf. Das weiß doch jeder. Saya wechselte den Sender. »Keine Lust mehr. Ich suche jetzt mal nach Sondersendungen zum Prozess, ja?«

»Wonach suchst du?«

»Na, der Prozess fängt doch heute an. Vielleicht gibt es schon erste Bilder, zu Beginn von Verhandlungstagen darf man doch filmen.« Ich hatte keine Ahnung, wann dieser Prozess wo stattfand, wer von dieser Nazigruppe nun angeklagt war und wofür im Einzelnen, ich war einigermaßen froh, dass Hani etwas angedeutet hatte und ich deswegen nicht völlig planlos wirkte. Ich konnte trotzdem erahnen, welche enorme Bedeutung dieser erste Tag einer angeblich »lückenlosen« juristischen Aufarbeitung hatte und dass viele Menschen, einschließlich Saya, seit Tagen und Monaten auf diesen Beginn warteten. Sayas Statusmeldung war an diesem Tag der inzwischen bereits legendäre Post einer Anwältin der Nebenklage, die selbst von Rassismus betroffen ist und die mit ihren Worten vielen Menschen aus der Seele zu sprechen schien: *Deutschland, du hast bis heute versagt. Deutschland, du kannst ab heute versuchen, dein Versagen aufzuarbeiten. Ab heute werden wir versuchen, euch zu vertrauen.* Diese Sätze gingen zum Prozessauftakt viral und wurden ohne Ende geteilt und gepostet, und ich wusste von alldem so wenig, nicht einmal, wie der Name der Anwältin lautete. Das Einzige, was ich wusste, war, dass vor einigen Tagen diese Nazi-Chats geleakt worden waren und dass Journalisten sowie die Anwälte der Nebenkläger, also der Eltern, Ehemänner, Ehefrauen und Kinder der Toten, etwas damit zu tun hatten, dass die Chats nun für jeden zugänglich waren. Saya wusste das alles. Sie kannte die Namen der Getöteten und die der öffentlich Stellung beziehenden Angehörigen, sie wusste, wie die Mörder vorgegangen waren und welche Anklagen gegen sie erhoben wurden. »Da sind sie!«, rief sie und klang fröhlich. Man sah, wie die Angeklagten in den Gerichtssaal traten und den Blick dabei nach unten richteten. Einer verbarg sein Gesicht hinter einer Mappe, eine hatte sich die Kapuze ihres Hoodies übergezogen, die beiden anderen wandten sich ab. Undeutliches Stimmengewirr war zu hören, Blitzlicht zuckte durch den Saal. Man sah im Grunde keine Personen, man sah Körper. Körper von Mördern, ich wollte sie nicht sehen und drehte mich zu Saya, deren Augen glänzten. Als hätten wir uns eben nicht beinahe gestritten, als würde sie in diesem Gerichtssaal nicht gerade das leibhaftige Grauen sehen. Die Bilder wiederholten sich bereits, es war heute aber auch kaum etwas passiert, außer dass der Prozess begonnen hatte. Die Sendung, tatsächlich eine Art Sondersendung zum Prozess, widmete sich nun dem Leben der Mörder, ihrem Aufwachsen an verlassenen, schäbigen Orten, den Stationen ihrer trostlosen Biografien. Sayas Blick war gebannt. Und ich war den Nazis kurz dankbar, denn sie hatten Saya und mich aus der merkwürdigen Diskussion über Robin und seinen Oberkörper geholt, aber an dieser Art von Dankbarkeit war ja nun irgendwie alles falsch. Genau wie die Tatsache, dass Sayas Faszination für die Nazis mich mehr verunsicherte als die Nazis selbst. »Der war so was wie der Intellektuelle von denen«, erklärte sie nebenbei, »der ist erst vor Kurzem dazugestoßen.« Er sah blutjung aus und wie jemand, der das Wort »blutjung« gnadenlos abfeiern würde. »Die da!

Die hat die Frauen in die Fallen gelockt, hat erst Vertrauen aufgebaut und so. Hat nach außen hin mit viel Geplauder im Treppenhaus dafür gesorgt, dass sie wie eine normale WG wirkten, und die Nachbarn haben es geglaubt.« Ich tat, als würde ich zuhören, weil das der einzige Gefallen war, den man Saya gerade tun konnte. Die Nazis sahen aus wie Menschen, die einem egal waren. Einer wirkte sogar ganz nett, einer war halbwegs attraktiv, ich konnte ihnen nichts Wissenswertes zuordnen und fürchtete schon, Saya könnte herauskriegen, dass ich mir nicht einmal die Namen dieser Mörder gemerkt hatte. Sie sahen so beliebig aus. Die Männerstimme, die durch die Sondersendung leitete, porträtierte gerade die Mitglieder der Gruppe. Alles an diesen Biografien war langweilig. Als es schließlich um die Morde ging, überlegte ich, den Raum zu verlassen. Die Fotos der Opfer zu sehen tat weh. Sie sahen so schmerzhaft normal aus. Normal und echt. »Die da wurde nach ihrem Abiball ermordet«, sagte Saya, als das Foto einer jungen Frau gezeigt wurde, »die haben ernsthaft recherchiert, wer von den Abiturienten einen Kanacken-Background hat, um sie nach der Zeugnisübergabe, nach der Feier, zu ermorden.« »Echt?«, fragte ich. Alles hatte ich nach unserem Abiball erwartet, außer dass das irgendjemanden interessieren, geschweige denn zum Töten motivieren könnte. »Stell dir das mal vor, direkt vor der Aula«, sagte Saya, und ich wollte nur noch raus. Mein Handy lag in meinem Zimmer, fiel mir ein, und ich wollte jetzt sofort nachsehen, ob Lukas sich vielleicht gemeldet haben könnte, es konnte ja sein, dass er unser Treffen heute doch abgesagt hatte, und falls nicht, wollte ich mich duschen und fertig machen, die Augenbrauen kurz nachzupfen, ich musste gut aussehen, wenn ich Lukas traf, sonst würde ich mich nicht wohlfühlen. Ich wollte sofort raus aus diesem Raum. Saya schien ohnehin bereits ganz woanders zu sein. »Saya«, sagte ich, »ich muss mich langsam fertig machen, ich habe ja heute noch was vor.« Saya wandte ihren Blick nicht einmal vom Fernseher ab. »Stimmt ja«, sagte sie, »dein Treffen mit Lukas.« Wie konnte sie so verächtlich von meinem Treffen mit Lukas und gleichzeitig so fasziniert von Nazis sprechen. »Stell dir nur mal vor, jemand hätte uns nach unserem Abiball …«

»Saya, ich muss jetzt wirklich kurz mein Handy suchen«, sagte ich. »Na dann geh doch«, sagte Saya, »ich wollte eh gleich ein Nickerchen machen. Die zeigen sowieso nur die Bilder, die ich schon tausendmal gesehen habe.« Vielleicht, dachte ich, würde es dir besser gehen, wenn du sie einfach nie gesehen hättest. Aber ich schwieg, ging aus dem Zimmer und ließ Saya mit den Nazis allein. Es fühlte sich komischerweise so an, als würde ich ihr damit etwas Gutes tun.

^^^

Ich habe eine Schreibpause eingelegt, für wenige Minuten. Ihr habt das nicht gemerkt, denn ohne mich und meine wohlwollende Informationsvergabe seid ihr nun mal aufgeschmissen, ohne mich checkt ihr hier gar nichts. Ihr braucht mich, aber ich kann euch auch verarschen, ohne dass ihr irgendwas davon merkt. Ich kann die Tastatur schweigen lassen, schreien und brüllen und ausrasten, ohne dass ihr jemals davon erfahrt. Weil es mir hier aber ja um Transparenz geht, erfahrt ihr natürlich doch jedes Detail über das, was ich tue, sonst könnte ich das hier ja auch gleich lassen.

Ich habe die kurze Schreibpause eingelegt und versucht, mich mit den Getöteten zu beschäftigen, und es wieder nicht geschafft. Ich habe Aufnahmen gesucht und gefunden, in denen die Angehörigen ihre demütigenden Geschichten einer erfolglosen, ebenfalls von Rassismus durchzogenen Polizeiarbeit erzählen. Weil ich nicht stark genug war, um ihnen dabei zuzuhören, bin ich direkt ans Ende gesprungen, zu dem Moment, in dem sie an die Worte der Anwältin anknüpfen und voller Überzeugung sagen, dass sie hoffen, dem Rechtsstaat nach diesem Prozess wieder vertrauen zu können. Ich habe mir die Fotos der Ermordeten angesehen, es sind zweiundzwanzig Fotos von zweiundzwanzig unterschiedlichen Menschen, eine Reihe junger Frauen, eine Reihe älterer Männer, warum sie sich für diese Menschen entschieden hatten, haben die Nazis nicht erklärt. Jedenfalls niemandem, der kein Nazi ist. Wenn man die Fotos im Internet findet, hat man das Gefühl, als wäre das eigene Familienalbum plötzlich online. Ich weiß nicht, wieso. Ich kenne diese Menschen nicht. Sie haben schwarze Haare, dunkle Augen, eine Herkunft. Alles Dinge, die mir völlig egal sein könnten und die, sobald sie umgebracht werden und ich und meine Freundinnen und unsere Väter nicht, dann plötzlich doch dazu führen, dass ich diese fremden Menschen wie Vertraute ansehe. Deswegen kann ich mir sie nicht anschauen und deswegen wohl konnte Saya nicht mehr aufhören, sie anzuschauen. Vor allen Dingen die junge Frau in ihrem Abiball-Kleid, die, wenn man so will, tatsächlich so aussieht wie Saya in ihrem Abiball-Kleid. Nur dass sie ihr überhaupt nicht ähnelt, andere Haare, anderer Körperbau, völlig anderes Gesicht. Außerdem trug Saya nie ein solches Kleid.

Unser Abiball war schön. Das heißt, Sayas, Shaghayeghs und mein Abiball. Dass es auch Shaghayeghs Abiball war, habe ich fast vergessen, denn wir hatten an dem Abend nicht viel mit ihr zu tun. So wie wir in unseren Pausen und Freistunden eigentlich auch kaum noch was mit ihr zu tun gehabt hatten. Die verbrachte sie nämlich mit zwei Mädchen, die vorzugweise weiße Klamotten trugen und mit denen sie meistens Hausaufgaben machte, Biologie-LK-Kram und so weiter. Oder sie setzten sich draußen hin, krempelten die Ärmel und den Pullover hoch und sonnten sich, redeten davon, in welchem Fitnessstudio man welchen Aerobic-Kurs machen konnte, und fanden sich selbst dabei so dermaßen erwachsen, dass ich bis eben gerade auch irgendwie angenommen habe, sie seien es da bereits gewesen. Deswegen habe ich auch überhaupt keine Ahnung, wo Shaghayegh eigentlich während des Balls saß. Ich saß bei Saya und ihren Eltern. Beide trugen Schwarz, der Vater einen Anzug, die Mutter etwas mit Schulterpolstern und goldener Kette. Sie saßen da, waren aufrichtig stolz auf ihre kluge Tochter und wussten gleichzeitig nicht so recht, wohin mit sich selbst. Sie standen den ganzen Abend über kaum auf und waren mit uns die Letzten am Büfett, weil der Ansturm zunächst so groß war, dass sie einfach sitzen blieben, und sie tranken den ganzen Abend über Mineralwasser. Wenn der für die Feier engagierte Kellner vorbeikam, um die Gläser aufzufüllen, musste er erst die Weinflasche beiseitestellen und stattdessen Mineralwasser nachfüllen, auch wenn immer nur wenige Schlucke genommen wurden. Wer trinkt schon literweise Mineralwasser, dachte ich, aber irgendetwas musste man ja trinken. Saya und ich tranken je ein Glas Sekt, an das wir uns, solange ihre Eltern da waren, klammerten, auch um ein wenig zu provozieren, denn wir wussten, dass Sayas Eltern dafür kein Verständnis hatten, dass jedoch ab dem heutigen Tag für alle Beteiligten eine neue Ordnung herrschte. Dass wir ab sofort selbst entscheiden konnten, was wir tranken. Was albern war, denn wären Sayas Eltern nicht dabei gewesen, hätten wir längst mindestens drei Bier intus gehabt und uns überhaupt nicht um den Sekt geschert. Nach der offiziellen Zeugnisvergabe und den Reden saßen wir dort also zu viert und aßen die fettig-versalzenen Reste vom Büfett, während sich die anderen Familien längst in Richtung Theke bewegten. Wir schoben zerkochte Erbsen auf unsere Gabeln und schwiegen. Die Vorbehalte, die Sayas Eltern gegen deutsches Essen hegten, wurden ein weiteres Mal bestätigt, und die beiden fragten sich, wie lang sie wohl noch bleiben mussten. Saya saß neben mir und bemühte sich gar nicht erst, so etwas wie ein Tischgespräch zu führen, obwohl sie das bindende Glied zwischen ihren Eltern und mir war, aber was hatten wir uns schon zu sagen. Ich sah, wie andere Eltern sich wiedererkannten und begrüßten, ich hörte, wie sie liebevoll darüber lachten, wie erwachsen ihre Kinder geworden waren, und über die Reden der Abiturienten, Lehrer und des Direktors sprachen. Ich sah die Jungs aus unserer Klasse, wie sie zu fünft, sechst, in ihren Anzügen beieinanderstanden und plötzlich etwas Bedrohliches hatten. Ich sah die wenigen Paare in unserem Jahrgang, wie sie sich fotografieren ließen, im schlimmsten Fall mit einem Lehrer, und wie sie dabei schauten, als stünden sie auf dem roten Teppich im Blitzlichtgewitter. Überhaupt ließen sich alle ständig miteinander fotografieren, denn alle hatten sich eigens zu diesem Anlass Abendkleider gekauft und sich die Haare frisieren lassen, das musste man natürlich für die Ewigkeit festhalten. Wenn ich jetzt schreibe, dass Saya und ich nicht gewusst haben, dass man sich so aufbrezeln muss, dann kommt mir das selbst lächerlich vor, denn wir waren ja keine Außenseiterinnen, keine Neuankömmlinge, keine Anfängerinnen. Wir hatten bloß das Gerede von Kleidern und Frisuren als Auswuchs reiner Oberflächlichkeit abgetan, von dem wir uns selbstverständlich distanzieren würden. Wir dachten, es sei wie immer: Die Angeber übertreiben es, der große Rest ist normal und Saya und ich, wir geben uns Mühe, noch etwas cooler als normal zu sein. Was dazu führte, dass ich immerhin meine schwarze Schlaghose anhatte und keine Turnschuhe, sondern Lederstiefel, und Saya so etwas wie einen weiten Ausschnitt hatte, was in Sayas Fall, das heißt, im Fall ausgeprägter Schlüsselbeine, die Funktion von Schmuck gleich miterfüllte. Ich weiß nicht, wie viele Gedanken wir uns damals über so etwas machten, aber das waren die Situationen, in denen wir ganz deutlich zu spüren bekamen, dass wir keine Eltern, keine älteren Geschwister, keine älteren Cousinen hatten, auf deren Wissen wir zugreifen konnten, wenn es um so etwas Banales ging wie: Wie schick ist eigentlich eine schicke Feier von Teenies? Wir waren damit nicht allein, die Outfits von mindestens fünf anderen Leuten zeugten von einem ähnlichen Leck in der eigenen Biografie und davon, dass sie es ebenfalls versäumt hatten, sich über die Mode bei Abibällen zu informieren. So unterschiedlich wir alle waren: Wir warteten kollektiv den ganzen Abend darauf, dass die Eltern gingen und wir ganz normal, wie immer, mit unserem Jahrgang feiern konnten.

Saya und ich warteten außerdem auf Hani, die dem Ganzen etwas bodenständige Normalität geben würde. Da wussten wir allerdings noch nicht, dass Hani ein Abendkleid tragen würde, das die Kleider der Abiturientinnen in den Schatten stellte, aber das ist ein anderes, langweiliges Thema. Genauso langweilig wie die Tatsache, dass später ohnehin alle so betrunken waren, dass niemand mehr nach rotem Teppich aussah, sondern mehr, als wäre man nach einer wilden Kostümparty noch in einer Absteige gelandet. In dieser Gesellschaft trumpften Saya und ich dann mit unseren unkaputtbaren Outfits doch noch auf. Wir tanzten mit den Außenseitern, wir tanzten mit den Schlauen, mit denen, die wir immer beneidet hatten, und mit denen, die nie nett zu uns waren. Wir sprachen mit Leuten, mit denen wir noch nie zuvor gesprochen hatten, und lachten mit ihnen über die, die sonst über alle lachten. Wir machten am Ende auch Fotos, mit großen Digitalkameras und kleinen Analogkameras, denn es hatte selbstverständlich noch niemand ein Smartphone, und wir befanden uns in dieser Übergangsphase, in der man noch daran glaubte, dass das Digitale vielleicht nur eine Modeerscheinung sein könnte. Wir machten lauter Fotos zu dritt, Saya, Hani und ich, mit der Kamera eines Menschen, an dessen Namen ich mich heute nicht einmal mehr erinnere und der betrunken versicherte, ja, ja, klar, er würde sie uns alle schicken, was er dann natürlich doch nie tat. Wir fanden am Ende, als alle sagten, es gäbe nichts mehr zu trinken, noch eine Kiste Weißwein und versteckten uns in regelmäßigen Abständen mit einigen Auserwählten, um uns daran zu bedienen. Während wir immer betrunkener wurden, leerte sich der Saal, denn wer bleibt schon, wenn er nüchterner wird und der Alkohol woanders lockt. Am Ende gab jemand Saya den Schlüssel zur Halle, denn am nächsten Tag sollte das Aufräumteam kommen und aufräumen. So macht man das als Schüler. Absurd. Saya und ich waren Teil des Aufräumteams, denn jeder hatte sich einem Team anschließen müssen. Das Aufräumen war natürlich die unbeliebteste Aufgabe bei dem ganzen Theater, darum hatten wir uns zuletzt erbarmt.

Es war ein wenig traurig, den Saal so geschmückt und bunt und leer zu sehen. Saya, Hani und ich saßen in einer Ecke der Halle und waren dann doch etwas enttäuscht, als alle anderen weg waren. »Kommt noch jemand?«, fragte Hani uns und wir lachten ein weintrunkenes Lachen und wiederholten diesen Satz mehrmals, was Hani natürlich überhaupt nicht verstand. »War es das schon, oder was?«, fragte sie, schaute auf ihre Uhr, eine zarte, mit glänzenden Steinchen besetzte Armbanduhr für besondere Anlässe, und sagte dann, »Ist doch erst halb fünf. So kurz feiert man sein Abi? So lange lernt man und dann feiert man nur so kurz?« Wir lachten noch eine Weile, bis klar war, dass sich das Heimgehen nicht mehr lohnen würde, denn das Aufräumteam musste bald mit der Arbeit beginnen. Also wurden wir nüchtern, indem wir anfingen, die Gläser zusammenzuräumen, zu spülen und Scherben aufzulesen. Als die anderen Leute aus dem Aufräumteam kamen, fiel ihnen natürlich nicht auf, wie viel schon erledigt worden war, sodass wir einfach mit ihnen weitermachten. Hani in ihrem Ballkleid, obwohl es nicht mal ihr Abiball war.

Beim Abiball meines Bruders habe ich es anders gemacht. Ich habe meinen Eltern gesagt, dass man dahin muss. Dass das nichts ist, was die einen machen und die anderen nicht. Ich habe meinem Bruder gesagt, dass er sich einen Anzug kaufen und zum Friseur gehen muss. Ich saß mit meinen

Eltern in den Reihen der Familien und mein Bruder ganz vorne, in den Reihen der Abiturienten. Als man die Namen der Abiturienten aufrief, wurde sein Name, unser Name, erwartungsgemäß falsch ausgesprochen. Ich weiß nicht, ob das bei mir damals auch passiert ist, aber jetzt, mit meinen müden Eltern neben mir, war es mir auf einmal peinlich, obwohl ich dafür ja wirklich nichts konnte. Mir war es auch peinlich, als die Preise für das beste, das zweitbeste und das drittbeste Abitur vergeben wurden. Als drei Teenies nach vorne gingen, von denen wir noch nie gehört hatten, weil wir keine Ahnung hatten, wie die Leute in der Klasse meines Bruders hießen. Merkwürdig war auch, den anderen stolzen Eltern dabei zuzuschauen, wie sie ihre Kinder beklatschten, während der eigene Bruder wohl nur aus Zufall sein Abitur gemacht hat. Am Merkwürdigsten fand ich aber, das Mädchen zu sehen, das den Preis für das zweitbeste Abitur entgegennahm und sich dann, mit Blumen und Trophäe, zurück auf den Platz zwischen ihren Mitschülern setzte. Sie sah lieb aus, wie ein unkompliziertes, herzliches Mädchen, sie hatte den anderen beiden Preisträgern gratuliert, eine für ihr Alter, aber auch überhaupt enorme Leistung, wie ich fand. Ihr Kleid stand ihr gut, ihre Haare wirkten wie selbst frisiert, weil sie schöne Locken hatte, war es aber ohnehin egal, was mit ihren Haaren passierte. Sie saß glücklich auf ihrem Stuhl und verfolgte, was anschließend auf der Bühne passierte. Live-Orchestermusik und Dankesreden und weiterer Ab-morgen-beginnt-die-Zukunft-Quatsch. Dann drehte sie sich halb um, als wüsste sie schon, was passieren würde, und von hinten kam ein Junge, etwas älter als sie vielleicht, legte ihr die Hand auf die Schulter, küsste sie und reichte ihr ein Glas Sekt. Sie nahm das Glas, wie man als Erwachsene Gläser nimmt, lächelte ihm zu, prostete in Richtung ihrer Eltern und verfolgte dann wieder das Geschehen auf der Bühne. Und ich fragte mich, wie viele Welten eigentlich zwischen dieser Geste, zwischen diesem Mädchen und Saya, Hani und mir lagen. Als wir uns später fürs Büfett anstellten, fragte ich meinen Bruder, ob er auch im Aufräumteam sei, oder an welcher Stelle er die Feier unterstützte, und er antwortete, »Aufräumteam? Wir bezahlen ein paar Polen, damit die das machen«, woraufhin ich am liebsten gekotzt hätte, und zwar nicht nur, weil es schon wieder zerkochte Erbsen in fettiger Salzlake gab.

Das da oben habe ich zugegebenermaßen gerade erfunden. Mein Bruder hat gar kein Abi. Ich denke aber, wenn er Abi gemacht hätte, wäre es doch sicher genau so gelaufen. Ich habe allerdings Zweifel daran, dass meine Eltern wirklich mitgekommen wären. Dieses Erbsen-Büfett nämlich hatte einen stolzen Preis und Kochen, das konnte meine Mutter ja wohl zur Feier des Tages absolut selbst. Ich will jetzt aber noch weiter erfinden, dass dann der Erdkundelehrer meines Bruders, der auch mal mein Erdkundelehrer war, am Büfett hinter meinem Vater stand und dachte, das sei ein toller Anlass, ihn ein wenig kennenzulernen, während mein Vater fand, das alles sei eher so ein Anlass, um mindestens so viel zu essen, wie man bezahlt hatte. »Sie wollte ich schon längst einmal kennenlernen!«, sagte der Lehrer, und mein Vater war sich sicher, dass es sich um eine Verwechslung handeln musste. »Warum?«, fragte er also und schaute auf das glänzende rote Fleisch in den Büfettpfannen. Er wusste natürlich überhaupt nicht, wer der fremde junge Mann mit der großen Brille war. »Das muss ich Ihnen erzählen«, sagte der Lehrer, nennen wir ihn Herrn Erde, »wir haben in der Klasse den Wasserverbrauch pro Kopf pro Haushalt verglichen, als es um das Thema Klimawandel ging, und Ihr Sohn hat da Zahlen genannt, die konnten nicht einmal meine Frau und ich unterbieten. Die Zahl haben wir dann groß an die Tafel geschrieben, müssen Sie wissen, ich habe den Schülern gesagt, seht her, es ist möglich, seinen Wasserverbrauch zu reduzieren, wir müssen nicht auf so großem Fuß leben. Die anderen Zahlen waren ja natürlich horrend, wie Sie sich vorstellen können.« »Was?«, fragte mein Vater, der sich aus lauter Verlegenheit eine Zitrone aus dem Fleischbüfett fischte, weil er es nicht übers Herz brachte, einfach nichts aus diesen Pfannen zu nehmen. »Also, toll!«, sagte Herr Erde jetzt etwas lauter und langsamer, weil er plötzlich dachte, mein Vater könne ihn vielleicht doch nicht so richtig verstehen. »Toll, wie bewusst Sie in Ihrer Familie den Wasserverbrauch reduzieren konnten!« Mein Vater schaute Herrn Erde an, nickte, nickte und nickte, griff dann, als die Schnitzel kamen, endlich zur Zange, legte sich eins auf den Teller und sagte, »Ist teuer, Wasser, das ist so teuer, wenn man nicht aufpasst.« Herr Erde nickte dann auch schnell, um zu überspielen, dass er mit so einer Antwort nicht gerechnet hatte, und dann hatten sich die beiden Männer auch nichts mehr zu sagen und sprachen in ihrem ganzen Leben nie wieder miteinander.

Ich habe aber ja auch schon offenbart, dass die beiden Männer sowieso nie miteinander gesprochen haben. Hätte sich die Gelegenheit aber ergeben, wäre das Gespräch genau so verlaufen, das schwöre ich. Mein Vater hätte definitiv das Potenzial, best friends mit verschiedenen Ökos zu werden, die ich so kenne, einfach, weil er aus lauter Geldmangel alles tat, was sie richtig fanden. Sogar Hunde mochte mein Vater, was man daran merkte, dass er ihnen in der Bahn immer zulächelte und mit ihnen Kontakt aufnehmen wollte. Meistens, ohne darauf zu achten, welche Menschen zu den Hunden gehörten, sodass er nicht merkte, wenn die zum Hund gehörigen Nazis gar nicht so wild darauf waren, dass er mit ihren Vierbeinern schäkerte.

Ich könnte jetzt weiter verschiedene witzige Geschichten über meinen Vater erzählen, und am Ende würde noch jemand sagen, »Da liegen doch Ihre Stärken, in der Beschreibung des hundeliebenden Aus-Versehen-Öko-Vaters, kürzen Sie doch den Rest weg und schreiben Sie darüber!« »Das ist eine wunderbare Idee«, würde ich antworten, »dass ich darauf nicht selbst gekommen bin. Die Szene über den Vater ist ja sogar die schönste, die ich bis jetzt geschrieben habe, sie ist auch die witzigste, mein Vater ist der reinste Komödiant, vergesst den Rest, ich mache einen Roman aus meinem Vater und den verfilmen wir dann mit Christian Ulmen in der Hauptrolle.« »Aber Ulmen ist so was von biodeutsch, das kauft uns keiner ab«, sagen die dann, und ich sage, »Stimmt, dann nehmen wir einfach wie immer Moritz Bleibtreu, der ist so ein chamäleonartiger Alles-Wurzler und witzig ist er auch. Deal?« »Deal.« Und ich werde reich und berühmt und danke meinem Vater.

Jetzt aber wieder zurück zu dem, was in Wirklichkeit passiert ist.

In Wirklichkeit zeigte der Fernseher immer noch die Bilder der Ermordeten. In Wirklichkeit interessierte mich allerdings viel mehr, dass Lukas sich gemeldet hatte, etwas distanziert zwar, aber mit der Bestätigung unseres Treffens und einem Vorschlag für ein Café, und mein Herzschlag kriegte sich gar nicht mehr ein vor lauter Adrenalin. Ich saß an meinem Zimmerfenster, so wie jetzt, und zupfte mir die Augenbrauen. Nebenan eine schlafende Saya und der laufende Fernseher. Nebenan Robin und sein Tablet. Alle irgendwo ganz weit weg. Vielleicht träumte Saya ja gerade doch von einer Versöhnung mit Robin. Aber Saya schlief nicht. Sie lag auf dem Sofa, die Wange auf das dicke Polster gedrückt, spürte, wie die Spiralen des uralten Möbelstücks sich in ihre Rippen bohrten, und hatte die Augen geschlossen. Der Alkohol der vergangenen Nacht pochte von innen an ihre Stirn und sie ließ die Augen geschlossen, weil sie es für das Vernünftigste hielt, einzuschlafen. Sie wusste, dass, wenn sie in ein paar Stunden aufwachen und mich wiedersehen würde, wir einfach weitermachen würden, als wäre nichts passiert. Sayas Gesichtsmuskeln entspannten sich. Was war denn auch schon passiert? Sie hatte mir klargemacht, dass ich nichts auf der Welt hinnehmen musste, eines Tages würde ich das schon verstehen und ihr recht geben. Saya konzentrierte sich auf die Worte, die aus dem Fernseher drangen, denn dieses Gemurmel war das beste Schlafmittel überhaupt. Nach einer Weile erklang die ihr verhasste Anfangsmusik der Nachrichten. Sie war in etwa gleichbedeutend mit dem erhobenen Zeigefinger ihrer Mutter, den sie zu verschiedenen Situationen, ganz besonders aber zum Beginn der Nachrichten zum Einsatz brachte. Denn während der Nachrichten hatte man still zu sein, was sich für die kleine Saya immer anfühlte wie: Man musste aufhören, existent zu sein. Die Nachrichtensprecherin begrüßte Saya und Saya öffnete kurz die Augen, um zu sehen, wie die Sprecherin aussah. Weiß. Das hatte sie sich gedacht. Sie schloss die Augen und versuchte wieder, den Worten zu folgen, um einzuschlafen. So ein Kater ließ sich ja am ehesten durch Schlaf besiegen. Vielleicht hätte sie das besser nach dem Frühstück machen sollen, dann wäre auch der blonde Mitbewohner nicht so hysterisch geworden. Hysterisch. Ein Wort, das man, fand Saya, viel öfter in Bezug auf Männer benutzen sollte, um zu zeigen, wie maßlos übertrieben es ist. Menschen sind doch nie wirklich hysterisch. Saya öffnete die Augen und stellte fest, dass sie nun die einleitende Nachricht zu dem Prozess verpasst hatte, so ausführlich konnte der dazugehörige Bericht also nicht gewesen sein. Die Nachrichtensprecherin richtete ihre Worte jetzt live an eine Expertin in Washington. Sayas rechtes Auge öffnete sich zaghaft und schloss sich augenblicklich wieder. Die Expertin war weiß. In Washington passierten Dinge und Saya stellte sich vor, die Expertin würde sagen, dass der US-Präsident hysterisch geworden sei. Saya wollte sich den hysterischen US-Präsidenten vorstellen. In ihrer Fantasie hatte er den Tisch umgeworfen, saß in einer Rumpelstilzchen-Haltung auf seinem Chefsessel und ruderte mit den Armen. Der Kopf rot, das Gesicht vom Brüllen verzogen. Aber auch das ließ sich nicht hysterisch nennen, dachte Saya. Das war aggressiv. Das war, was man Männern attestierte. Wie würde wohl ein hysterischer US-Präsident aussehen? Die Nachrichtensprecherin kam nun zur Situation an der Börse. Es war der Nachrichtenteil, den Saya wirklich nie verstand und bei dem sie vermutlich direkt einschlafen würde. Ein letzter Blick und dann ab ins Niemandsland, dachte sie und machte den dritten Haken: weiß. Check. Drei Frauen in fünf Minuten aus genau einer

Gruppe: der privilegierten. Saya drehte dem Fernseher den Rücken zu. Warum überhaupt wollte sie wieder und wieder überprüfen, ob das, was sie schon längst wusste, immer noch stimmte?

In der Wohnung über uns saß währenddessen eine Frau vor dem Fernseher, die gerade ihre Steuererklärung machte und mit halbem Ohr die Sendung verfolgte. Auch für sie war es seit Langem das erste Mal, dass sie die Nachrichten nicht auf dem Handy, sondern auf dem großen Bildschirm verfolgte, was allein daran lag, dass sie sich beim stupiden Eintragen ihrer Verdienste mit etwas Schlauem ablenken wollte. Sie lächelte, als es an die Börse ging. Was für eine tolle Quote, dachte sie. Drei Personen innerhalb von fünf Minuten an so prominenter Stelle aus genau einer Gruppe: der benachteiligten. In den Nachrichtensendungen ihrer Kindheit hatten Frauen maximal das Wetter angesagt. Heute waren sie sehr viel präsenter. Saya in der Wohnung darunter dachte gar nicht daran, sich darüber zu freuen, denn sie hatte dem Fernseher ja schon den Rücken zugekehrt, das Thema war für sie gegessen. Ihre Gedanken vermischten sich mit den Worten, die sie hörte, wurden von ihnen abgelöst und verabschiedeten sich irgendwo inmitten des Restalkohols. Sie schlief ein und um die Bilder hysterischer Politiker legte sich der dichte Nebel der Nachrichtensprache: Syrien, Bundeskanzlerin, Etat, Jubiläum, Flüchtlinge, Familiennachzug, Obergrenze, Grenzen. Saya hörte die Mitschnitte aus dem Bundestag und sie hörte sie auch nicht. Sie würden ohnehin nur das bestätigen, was sie bereits wusste: Sie unterscheiden. Es gibt die Deutschen und es gibt die Flüchtlinge. Uns gibt es in dieser Welt nicht. Hier sind wir weder Deutsche noch Flüchtlinge, wir sprechen nicht die

Nachrichten und wir sind nicht die Expertinnen. Wir sind irgendein Joker, von dem sie noch nicht wissen, ob sie ihn einmal zu irgendetwas gebrauchen können. Das letzte Wort, das Saya noch wahrnahm, war Innenminister. Dann war sie in ihre Schlafstarre verfallen, und ich wüsste wirklich gerne, ob all die Worte ihren Kopf wieder verließen, als sie ihren schlafenden Körper Minuten später gegen die Lehne bretterte und die Spiralen der Lehne in den Rippen spürte. Ob ihr das Verletzen des eigenen Körpers half und ob das Wort Innenminister wenigstens den Anstand hatte, Sayas Körper als Erstes wieder zu verlassen.

Saya hörte nicht, dass die Nachrichten mit einer Meldung zum Prozess endeten, die gerade ins Studio gereicht wurde. Saya schlief und bekam die Meldung wie die meisten Menschen unserer Zeit als Pushnachricht auf ihr Smartphone. Eine der Nazifrauen war als Erste vernommen worden, sie war die Einzige der Terrorgruppe, die aussagen wollte. Sie hatte über die Morde gesprochen und betont, dass es keine rassistischen Morde gewesen seien. Dass rechte Personen dazu in der Lage waren, Straftaten zu begehen, die keinen rechten Hintergrund hatten. Dass die Medien vorschnelle Schlüsse gezogen hatten und man sie allein wegen ihrer politischen Gesinnung vorverurteilte. Die Medien hatten sich daraufhin gar nicht mehr eingekriegt und darauf verwiesen, dass man den Fall nun unter völlig neuen Gesichtspunkten betrachten müsse.

Saya sah das auf ihrem Handy, als sie aufwachte und ich bei Lukas war und Hani noch immer arbeitete. Sie war allein und sprach mit niemandem darüber. Sie hatte den Eindruck, es würde mich nicht besonders interessieren, und sie wollte Hani nicht schon wieder ins Büro texten. Als

Saya die Meldung las, war sie so ohnmächtig wie in dem Moment, in dem sie zum ersten Mal von den Morden erfahren hatte. Diese Frau konnte das einfach behaupten, obwohl alle Welt wusste, dass sie log. Sie posaunte eine Lüge durch die Welt, die man nicht als Lüge, sondern als Verteidigungsstrategie bezeichnen würde, obwohl sie so dermaßen durchschaubar war. Selbst wenn der Richter dieser Frau am Ende nicht glauben würde: Die Lüge war in der Welt und in der Regel, das hatte Saya schon oft genug beobachtet, glaubte man den Lügen der Rechten am Ende immer doch ein klein wenig, egal ob sie von Politikern kamen oder von Mördern, die vor Gericht saßen. Saya machte die Fotos der Ermordeten zum Hintergrundbild ihres Smartphones und schrieb mir eine Nachricht: *Wann bist du wieder zu Hause? Ich wünsche dir ein schönes Treffen mit Lukas. Auch wenn er ein Arsch ist. Sei du wenigstens kein Arsch und betrink dich heute* mit mir. Ich antwortete mit drei Herzchen, denn ich hatte die gleiche Pushnachricht bekommen und wünschte mir, dass dieses eine Mal einfach nur das, was in *uns* vorging, die Pushnachrichten der Welt bestimmen konnte. »Nach der Trennung: Lukas und Kasih treffen sich!«, würde dort stehen. Und darunter: »Saya begleitet Kasih mental.«

^^^

Lukas saß an einem Tisch im Freien und schaute auf sein Handy. Weil man irgendwohin schauen muss, wenn man auf jemanden wartet, dachte ich. Oder weil er dringend jemandem schreiben musste, seiner neuen Freundin zum Beispiel, die ihn vielleicht gerade gefragt hatte, ob sie heute für ihn kochen solle, dachte ich im nächsten Moment und wurde wütend, weil ich auf einmal genau zu wissen glaubte, dass seine neue Freundin ihn bestimmt immerzu ganz hervorragend bekochte, dass er dabei keinen Finger rühren musste und ihr Essen einfach genießen konnte und beide damit glücklich waren. Ich war mir darin auf einmal so sicher, dass ich sie, die neue Freundin, noch mehr hasste als ohnehin schon. Ich zog den Klappstuhl, einen leichten aus Holz, mit Schwung zurück, um mich setzen zu können. Von der ruckartigen Bewegung hatte ich mir einen Lärm erhofft, der leider ausblieb, und ich hoffte, dass man mir die Enttäuschung darüber nicht ansah. Lukas lächelte schlagartig. »Hallo!«, sagte er etwas zu schnell und legte sofort das Handy weg, als wäre er gerade auf unanständigen Seiten gewesen, und umarmte mich über den kleinen Tisch hinweg, was erwartungsgemäß nicht besonders elegant ablief. Ich setzte mich, griff nach meinem Handy und legte es neben seines auf den Tisch. Keine Ahnung, weshalb. Dass ich auch ein Handy habe, wusste er ja auch so, vielleicht wollte ich von vornherein für Gleichheit zwischen uns sorgen. Vielleicht war das ja mein heimliches Problem in dieser Beziehung gewesen. Aber es ist müßig, das jetzt hier zu rekonstruieren, denn Lukas' Hormone feierten ihre Party ja inzwischen woanders. Wir sahen schön aus, zu zweit am Tisch, da war ich mir sicher, der Caféhund, der hier draußen herumlungerte und traurig schaute, legte sich sofort zu uns in den Schatten des Tisches, als wären wir seine Familie. Eine kleine, schweigende Familie. »Kasih, das ist so schön, dass das geklappt hat, dass wir uns sehen, also, ich weiß das wirklich zu schätzen«, sagte Lukas und beim letzten Teil seines Satzes veränderte sich sein Gesicht, als wäre ihm plötzlich wieder eingefallen, wie schuldig er sich gemacht hatte, als er immerzu mit der tollen Frau von nebenan gesprochen, gelacht, geschrieben und geliebäugelt hatte. Als habe er das bis eben vergessen und sich erst jetzt wieder daran erinnert, wie sehr er sich selbst dafür verachten sollte. Dafür, dass sie sich irgendwann immer wieder zufällig in der Uni-Mensa getroffen und miteinander gegessen hatten, dass sie miteinander spazieren gegangen waren und ach, was weiß ich, wie genau das mit ihnen angefangen hat. Vielleicht veränderte sich sein Ausdruck auch, weil der faulige Geruch des eigentlich so idyllischen Kanals zu uns herüberzog. Lukas schwieg jetzt und ich schaute ihm gelassen in seine schmalen, hellen Augen, beneidete ihn einmal mehr um seine von Natur aus geschwungenen Wimpern und gab mir Mühe, nicht leidend auszusehen, sondern wie eine Person, die ihren Kehlkopfkrebs mit Würde trägt. Es gibt diese Frauen in Filmen, die in fortgeschrittenem Alter unheilbar erkranken und kahlköpfig zu ihrer wahren Stärke finden, für die jeder sie bewundert. So war ich, auf dem kleinen Holzstuhl. »Es freut mich auch, dich zu sehen«, sagte ich mit einem sehr erhabenen Lächeln, »wie geht es dir?« Lukas überlegte, schnaubte, schaute dabei auf sein Handy, als stünde dort die Antwort und schaute sofort wieder weg, als wäre die Antwort, die er dort sah, nicht für die Öffentlichkeit, sprich: für mich, gedacht. »Ich hatte heute zu viel Kaffee, glaube ich, aber sonst ganz gut.« »Zu viel Kaffee, das geht?«, fragte ich und dachte in Wirklichkeit: Was für eine geschickte Antwort. »Also, wenn man den Kaffee so trinkt wie du, geht das vermutlich nicht, wenn man richtigen Kaffee trinkt, geht das schon«, sagte er, und ich lachte, denn ich war schlagartig wieder zu jemandem geworden, den er gut kannte und über den er sich lustig machen konnte, was mir besser gefiel als die Rolle der kahlköpfigen Kranken. »Dann mache ich das mit dem Kaffee ja wohl irgendwie besser als du«, sagte ich und freute mich, dass er auch lachte. Kaffee war eines dieser Felder gewesen, auf denen wir uns immer wieder kleine Streitereien geliefert hatten. Solche Streitereien, die einem egal sind, bei denen man aber gleichzeitig einen merkwürdigen Ehrgeiz an den Tag legt. Wenn Lukas den Kaffee kochte, war er mir immer zu stark, wenn ich ihn kochte, war er ihm zu schwach. Darüber ärgerte sich jeder von uns regelmäßig aufrichtig und gleichzeitig gefielen wir uns in unseren Rollen, wenn wir uns damit aufzogen. Als der Kellner kam, ein Typ, der sich Mühe gab, sich nicht zu beeilen, als gehörte das in dieser Stadt zum guten gastronomischen Ton, bestellten wir beide eine Tasse Kaffee und lächelten uns an. Wir hatten wohl beide das Gefühl, dass unser Treffen ganz gut lief, und atmeten kurz auf. Lukas fragte bis zum Schluss übrigens nicht, wie es mir ging, was ich unter Sensibilität verbuchte, auch wenn ihr jetzt vielleicht sagt, das war Ignoranz. Ich kenne ihn aber besser als ihr, Lukas war sensibel, wie immer. Er war sensibel und ein Arschloch, aber das schließt sich ja nicht aus. Die Leute in den geleakten Mörder-Chats waren ja auch schrecklich sensibel, was ihre merkwürdigen Ängste anging, aber das Thema gehört hier jetzt nicht hin, es gehört eigentlich nirgendwo hin, aber ich dachte jetzt: Wenn Lukas und mir die Gesprächsthemen ausgehen, dann kann ich ihm vielleicht erzählen, dass ich mir eben diese Sondersendung anschauen musste und dass Saya ständig dieses Zeug liest, denn wie ich Lukas kenne, als immer und ewig gut informierten Zeitungsleser, würde er bestimmt etwas dazu sagen können, was ich hinterher eins zu eins

Saya gegenüber wiedergeben könnte. Irgendwas juristisch Klingendes. Das war mein Rettungsanker, den ich ab jetzt gegen die Stille bereithielt. Nazis und Saya. Ich würde es sogar als spontanes Gesprächsthema verkaufen können, denn am Tisch nebenan saß ein Mann und las ein Nachrichtenmagazin, auf dessen Cover bedrohlich rot das Symbol der Nazigang prangte.

By the way: Euer Ernst, Nachrichtenmagazin? Das war euer Cover an diesem ersten Prozesstag? Ich hoffe, im Innenteil waren wenigstens Interviews mit den Angehörigen zu lesen. Mit den Angehörigen der Opfer, meine ich, nicht mit denen der Täter.

»Toll, dass du heute Zeit hast«, sagte Lukas jetzt, »ich dachte, es ist besser, wenn wir uns treffen, als wenn wir telefonieren, du telefonierst ja auch nicht so gern und so.« Kurz stellte ich mir vor, wir hätten telefoniert und seine neue Freundin hätte es mitbekommen. Wahrscheinlich ging es ihm eher darum. Sich mit der Ex-Freundin zu treffen, wirkte erwachsen, zu telefonieren wirkte, als gäbe es etwas zu verheimlichen. »Ja, das ist wirklich sehr viel besser«, sagte ich, »was gibt es denn nun eigentlich?« Der Kellner brachte unsere Kaffees, stellte sie uns umständlich hin und verschüttete dabei die Hälfte auf den Untersetzer mit den kleinen Marzipankeksen. Danke auch, du Arschloch, dachte ich. Wenn ich schon in so einem hippen, überteuerten Laden sitze, würde ich gerne jeden Schluck, den ich bezahle, auch genießen. Früher, wenn ich krank war, hatte meine Mutter den Tee immer erst in den Untersetzer geschüttet, einmal gleichmäßig darüber gepustet und ihn mir dann an

die Lippen gehalten, sodass ich ihn leer schlürfen konnte, ohne mich zu verbrühen. Das konnte ich ja gleich auch mit dem Kaffee machen, mal sehen, wie sie dann schauen würden, die lässigen Leute mit ihren MacBooks um mich herum. Geh lieber in die Shishabars nebenan, würden sie dann sagen. Shishabars waren das Sinnbild dieser Stadt, Shishas aber galten nur als cool, wenn sie vor bestimmten Menschen standen, ansonsten waren sie das Synonym für Gangsterclans, Drogenkartelle und andere Begriffe, die man in deutschen Fernsehserien und Regionalzeitungen lernen konnte. Wir dankten dem Kellner sehr freundlich, der daraufhin seine selbst gedrehte Zigarette hinter dem Ohr hervorholte, sich ein paar Schritte entfernte und rauchte, als hätte er gerade etwas Anstrengendes vollbracht. Vielleicht sollte ich einfach Kellnerin werden, dachte ich, das schien dem Ego zuträglicher zu sein als das, was ich gerade so tat.
»Ich weiß ja, dass du immer noch auf Stellensuche bist«, sagte Lukas. Ich hob meine Tasse, nahm einen Schluck und wusste, dass Lukas Zucker brauchen würde. Auf den Nachbartischen stand kein Zucker, das hatte ich schon gecheckt, Lukas würde den rauchenden Kellner fragen oder reingehen müssen. Er würde entweder das, was er gerade sagen wollte, abbrechen müssen, oder seinen Kaffee noch nicht trinken können. Lukas nahm die Tasse in die Hand und stellte sie wieder ab, er schien um irgendwas zu ringen.
»Also, ich weiß ja auch, was du alles kannst, Kasih, du hast mir ja damals bei meiner Diplomarbeit geholfen, und ich weiß ja auch sonst, dass du mega klug und zuverlässig bist und deine Sachen gut machst und mitdenkst.« Er drehte unauffällig den Kopf zur Seite und scannte den Nachbartisch und den Tisch daneben nach Zucker ab, »Ich weiß

noch, wie wir spätnachts die Arbeit noch mal ausgedruckt haben, weil du alles perfekt machen wolltest und noch kleinste Fehler in den Fußnoten gefunden hast, ich weiß noch, wie du alles wieder und wieder gelesen hast, dabei war es ja meine Arbeit und nicht deine, aber du bist eben sehr ordentlich mit allem.« Er drehte den Kopf unauffällig zur anderen Seite und kam endlich zu dem Schluss, dass es hier draußen keinen Zucker gab. »Das war eine schreckliche Nacht, als wir mit der Arbeit zur Uni gefahren sind und das Gebäude mit den Postfächern natürlich verschlossen war«, sagte ich, damit ich auch etwas beisteuern konnte und nicht auffiel, wie verlegen ich war. Lukas nickte aber nur und drehte den Kopf Richtung Café, um festzustellen, dass der Kellner gerade eine Zigarettenpause einlegte. Lukas schaute die Tasse an und seufzte. »Ja, stimmt, das war dann ja auch noch«, sagte er, »hatte ich vergessen! Bei mir ist hängen geblieben, wie viel Arbeit du in den Text gesteckt hast und dass meine Mutter so beeindruckt war, als ich ihr davon erzählt habe. Von deiner Sorgfalt und deiner Hilfsbereitschaft.« Das stimmte. Seine Mutter war nicht so leicht zu beeindrucken, aber dass ich die Arbeit immerzu gelesen und korrigiert hatte, schien irgendwie ihren Ansprüchen, wie man zu arbeiten und füreinander da zu sein hatte, zu genügen. Ich hatte diese Ansprüche, denen sie selbst hauptsächlich in ihrer eigenen Arbeit als Gynäkologin in einem Kinderwunschzentrum gerecht wurde, nie ganz verstanden und war überrascht, dass ich sie einmal in all den Jahren aus Versehen erfüllt hatte. »Meine Mutter redet immer noch davon«, sagte Lukas und lächelte mich an. Dass seine Mutter nicht mehr Teil meines Lebens war, bedauerte ich kein bisschen, aber er lächelte schon wieder so entschuldigend, als müsse er mir so etwas sagen, als Trost dafür, dass ich seine Mutter jetzt nicht mehr jeden Sonntag sah. »Kasih, tut mir leid«, sagte er jetzt schlagartig und stand auf, »ich muss mal rein, mir Zucker besorgen.« Das hätte ich dir auch die ganze Zeit schon sagen können, dachte ich. Genau wie ich dir jetzt auch sagen könnte, dass deine Mutter in knapp drei Wochen Geburtstag hat und du dir Gedanken über ein Geschenk machen solltest. Dass Neil Young zufällig eine Woche nach ihrem Geburtstag in der Stadt sein würde und du, wenn du früher an solche Dinge denken würdest, ein geniales Geschenk für sie hättest. Zu der Zeit aber, als die Konzertkarten online gingen, warst du leider gerade damit beschäftigt, dich von mir zu trennen, und ich, die dich darauf hätte hinweisen können, hätte den Teufel getan, dir zu helfen.

Lukas kam mit dem Zuckerstreuer zurück und sah mit einem Mal viel entspannter aus als vorher. Er würde vermutlich zwei Tage vor ihrem Geburtstag an ein Geschenk denken, und ich freute mich ehrlich gesagt darüber, dass er derartig aufgeschmissen sein würde, nachdem ich ihn jahrelang mit supertollen Ideen versorgt hatte, was man seinen Familienangehörigen würde schenken können, und er dafür den Dank einsackte, ohne je auf die Idee zu kommen, dass in meiner Familie auch manchmal jemand Geburtstag haben könnte, aber okay, den feierte ja auch nie jemand. Lukas ließ den Zucker in seinen Kaffee rieseln, als ich meinen letzten Schluck nahm. Dann widmete ich mich meinem aufgeweichten Keks und sah dem Zucker zu, wie er nicht aufhörte, in die kleine Tasse zu rieseln. Lukas trank den Kaffee mit wirklich viel Zucker, fiel mir auf. Mit sehr viel Zucker. Mit einem Mal dachte ich, dass es ja auch leicht war, auf starken Kaffee zu bestehen, wenn man ihn hinterher ohnehin süßte, als würde man Kakao daraus machen wollen. »Also, was ich eigentlich die ganze Zeit sagen will, ist, dass ich glaube, dir eine Stelle vermitteln zu können, ich aber weiß nicht, ob das angebracht ist«, sagte Lukas und stellte den verdammten Zucker endlich auf den Tisch. »Was?« »Ja, das klingt jetzt natürlich irgendwie unangebracht, aber ich finde, du hast es verdient, dass du endlich aus diesem Sumpf rauskommst, und ich habe jetzt die Möglichkeit, dir zu helfen, und würde das gerne tun. Aber ich weiß halt nicht so richtig, ob das nicht völlig daneben ist, nach allem, was war. Wahrscheinlich ist das etwas, was nur du entscheiden kannst.« Er rührte in seinem Kaffee und sah dabei irgendwie hilflos aus. Mein Herz raste, als wäre ich gerade per Spotlight aus dem Publikum herausgewählt worden, um nach vorne zu kommen und den Jackpot mit nach Hause zu nehmen. Es war mit einem Mal alles sehr folgerichtig, unsere Beziehung, die Trennung, diese überraschende Wendung hier. Es wäre alles so gerecht und richtig und gut. »Also ich denke wirklich, dass ich dir da helfen kann, denn es ist eine Freundin meiner Mutter, die jemanden mit deinen Qualis sucht, gerade Bewerbungen von Soziologinnen wünscht sie sich, und wenn du dich bewirbst, könnten wir sie ja beiläufig wissen lassen, dass du nicht einfach eine Bewerbung unter vielen bist, sondern sozusagen der Hauptgewinn.« Ich dachte, dass das nach reiner Fairness klang, dass ich noch nie in meinen Leben so etwas wie Vitamin B hatte, denn dafür musste man entweder die Mühen der sozialen Vernetzung auf sich nehmen oder sich in ein von früheren Generationen angelegtes familiäres und bekanntschaftliches Becken stürzen. Lukas erzählte gerade sehr vage von der Freundin seiner Mutter und der Institution, doch ich konnte ihm nicht richtig zuhören, denn ich sah mich die Showbühne betreten und die Geldscheine entgegennehmen, an ihnen riechen, sie in die Luft werfen. »Ich weiß nur wirklich nicht, ob ich derjenige bin, der da jetzt kommen und dir helfen sollte, denn ich bin ja gleichzeitig auch jemand, der gerade verantwortlich für deinen Sumpf ist«, sprach Lukas weiter. Kurz dachte ich daran, das Ganze etwas abzukürzen, indem ich etwas wie »Du, Lukas, kein Stress, ich freue mich eher, wenn du am Ende zu was zu gebrauchen warst« sage, aber das hätte ihn vermutlich zum Weinen gebracht.

Der Kellner drehte sich seine zweite Zigarette, schaute zu uns rüber und schien zu überlegen, ob er sie nun hinter sein Ohr klemmen oder anzünden sollte. Der Hund unter unserem Tisch war eingeschlafen und ich konnte es ihm nicht verübeln. Zwei Männer setzten sich an den Tisch neben uns, der Kellner blickte verbittert zu ihnen hinüber, dann kurz woanders hin und zündete sich trotzig die Zigarette an. Vielleicht weil die beiden Männer ihre E-Vaper ausgepackt hatten. Seit es gesellschaftlich legitim war, als Mann in aller Öffentlichkeit nach Gummibärchen und Spice-Girl-Deo zu riechen, hatte ich den Eindruck, dass wir der Gleichheit der Geschlechter einen Schritt näher gekommen waren. Der Kellner aber sah so aus, als wäre stattdessen ein neuer Kampf um gelungene Männlichkeit entbrannt.

»Ich muss mich dann auch langsam aufmachen«, sagte Lukas, »tut mir leid, dass ich nicht so viel Zeit habe, aber ich fand es wichtig, dass wir uns so schnell wie möglich treffen, so eine Bewerbungsphase ist ja auch irgendwann vorbei und du solltest dich beeilen. Also, falls du überhaupt willst, dass ich mich einschalte.« Ich nickte und sagte, dass ich für ihn zahlen würde, einfach, damit wir nicht auch noch zu zweit auf den Kellner warten mussten. Er schaute erleichtert und schuldig zugleich, denn wenn man Lukas ist, kann man das, und ich hatte plötzlich richtig gute Laune, konnte aber erst, als wir uns umarmt hatten und er gegangen war, durchatmen und einmal durch die Gegend lächeln. Der Kellner schaute ungerührt zurück.

^^^

Was ich Lukas übrigens wirklich übel nehme, ist gar nicht mal die Sache mit der anderen Frau. Die nehme ich ihm natürlich übel, aber wie es mir damit geht, was das mit mir und meinem Selbstwertgefühl macht, das könnt ihr in tausend Seifenopern, Hollywoodfilmen und Schrottbüchern nachlesen. Ich sage euch: Es ist genau so, wie es dort steht, und kein bisschen anders. Ihr hattet ja auch mal Liebeskummer, ihr wisst, was ich durchmache. Aber für dieses Thema habe ich mein Tagebuch und ihr einen Fernseher, das gehört hier nicht hin, das geht euch auch nichts an. Weil Lukas hier aber plötzlich zur Figur geworden ist, obwohl ich das gar nicht wollte, er sich aber reingedrängt hat, wie männliche Figuren das immer so machen, muss ich trotzdem noch einmal erwähnen, dass er mich verlassen hat und ich nicht einfach sagen kann: Er hat sich getrennt, denkt euch den Rest. Denn das Wort »verlassen« ist hier ganz wörtlich gemeint, ich fühle mich verlassen, seit er weg ist. Nicht, weil mein Herz gebrochen ist, nicht, weil ich die neue Frau da draußen so hasse, nicht, weil ich jetzt zu einem Häufchen Elend im Jogginganzug geworden bin. Sondern weil ich wieder eine Farbe habe, seit er weg ist und ich mich eigentlich wirklich fest darauf verlassen hatte, dass ich in diesem Leben keine mehr haben würde. Vielleicht die Blicke auf der Straße, vielleicht die Verwirrungen, wenn ich meinen Namen nenne, vielleicht unangenehme Nachfragen und Gespräche über meine angebliche Herkunft, auf die ich keine Lust habe, na gut, solche Dinge wird man nie los, schon klar. Aber ich dachte, meine Biografie sei ab dem Moment, in dem wir uns ein Paar nannten, zu einer richtigen und unauffälligen, normalen Biografie geworden.

Lukas und ich haben über Kinder gesprochen, in irgendeiner unbekannten Zukunft, das ist ja auch das, was man so macht. Es war klar, dass das gerade nicht ansteht, denn damals wie heute hatte ich ja keinen Plan, was der nächste Monat bringt, aber irgendwann würden wir im Taxi sitzen, ich mit Wehen, er mit attraktiv gestresstem Gesichtsausdruck, wir würden den Kreißsaal mit meinen Schreien füllen und mit seiner Ruhe wärmen, wir würden dann ein friedliches Bündel Mensch in den Armen halten, umgeben von der Reinheit des Krankenhausbettes. In meiner Vorstellung von damals gibt er mir einen Kuss auf den Scheitel und ich seufze und bin trotz des Marathons der Geburt wunderschön. Von diesem Moment an läuft alles so, wie es bei allen anderen immer schon lief. Wohnungssuche? Kein Thema. Wir schreiben Anfragen von seiner Mailadresse aus, sein Name klingt nach Einkommen und Einbauküche, nach regelmäßigem Mieteingang und der strikten Einhaltung des Reinigungsplans im Treppenhaus. Dass wir eine Wohnung bekommen, weil alle anderen Anwärter Flüchtlinge und Hartz-IV-Empfänger sind, würde ich ignorieren, vielleicht sogar einfach vergessen. Dass wir einen Kitaplatz kriegen, in der Stadt, in der niemand einen Kitaplatz kriegt, weil »Mixed Couples« so süß sind, geschenkt. Dass man mit mir ein bisschen Diversität in die Elterninitiative zaubert, ohne sich dabei auf das Wagnis fremder Kulturen und Gräuel wie Sprachbarrieren einlassen zu müssen, was soll's. Manchmal muss man ja wohl auch von dem profitieren können, was einem sonst das Leben schwer macht. Wir zaubern die Hindernisse einfach weg, Lukas und ich, das schöne Paar, das nach Weltreise, vielen Freunden und außergewöhnlicher Wohnungseinrichtung riecht. Wir kleiden unser Kind in die Öko-Wolle von vor dreißig Jahren, die Holzspielzeuge sind noch immer frei von Schadstoffen, in dem Kinderbettchen schlief schon seine Oma und den Hochstuhl baute damals sein Vater für ihn. Das Baby-Equipment, das meine Eltern für mich hatten, war dagegen schon damals Schrott aus Plastik und Pressspanholz. Niemand weiß, auf welchem Sperrmüll oder in welchem Keller es gelandet ist, was auch völlig egal ist, da wir von einer Ahnengalerie völlig normaler Menschen behütet werden, die er in unser Altbau-Leben-mit-Stuck einbringt. Wenn wir Räume betreten, zählt der Klang unserer Stimmen, die fröhliche Begrüßung, wenn wir in Kneipen gehen möchten, dann gehen wir in Kneipen, wenn wir irgendwo essen wollen, prüfen wir die Karte und entscheiden uns, wieder zu gehen. Während des Einkaufes im Supermarkt legen wir die Einkäufe in den Rucksack und niemand verfolgt uns, bis wir sie bezahlen, und niemand verdreht die Augen, wenn wir doch lieber ein Storno an der Kasse wünschen, weil die Papayas gar nicht so günstig sind, wie wir dachten. Wenn wir uns über Menschen in der Bahn ärgern, sagen wir ihnen unsere Meinung, werden dabei gefilmt und man postet uns danach als gutes Beispiel für Zivilcourage im Internet. Wir sind beliebt und fallen nicht auf, wir sind die Normalen unter den Normalen, vielleicht sogar immer ein bisschen besser und besonderer, umgeben vom Schutz seines Tarnmantels. Jeder bringt eben etwas mit in eine Beziehung. So rosig ist die Welt da draußen und euer Alltag aber gar nicht, meint ihr? Dass ich früher oder später schon noch die Erfahrung gemacht hätte, dass die Leute auch zu jemandem wie Lukas manchmal boshaft und gemein sind? Aber ihr könnt doch gar nicht wissen, was geschehen wäre, hätte, hätte, Fahrradkette, ihr Besserwisser. Ich dagegen weiß es sehr genau. Jetzt gehe ich manchmal aus dem Haus und stelle fest, wie weiß mein Stadtteil ist und wie männlich der Stadtteil nebenan. Ich bin wie ein Krümel, der vom Tisch gefallen ist und trotzdem behauptet, Gebäck zu sein. Das ist ein witziges Bild. Es ist aber auch falsch. Ich bin überhaupt kein Krümel, ich bin Teil des Abschaums. Ein Mann hat einer Frau das und das angetan, und zwar, weil er von da und da kam und an den und den falschen Gott glaubt, sagt die digitale Nachrichtenanzeige in der Bahn. Die Menschen lesen es und werfen mir, die ich unter dem Bildschirm sitze, lange Blicke zu. Seit Lukas sich von mir getrennt hat, bin ich für alle wieder das, was ich seit meiner Geburt war. Eine immer offene Frage danach, ob ich wirklich so falsch bin, wie ich es wahrscheinlich bin, oder nur ein bisschen. Ob ich ein Problemfall bin, den man ignorieren kann, weil er sich angepasst hat und die Klappe hält, oder ob das Böse, das in meinem Blut wabert, nicht doch irgendwann an die Oberfläche gelangt. Seit es Lukas nicht mehr gibt, bin ich der willkommene Blickfang für alle, die nach greifbaren

Beispielen für das suchen, was sie Parteiinhalt nennen und direkt aus dem Sumpf der Rassenideologie kommt. *Das* nehme ich Lukas übel. Das hätte er ruhig bedenken können, bevor er gegangen ist. Aber woher sollten wir wissen, dass die Welt jetzt, wo er weg ist, eine schäbigere Welt sein würde als die, in der wir zusammenkamen. Dass die Blicke und die Rassenideologie in der Zwischenzeit eine heftige Affäre eingegangen sind, die das Straßenbild färbt, obwohl wir in der weltoffenen Metropole leben.

Die weltoffene Metropole aber ist jetzt der Ort, an dem du deine Sprache leise sprichst, dein Dragoutfit erst im Taxi anziehst, deine Kippa zu Hause lässt. Die weltoffene Metropole hat gesagt, »Fickt euch, ihr Versager, so haben wir nicht gewettet«, hat ein paar Autos in einem der südöstlichen Bezirke angezündet und ist weggegangen. Wohin hat sie nicht verraten, sonst würde ich ihr hinterhergehen. Für sie würde ich mir die Blöße geben, für Lukas nicht. Niemals. Lukas bleibt der Mann, der mir das Herz gebrochen hat und jetzt anbietet, mir eine Niere zu spenden. Ansonsten: niemand, dem man hinterherrennt.

^ ^ ^

Als ich die Wohnungstür aufschloss, hörte ich Stimmen aus der Küche und Sayas Lachen. Ein merkwürdiges, friedliches Bild bot sich mir dort: Saya, wie sie mit Robin und seiner Freundin Iris am Tisch sitzt und Nudeln isst. »Ist noch was da, wenn du willst«, sagte sie. Auf dem Herd stand die verbeulte Pfanne mit der Tomatensoße, die ich sofort als Sayas Tomatensoße erkannte. Grüne Paprikastreifen und Auberginenwürfel in einer roten Pampe mit großen

Fettaugen. Statt der Feindseligkeit, in der ich sie am Vormittag hier zurückgelassen hatte, schwebte nun ein Duft in der Luft, eine Mischung aus Heimeligkeit und Sayas Parfüm, da waren jetzt die Soße und ihr Lachen, ich atmete durch. »Robin hat die Prüfung bestanden!«, sagte Saya sofort, als ich die drei ansah, und ihr Blick verriet, dass sie mich mit dieser Aussage über eine neue Entwicklung des Tages informieren wollte. Die neue Entwicklung, die hieß: Friede, Freude, Eierkuchen. So sahen die drei auch aus, mit ihren halb leeren Tellern und Sektgläsern. »Hey! Super, Robin, ich gratuliere!«, rief ich aus reiner Höflichkeit und weniger vor Freude, denn eigentlich war mir viel wichtiger, dass hier so etwas wie Harmonie herrschte, als dass Robins Karriereweg in die richtige Richtung wies. »Mit 1,0«, sagte Iris und legte ihre Hand auf sein Knie, weswegen ich mich schnell wieder der Pfanne zuwandte und etwas wie »Das wundert mich nicht« murmelte. Ich nahm mir Nudeln, ohne zu wissen, ob ich Hunger hatte. Ich wollte die Soße, das war das einzig Wichtige. Auf dem kleinen Küchentisch, um den die drei sich gequetscht hatten, stand ein Laptop, der so ausgerichtet war, dass sie alle den Bildschirm sehen konnten. »Was schaut ihr euch an?«, fragte ich und blieb in weiser Voraussicht mit meinem Essen am Herd stehen. »Rechte Trolle«, sagte Iris und lachte, und Robin beugte sich vor, um auf der Seite des sozialen Netzwerks runterzuscrollen, und sagte, »Wir lesen dir die Highlights vor, okay?« Saya sah mich schuldbewusst an, ihr Blick und Iris' Gesichtsausdruck deuteten darauf hin, dass die drei gerade einige Zeit vor dem Laptop verbracht und dabei viel gelacht hatten. »Die sind echt völlig durch, was die schreiben ist so dermaßen weltfremd, man kann sich gar nicht vorstellen, dass das echte Menschen sind.« Robin zeigte mir das Profil eines Mannes, das wohl zu besonders großer Erheiterung geführt hatte, was ich sofort verstand, denn es wirkte so klischeehaft, als hätten die drei das Profil gerade selbst erstellt. Auf seinem Foto war der Mann mit Deutschland-Kappe zu sehen. Er beschrieb sich als »patriotisch«, schien sehr besorgt über Mikrowellenangriffe, die von der Regierung in Zusammenarbeit mit seinen syrischen Nachbarn auf ihn und seine Frau ausgeübt wurden, und war auf der Suche nach anderen Opfern solcher staatlich organisierter Folter, um sich mit ihnen verbünden zu können. Dann zeigten sie mir das Profil einer Frau, die gerne häkelte, sich Sorgen um die Zukunft ihrer Enkelkinder machte und dem Mann mit der Deutschland-Kappe unter einem seiner Posts riet, sich unbedingt starke Magnete hinter die Ohren zu kleben, sie selbst sei neulich mitten auf der Autobahn von den staatlich verordneten Mikrowellenstrahlen drangsaliert worden. Sie hätte rechts ranfahren müssen, so heftig sei es gewesen.

Ich lachte den anderen dreien zuliebe mit, denn ich wollte nicht unhöflich sein, mir schienen die beiden Leute aber vielmehr bemitleidenswert als amüsant. Ich hätte lieber betroffen den Kopf geschüttelt. Hatte denen denn niemand erklärt, dass alle Welt lesen kann, was sie schreiben? Hatten die niemanden? Ich lachte auch deswegen, weil ich es mir so schön vorstellte, wie es wäre, *wirklich* mit den dreien lachen zu können, was für eine schöne Runde wir vier abgeben könnten. Wir kannten uns so, wie Mitbewohner und Freunde von Mitbewohnern einander eben kennen, also eigentlich kannten wir uns kaum, aber es genügt ja meistens, eine gemeinsame Küche zu haben, um sich schnell auf die Themen zu einigen, die alle interessieren. Ich habe schon so oft an solchen Abenden in solchen Küchen gesessen und darüber nachgedacht, wie absurd es ist, dass Menschen sich eigentlich immer etwas zu erzählen haben und sich verstehen, wenn die äußeren Umstände, wie eben eine WG-Küche, sie zufällig zusammenbringen. Als würde so ein winzig kleiner gemeinsamer Nenner reichen, um sich aufeinander einzulassen. »Da unten, das müssen wir dir noch zeigen, da liefern sich zwei einen erbitterten Kampf darum, dass nicht-weiße Personen auf irgendwelchen neuen Werbeplakaten dargestellt werden, aber keine Asiat*innen dabei sind«, sagte Iris und scrollte nach unten, scrollte über Bilder von kriegszerstörten deutschen Städten mit traurigen Überschriften hinweg, und Saya ergänzte, »Die spinnen, die sind so rechts, dass sie darüber streiten, warum nur schwarze Männer mit weißen Frauen dargestellt werden und nicht umgekehrt, die führen am Ende die absolute Diversitätsdebatte und merken es nicht mal.« »Und zum Schluss gibt es jedes Mal Streit um die Grammatik und die Rechtschreibung«, sagte Robin und schaute mich mitleidig an. Ich kaute, nickte, noch immer vom Herd aus, und wartete auf das Ende ihrer Präsentation des Grauens. »Ich finde das gar nicht mehr«, sagte Iris und suchte weiter, »Saya, du kannst ja schon mal von deinem Nazi-Freund erzählen, bis ich das finde.« Saya und ich hatten einen plötzlichen krassen Blickwechsel. »Der Typ aus dem Flugzeug hat geantwortet«, sagte sie, »weißt du noch, dem habe ich doch gestern betrunken geschrieben.« »Hast du wirklich? Ich hatte gehofft, du hast dir das nur ausgedacht.« Saya biss sich auf die Lippe und verbot sich das Grinsen, »Nein, ich habe ihm wirklich geschrieben. Ich wusste selbst nicht mehr genau, dass und was ich ihm geschrieben habe, aber es ist wirklich witzig und am witzigsten ist, dass er geantwortet hat. Hier, schau selbst.« Saya reichte mir ihr Smartphone mit dem Chatverlauf.

Vielleicht werden die Nachrichten der beiden sowieso veröffentlicht. Deswegen ist es auch egal, ob ich das, was die beiden sich geschrieben haben, hier wiedergebe oder nicht.

Saya hatte dem Mann von ihrem Fake-Account geschrieben, den sie, wie gesagt, immer dann benutzte, wenn sie es beim exzessiven Nazi-Sichten nicht mehr aushielt und sich in die Diskussionen rechter Versager einmischen wollte. Das hat zwar noch keinen von ihnen umgestimmt, aber Saya zumindest zeitweise von der eigenen Ohnmacht abgelenkt, bevor sie sich wieder damit begnügen musste, Hasskommentare anonym als Verstoß gegen die Richtlinien des sozialen Netzwerks zu melden und ein Zwanzigstel dieser Kommentare löschen zu lassen. Sayas Fake-Profil verwandelte sie in Monika Stein, eine mittelalte, weiße, christliche Frau. Ich weiß nicht, weshalb sie ausgerechnet christlich sein musste, aber vielleicht hatte Saya festgestellt, dass Menschen keine Moral mögen, die einfach aus einer eigenen Menschlichkeit oder Vernunft erwächst, sondern besser damit umgehen können, wenn sie sich auf eine religiöse Institution stützt. »Gesinnungsethiker« und »Gutmensch« sagt man nämlich merkwürdigerweise permanent zu Linken, seltener aber zu Gläubigen und das wollte Saya ausnutzen, was darauf hindeutet, dass sie bei dieser ganzen Aktion durchaus darauf hoffte, irgendwen durch ihre Kommentare bekehren zu können. Mit ihrem christlichen Fake-Profil also hatte sie Patrick Wagenberg um vier Uhr morgens geschrieben. Die Uhrzeit war das Einzige, was auf ihren Pegel hindeutete, denn sprachlich verschlechterte sich bei Saya eigentlich nie etwas, egal wie viel sie getrunken hatte. Was sie schrieb, war in etwa Folgendes:

> Lieber Patrick Wagenberg.
> Ich habe Sie im Flugzeug gesehen. Sie sind ein unfreundlicher Mann, der so tut, als wäre er von Gott gesandt. Warum? Und warum gehört dann nicht dazu, dass alle Menschen vor Gott und Ihnen gleich sind?
> Herzliche Grüße. Moni Stein.

»Ernsthaft, Saya, das hast du ihm geschrieben?« Saya lachte und schaute Iris und Robin an, statt mich anzuschauen, sie schüttelte den Kopf, als könnte sie es selbst nicht fassen, und sagte, »Ja, ich weiß auch nicht. Ich glaube, ich wollte sehen, was passiert. Ich bin ja fast froh, ihm dann doch nicht geschrieben zu haben, dass er ein altes Arschloch ist, nachher hätte der noch meine IP-Adresse rausgefunden und mir vor der Tür aufgelauert.« »Dann wäre es wenigstens ein politisches Statement gewesen und kein reiner Bullshit«, sagte ich, aber ich beschwichtigte sie sofort, indem ich das, was ich mit erhobenem Zeigefinger hinzufügte, wie einen Witz klingen ließ, »außerdem hätte er am Ende Robin und mir aufgelauert, wenn du unser WLAN benutzt hast.« Dabei machte mir diese Vorstellung tatsächlich Angst. Um mich herum kicherten die anderen leise, als ich mich wieder Sayas Smartphone zuwandte. Er, dessen Gesicht ich jetzt also zum ersten Mal sah, hatte geantwortet:

Liebe Frau Stein.
Ich danke Ihnen für Ihre Nachricht und Ihr Interesse an meiner Person. Ich kann Ihrem Profil leider nicht entnehmen, aus welcher Stadt Sie kommen, aber daraus, dass Sie mich im Flugzeug erkannt haben, entnehme ich, dass Ihnen mein Blog bekannt ist, der ja auch über eine gewisse Reichweite verfügt. Ich möchte Ihre Fragen gerne beantworten. Ich glaube nicht, dass ich so tue, als wäre ich von Gott gesandt. Vielleicht war ich im Flugzeug zu der ein oder anderen Person etwas unfreundlich, das mag uns allen gelegentlich passieren. Ich war gereizt und habe mich über die Dinge geärgert, die auch Ihnen bekannt sein dürften. Wir leben in bewegten Zeiten. Die etablierten Politiker haben die Maximierung der eigenen Profite durch die Asylindustrie im Sinn, nicht aber das Wohlergehen von einfachen Menschen wie Ihnen und mir. Deswegen liegt ihnen auch nichts daran, dass Sie und ich keine gesicherte Existenz im Alter haben und dass Sie, so darf ich annehmen, nachts nicht allein auf die Straße gehen. Sie scheinen gläubig zu sein, das macht Sie mir sympathisch. Es sind nicht zuletzt auch die Traditionen unserer christlich-jüdischen Kultur, die daran zu Grunde gehen werden, dass der deutsche Staat an einer Einwanderungspolitik, die Menschen wie Sie zu einer Minderheit in der eigenen Heimat macht, festhält. Ich muss Ihnen zudem widersprechen: Auch in meinen Augen sind alle Menschen gleich. Wenn Sie sich mit meinen Ansichten beschäftigen würden, statt sich auf Ihre medial geformten Vorurteile zu berufen, wüssten Sie das. Das, wofür ich einstehe, hat nichts mit Hass gegen andere Völker zu tun. Ich stehe für die Ethnopluralität ein und kämpfe für ihren Erhalt. Das bedeutet zwangsläufig,

dass ich mich gegen die aktuellen Zuwanderungsströme und den großen Bevölkerungsaustausch in Europa, direkt vor unseren eigenen Haustüren, wehren muss. Wenn ich aus dem Fenster schaue, blicke ich auf unser Hinterhaus, auf das auch meine Großeltern schon schauten. Aber das Hinterhaus, auf das ich blicke, ist nicht mehr das Hinterhaus, auf das meine Großeltern blickten. Das, worauf ich blicke, sind Fenster, aus denen das Gebrüll verschiedener Sprachen, der Streit einer Mentalität schallt, die nicht zu uns gehört. Deswegen auch bleiben sie unter sich und verschanzen sich in ihrer Parallelwelt, denn das ist ihnen genauso lieb wie uns. Ich habe für diese Menschen Verständnis und unterstütze deswegen eine Politik, in der die Bedingungen in ihren Herkunftsländern verbessert werden, statt die in unserem durch ihren Zuzug zu verschlechtern. Ich möchte Sie bitten, die Mühe, die ich mir mit meiner Antwort gebe, zu honorieren, indem Sie das Märchen von Mulitkulti, an welches Sie sich, vielleicht ohne es zu wollen, gewöhnt haben, grundlegend überdenken.
Mit patriotischen Grüßen, Patrick Wagenberg.

Ich gab Saya das Smartphone zurück und setzte mich auf den Stuhl neben sie. Robin löffelte die Reste von seinem Teller und sagte, »Krass, oder?« Ich nickte. »Vor allem«, sagte er, »weil ich mir vorstellen kann, dass eine Frau Stein am Ende findet, dass da wahre Punkte drin sind.« Wir schwiegen betreten. »Mir geht das voll oft so«, fuhr er fort, »dass ich deren Schrott lese und in ihrer Unlogik verstehe, wo sie ihre Logik finden, sodass ich mir selbst noch mal ausbuchstabieren muss, was sie verkürzen.« Ich sagte nichts, weil mir das noch nie passiert war. Saya sagte nichts, weil ihr das wiederum schon häufig passiert war, sie aber entschieden hatte, dass man das nicht so offen zugeben muss. »Kennt man denn seinen Blog wirklich?«, fragte Iris. Saya sagte, »Glaube nicht. Reiner Größenwahn, dass er denkt, er würde in der Öffentlichkeit erkannt werden.« »Wurde er aber doch«, sagte ich. Ich wurde langsam sauer, weil ich mir seit zwei Tagen darüber den Kopf zerbrach, wie man Saya vor den schlechten Gedanken schlechter Menschen schützen, wie man sie ablenken konnte, sie aber in der Zwischenzeit Brieffreundschaften mit ihnen schloss, nur um panisch über sie lachen zu können. Ich war außerdem sauer, weil ich mir Wagenbergs Dünnpfiff durchlesen musste. Es tut mir leid, dass ihr euch das jetzt auch durchlesen musstet. Weil ihr aber das Internet schon mal benutzt habt, war das ja wohl nicht das erste Mal, dass ihr so was gelesen habt. Falls doch, muss ich euch noch weiter beunruhigen, denn das hier waren nur meine abgeschwächten Formulierungen, die echte Nachricht war schlimmer. Das ist wie mit dem Artikel ganz am Anfang, wisst ihr noch? In dem steht, Saya hätte vor dem Brand »Allahu Akbar« gerufen und so, der war in echt auch viel schlimmer, seid froh, dass ihr nur meine Version kennt.

»Quatsch«, sagte Saya, »ich habe seinen Namen ja nur auf der Bordkarte gesehen und konnte ihn eher zufällig zuordnen. Der Typ hat nichts zu melden, sein Blog wird auch nur von Leuten geteilt, die genauso rassistische Blogs haben; die schreiben voneinander ab, verweisen dann gegenseitig aufeinander und am Ende rät denen jemand, sich Magnete hinter die Ohren zu kleben.« »Die leben selbst in der Parallelgesellschaft, die er so ablehnt«, nickte Robin, »das meine ich mit Unlogik ihrer eigenen Logik.« »Lasst uns jetzt nicht aufdröseln, an welchen Stellen er sich irrt«, sagte ich, »da weiß man ja gar nicht, wo man anfangen soll und ob man jemals wieder aufhören kann.« Robin unterbrach mich nicht, war aber sehr nah dran, als er sofort darauf sagte, »Ja, das stimmt – vielleicht ist das aber genau die Arbeit, die wir uns machen sollten, auch wenn es viel Arbeit ist. Wir müssten ihre Parallelgesellschaft crashen, wir müssten die noch lauteren Kommentare abgeben, sie an ihrem Tun hindern.« Das sagte Robin, der noch nie auf einer Demo war, der noch nie auch nur eine Online-Petition unterschrieben hat und dessen Maximum an zornigem Engagement vermutlich darin bestand, Saya und mich, wie heute Morgen, auf unsere Lautstärke hinzuweisen. Damit keine Missverständnisse aufkamen, fügte er noch hinzu, »Man muss definitiv mit Rechten reden, alles andere ist grob fahrlässig.« Mir missfiel Robins euphorischer Aktivismus, denn ich führte ihn darauf zurück, dass er aufgrund der bestandenen Prüfung gerade gute Laune hatte und sich von Sayas Ausstrahlung anstecken ließ. Morgen würde er wieder vergessen haben, dass er gerade den Kampf gegen rechts strategisch genau ausgetüftelt hatte.

Robin erinnerte mich plötzlich an Markus, das linke Geburtstagskind mit dem übermäßigen Redebedarf. Warum waren alle Männer plötzlich so versessen darauf, dass Saya und ich mit Rechten redeten? »Die ganze Basis seines Denkens ist falsch, solange er an der nichts ändert, werden ihn unsere Argumente nicht umstimmen«, sagte ich, »die Basis seines Denkens bleibt, dass er als weißer Mensch zu bestimmen hat, was für einen nicht-weißen Menschen gut ist, was er dürfen soll und was er wert ist, und solange er das denkt und noch so gut versteckt, hat er sich als Gesprächspartner disqualifiziert.« Saya wollte gerade etwas sagen, kam aber nicht mehr dazu. »Ich hab's!«, rief Iris nämlich plötzlich und zeigte mir den Bildschirm mit dem nächsten witzigen Nazi, und ich lachte mit den anderen dreien, wobei aber deutlich wurde, dass das Lachen mit mir ein anderes war als das, was sie eben noch so harmonisch vereint hatte. »Ist es nicht auch etwas schwierig, über die so zu lachen?«, fragte ich, »Die sind ja an und für sich auch vielleicht gefährlich?« Robin wollte etwas sagen, vielleicht wollte er entgegnen, dass diese Leute nur gefährlich sind, wenn wir sie zu ernst nehmen, oder etwas in der Art, doch Iris wechselte das Thema. Sie tat das auf eine so selbstverständliche Art, dass wir es nicht einmal merkten, denn was sie sagte, war interessant und witzig und kriegte uns alle mit einem Mal. Sie erzählte irgendwas, was in ihrer WG gerade witzig und ebenfalls nicht ganz ungefährlich, in erster Linie aber sehr witzig war, und dank Iris redeten wir plötzlich über WGs und somit automatisch über Miet-Castings und fragten uns nicht einmal, was aus unserem vorherigen Thema geworden war. Heimlich atmeten wir alle durch und waren Iris dankbar. Endlich lachten wir mit gleichmäßig verteiltem Behagen. Wir lachten über WGs, die ihre neuen Mitbewohner erst einmal ein halbes Jahr zur Probe wohnen ließen, um sicherzugehen, dass sie den Wert von Klobürste und Putzplan kannten, bevor sie sie aus persönlichen Gründen wieder rausschmissen. Saya plauderte mit, war die charmante und interessierte Gesprächspartnerin, die sie sein konnte und, überhaupt, so, wie sie die vergangenen Tage nicht war, wie sie aber bis zur Perfektion gelernt hatte, zu sein – sie war höflich. Sie hörte den anderen zu, unterbrach niemanden, nickte zustimmend, fragte nach, formulierte abrundende

Sätze und goss Sekt nach, wenn ein Glas leer war. Wäre ich Robin oder Iris, hätte ich gedacht, dass jemand wie Saya doch mal öfter zu Besuch kommen sollte. Als Iris erzählte, dass sie gleich noch zu einer Veranstaltung gehen würde, die ihr wichtig war, wurde Saya stiller. Iris war eine Frau, die so normal war, wie man nur normal sein kann, weder Getto noch Pferdemädchen also, weder Sozialbausiedlung noch Waldorfschule, sie war ein Scheidungskind, hatte einen Bruder und irgendwas studiert, weil man eben studiert, und war inzwischen über die Kirche irgendwo angestellt, ohne sich jemals über die Institution Kirche gesondert Gedanken gemacht zu haben. Iris' Leben war in Ordnung, sie hatte Probleme wie jeder andere auch, schaute mit ihrem Freund Robin stundenlang Serien, kannte sich mit Arthouse-Filmen aus und war auf dem neuesten Stand, was Bücher und Debatten des Feuilletons anging. Dass sich der Begriff »Feminismus« wie selbstverständlich in die Gespräche mit ihren Freundinnen eingenistet hatte, dass er sich auf ihren Baumwolltaschen wiederfand und Thema der Veranstaltungen war, die sie besuchten, hatte sie gar nicht richtig bemerkt, er war eben da, wie zeitgemäße Begriffe da waren, und selbstverständlich würde sie sich als Feministin bezeichnen, wenn man sie fragen würde, einfach, weil man das nicht tat, zu sagen, man sei keine Feministin. Grundsätzlich fragte aber niemand in Iris' Umfeld solche Dinge, denn über die herrschte Konsens. Die Veranstaltung, die ihr wichtig zu sein schien und auf die sie gehen würde, war reiner Konsens, deswegen fragte sie auch nicht, ob uns so etwas interessieren würde, sondern ganz selbstverständlich, ob wir auch planten, hinzugehen, als könnte man davon ausgehen, dass wir uns die Frage eh schon gestellt und für uns beantwortet hatten, denn was sollte man sonst tun an diesem Abend, bei diesem unschlagbaren Angebot. Saya sah müde aus und schüttelte den Kopf. Robin sagte, dass ihm eigentlich auch nicht so richtig danach war, nach so einem aufregenden Tag weiteren Input zu kriegen, aber trotzdem: rausgehen, unter Leute kommen, das müsse er jetzt dringend, und die beiden machten sich fertig und ließen uns zwei in der dreckigen Küche zurück. Wenn sie geblieben wären, hätten wir einen schönen Abend verbracht. Die Prüfung von Robin wäre das Maximum an persönlichem Inhalt gewesen, auf das wir zu sprechen gekommen wären, das ist klar, aber wer sagt denn eigentlich, dass Persönliches automatisch besser ist als all das Schöne, Oberflächliche. Ich glaube, dass es für Saya eher viel zu persönlich war mit mir, mit Hani, sie konnte sich nicht dagegen wehren, dass ihr Ärger über die Welt in unserer Nähe immer ausbrechen wollte, auch wenn sie zwischendurch versuchte, sich zusammenzureißen. Über Robin machte sie sich ja auch nur dann lustig, wenn sie und ich allein waren. Doch kaum bin ich weg, kocht sie mit ihm Nudeln. Was bringen uns unsere Schutzräume eigentlich, wenn wir uns in ihnen eher unseren hässlicheren Seiten hingeben? Wir sollten viel öfter mit Robin und Iris Nudeln essen.

Bevor sie ging, winkte Iris noch mal in die Küche und fragte, »Ist morgen schon die Hochzeit, auf die ihr geht?«, und Saya und ich nickten, woraufhin sie strahlte und sagte, »Na dann, falls wir uns nicht mehr sehen: Feiert schön!« Sie sah dabei aus, als wären Hochzeiten der Inbegriff von Spaß und Freude, und eigentlich, fällt mir dabei auf, sind sie das ja auch. Berechtigte politische Einwände einmal außen vor gelassen – natürlich ist das ein Fest, bei dem was Schönes passiert, dafür ist es da, alle, die du lieb hast und die dich lieb haben, kommen, essen, trinken und feiern, dass du jemand anderen liebst. Das ist eigentlich kein Grund, so zu gucken wie Saya und ich guckten, als Iris mit diesen Worten fortging. »Apropos Hochzeit«, sagte Saya schnell, sodass sich kein Moment der Stille ergab, »ich habe mich gefragt: Hat Theo eigentlich Geld?«

»Wer zur Hölle ist Theo?«

»Na, Shaghayeghs Bräutigam.« Das Wort Bräutigam klang aus Sayas Mund, als handelte es sich dabei um ein Wesen aus einer Fabelwelt, etwas, was sie faszinierte, von dem sie aber annahm, dass es so etwas in Wirklichkeit nicht gab.

»Ach, der. Keine Ahnung, so gut kenne ich den nicht.«

»Sie hat gesagt, sie heiratet wegen der Sicherheit, das bedeutet doch im Klartext, sie heiratet, weil er Geld hat.«

»Oder, weil sie Geld hat. Wenn er keines hat, sparen sie zusammen Steuern. Du elende Sexistin.«

»Also, auf jeden Fall ist er kein Kronprinz, sonst wüsstest du das doch.«

»Ehrlich gesagt, ich glaube, ich wüsste das nicht. Selbst wenn er im Lotto gewonnen hätte, ich hätte das nicht mitbekommen. Shaghayegh und ich sehen uns eigentlich nie. Ich weiß gar nicht genau, warum sie uns eingeladen hat.«

»Weil sie weiß, wo sie herkommt, Mann. ›I'm still Jenny from the block‹, weißt du nicht mehr?«

»Doch. Leider schon. Saya, sag mal, kannst du nicht einfach aufhören, dich darüber zu wundern, und dich, sagen wir mal, einfach für Shaghayegh freuen?«

Das, Freunde, war das Höchstmaß an kritischer Nachfrage, das ich Saya in diesen Tagen entgegenbrachte. Ich verrate das hier und jetzt und halte es beinahe für überflüssig zu erwähnen, dass Saya so tat, als hätte es meinen Einwand nie gegeben.

»Ich finde es auf jeden Fall sehr rührend, dass Shaghayegh uns eingeladen hat. Gestern in der Kneipe wirkte sie nämlich so, als wüsste sie nicht mehr so ganz genau, warum wir uns eigentlich kennen. Wie war eigentlich dein Treffen mit Lukas?« Ich erzählte und sie fluchte. »Mach das auf keinen Fall«, sagte sie und wischte mit kleinen Brotstücken die Soße von ihrem Teller, bis er so aussah, als wäre nie etwas darin gewesen. Den muss man jetzt nicht mehr spülen, hätte sie als Kind gebrüllt und ihr stolzestes Grinsen samt Zahnlücke präsentiert. »Nimm auf keinen Fall seine merkwürdige Hilfe an. Der will dir jetzt nur helfen, um sein Gewissen reinzuwaschen. Das hast du nicht nötig.« Das klang gut und völlig realitätsfern, deswegen traf es mich, »Vielleicht habe ich es ja nötig. Vielleicht kriege ich einfach niemals einen Job, ohne Leute wie ihn«.

»Das glaube ich nicht«, sagte Saya, als ihr Handy vibrierte, »dafür bist du zu gut.« Hani hatte eine Sprachnachricht geschickt, weswegen Saya und ich beide kurz stöhnten. Sprachnachrichten waren ein absolutes Unding, besonders, wenn Leute wie Hani sie verschickten. Die Sprachnachricht dauerte sechs Minuten und war ein Livemitschnitt von Hanis Gedankenwust, in dem sie begründete, warum sie heute doch zu müde war, um noch mal aus dem Haus zu gehen und sich mit uns zu treffen. Eine Information also, die auch in zwei Sätze gepasst hätte. Hani entschuldigte sich dann in einer zweiten Sprachnachricht, die sie unmittelbar nach der ersten aufgenommen hatte, direkt noch mal dafür, dass sie heute zu erschöpft war, um das Haus zu verlassen. Saya schickte mit finsterer Miene eine Sprachnachricht zurück: »Kein Stress, wir hängen eh nur in der Küche ab.« Sie legte das Handy wieder beiseite. »Saya, dass ich gut bin, weiß ich ja, das musst du mir nicht sagen«, nahm ich das Gespräch wieder auf, als hätte es die Unterbrechung nicht gegeben, »aber dass das am Ende nicht das ist, was zählt, wissen wir ja wohl beide.« Da trafen sich natürlich zwei merkwürdige Überzeugungen Sayas. Die, dass Leute wie sie und ich uns nicht darauf verlassen können, dass wir das haben, was man faire Chancen nennen würde, und die, nach der wir alles können, was wir wollen. »Egal«, entgegnete Saya trotzdem nur, »keine weißen Retter. Sag Lukas ab, was auch immer er jetzt schon in die Wege geleitet hat.«

»Er hat gar nichts in die Wege geleitet. Wir sind so verblieben, dass ich mir erst einmal in Ruhe Gedanken darüber mache, ob ich seine Hilfe annehme oder nicht, und ihm Bescheid gebe, falls ja, damit er mir die Stellenausschreibung schicken und seiner Bekannten schon mal von mir vorschwärmen kann.«

»Was ist das überhaupt für eine Stelle?«

»Keine Ahnung.«

Saya lachte.

»Keine Ahnung«, fuhr ich fort, »er hat irgendwas Vages erzählt, aber ich habe nicht so richtig zugehört. Es ist mir auch ganz einfach egal. Hauptsache, es ist eine Stelle, die man mir geben würde. Ich nehme alles.«

Saya räumte die Teller ab. Meinen hatte sie auch mit Brot ausgewischt, spülen musste man natürlich trotzdem. Ich sah Saya aufstehen und mir fiel plötzlich auf, wie alt wir waren. Wie erwachsen. Wir waren die Leute, die die

Teller spülten, nicht mehr die, denen man die Teller füllte. »Ich bin jetzt mal ganz ehrlich«, sagte Saya, »ich mache mir Sorgen um dich und ich mache mir Sorgen um Hani.« Ich hätte beinahe laut losgelacht. Die Verrückte, die Nazi-Chat-Protokolle las wie andere Leute sich Heroin spritzten, die sich nachts gegen die Wand warf und an jeder Stelle Streit suchte, die so unausgeglichen wirkte, wie ich sie noch nie erlebt hatte, machte sich Sorgen? Um alle anderen? »Aber um mich musst du dich doch nicht sorgen.« »Pfff«, machte Saya, als verkörperte sie das geordnete, geregelte Leben in Person, »du bist ein Nervenbündel nach einem lächerlichen Jobcenter-Termin und heulst sogar öffentlich, du ordnest dich unter, gehst nach Partys früh heim und unterwirfst dich einem Mann, der kacke zu dir war, ich mache mir Sorgen! Das hättest du früher niemals so gemacht. Du hättest der Jobcenter-Lady auf clevere Art zu verstehen gegeben, dass sie ihren Job schlecht macht, du hättest eher sie zum Weinen gebracht als sie dich, du hättest dich mit jemandem wie Lukas nicht einmal mehr abgegeben, nachdem er sich als Niete erwiesen hat, geschweige denn Käffchen getrunken, du hättest das alles früher anders gemacht.« Wenn Saya so etwas sagte, dann war ich versucht, ihr einfach zu glauben. Tatsächlich dachte ich aber, dass sie da von einer Version von mir sprach, die es so noch nie gegeben hatte. Es war mir eigentlich schon seit unserer Kindheit ein Rätsel, warum sie immerzu mich für die Starke hielt, wo mich doch wirklich nichts dafür qualifizierte. »Und Hani ist ja noch mal eine ganz andere Kiste«, fuhr Saya fort, »was die über sich ergehen lässt in diesem Kackjob – und dann merkt sie noch nicht einmal, dass da was schiefläuft. Manchmal denke ich, ich müsste wieder hierherziehen, ihr zwei passt so gar nicht aufeinander auf.« Wie schön das wäre, wenn Saya wieder hierherziehen würde, dachte ich. Wenn sie nur ihren komischen Trouble mit der Welt nicht mitbringen würde. Ich mache mir Sorgen um *dich!*, wäre vielleicht die adäquate Reaktion gewesen, zieh hierher und wir bringen dich wieder in Ordnung, wir bringen uns alle gegenseitig in Ordnung. »Wie fandest du eigentlich Iris?«, fragte ich stattdessen, um das Thema unauffällig zu wechseln. »Na, nett natürlich. Wir bräuchten viel mehr nette Menschen um uns. Ich habe mir Iris angeschaut und gedacht: Wenn du mehr Freunde wie Iris hättest, dann wäre ich etwas beruhigter.«

»Iris ist doch keine Freundin.«

»Warum eigentlich nicht?« Warum eigentlich nicht. Keine Ahnung, weil ich sie mir nicht ausgesucht hatte. Weil wir nur zwangsläufig miteinander abhingen, weil ihr Freund mein Mitbewohner war. Wir unterhielten uns gut, wir verstanden uns gut, aber das reichte doch nicht, um eine Freundin zu sein. Man muss doch mehr teilen als so was. Mindestens eine Kindheit, mindestens ein halbes Leben, mindestens zwei Diskriminierungskategorien. Mit Iris konnte ich mich lange und gut unterhalten, bis irgendetwas irgendwie komisch wurde und ich mich doch wieder rauswinden wollte. Mir fiel ein, wie wir nach einer dieser Veranstaltungen über für uns neue Begriffe wie »body positivity« oder »sex positivity« geredet hatten, wir, zwei dünne Frauen, die zwar nicht mega hot waren, trotzdem aber gängige Schönheitsideale mehr oder weniger bedienen konnten. Wir saßen beide in der Küche und hatten diesen erstaunten Gesichtsausdruck, weil wir gerade Begriffe kennengelernt hatten, die ein diffuses, nie beachtetes Gefühl zu einer beschreibbaren Realität machten. Wir steigerten uns in Erinnerungen hinein, Iris sagte, dass sie all die Jahre mit Männern geschlafen und sich, wenn sie dann nicht mehr mit ihnen schlief, dafür geschämt habe, diesen Männern gegenüber Bedürfnisse geäußert zu haben. Als wäre das etwas Peinliches, dabei sei das etwas unendlich Wichtiges, und ich hörte ihr zu und nickte und sagte, dass ich wiederum mit Männern schlafen wollte und mich schämte, wenn ich feststellte, dass die das merkten, sich aber nicht für mich interessierten. Ich schämte mich dann nicht für deren Desinteresse, sondern für mein eigenes Interesse. Iris nickte, weil sie das wiederum kannte, und wir bestätigten uns beide, dass es okay war, wenn man Sex wollte, dass das außerdem unser gutes Recht war, und mal wieder traurig, dass die Welt uns das nicht zugestand. Gerade als wir da so einvernehmlich nickten und uns in unseren Erkenntnissen bestätigten, sagte Iris allerdings, dass, wenn sie jemanden kennen würde, der total sex-positiv war, das Hani sei, und ich dachte, so gravierend falsch kann man also in Bezug auf Menschen liegen, die man nicht kennt. Hani hatte schon immer viel und gerne Sex, aber sie sprach darüber nicht. Sie war zu ehrlich, um daraus ein Geheimnis zu machen, aber sie war hinterher zu beschämt, um irgendwie dazu Stellung zu beziehen. Das nämlich hatten die vergangenen Partys, die Jahre und Gerüchte aus ihr gemacht: Sie war ein knallrotes, stotterndes Gesicht geworden, das sich abwendet, sobald es um vergangene Techtelmechtel geht. Es reicht, regelmäßig Sex zu haben, um in Iris' Welt die Koryphäe der Sex Positivity zu werden. Und sie würde sekundenlang um Fassung ringen, ich weiß es genau, sekundenlang, wenn man ergänzen würde, dass zu

Hanis Sexleben natürlich nicht nur Männer gehören. Oder wenn man ihr sagen würde, dass Hani ihr erstes Mal inmitten eines Bürgerkrieges hatte, kurz bevor sie mit den Eltern endlich fliehen konnte, und dass sie damals zwölf Jahre alt war. Oder dass wir drei in unserer Siedlung umgeben waren von Sex Positivity: Die Eltern eines anderen Kindes vögelten auf dem Balkon, neun Monate später kicherten wir, wenn das Balkon-Geschwister-Baby im Kinderwagen an uns vorbeigeschoben wurde. Wahrscheinlich würde Iris das eher als Indiz für die Abgefucktheit unserer damaligen Gegend denn als feministisches Statement der zweifachen Mutter auffassen. Weil Iris nach all diesen Informationen erst mal wieder zu sich finden müsste, würde ich mich nicht mit ihr anfreunden, oder nur so ein bisschen, aber eben nicht so richtig. Deswegen habe ich seit der Siedlung keine anderen Freundinnen gefunden. Immer nur Mitbewohner und deren Freunde und eben Lukas. Eigentlich vor allem Lukas.

Saya spülte nun auch die Teller von Robin und Iris und was da noch so rumstand, Holzbrettchen und Müslischalen und Kaffeetassen, sie hatte ein breites Kreuz und musste sich, wegen der Dachschräge, ein wenig nach vorn zur Spüle beugen. Ihre Ärmel hatte sie hochgekrempelt, klar, sie spülte ja auch, aber niemand kann die Ärmel so hochkrempeln wie Saya. Von hinten, Blick auf das Kreuz und die Ärmel, sah sie aus, als würde sie gleich mit eigenen Händen, Stein auf Stein, ein ganzes Haus, eine ganze Burg bauen, sich hinterher die Hände an den Oberschenkeln abklopfen, die Ärmel wieder runterkrempeln und zufrieden im Burgturm einen Kaffee trinken. Das war die Frau, die ich kannte, so, wie sie da jetzt spülte, was keiner spülen wollte, und damit die Konflikte beseitigte, die keiner führen wollte.

Genau so, nur eben sehr viel jünger, hatte sie am Bügelbrett ihrer Mutter gestanden und Laub gebügelt, das unglaublich stank und bedenklich knisterte, und trotzdem musste sie es tun, denn Hani hatte ihre Hausaufgaben nicht gemacht. Hani hätte damals ein Blätter-Portfolio erstellen sollen, Eberesche, Ahorn, Birke, den ganzen Kram sollte sie innerhalb von sechs Wochen suchen, sammeln, pressen und am Ende, in einer Mappe, ihrem Lehrer übergeben. Weil Hani aber von Eberesche, Ahorn und Birke absolut keinen Plan hatte und nicht wusste, wie und wo man anfangen sollte, irgendetwas, was in der Natur wuchs und für sie völlig beliebig und auf keinen Fall kategorisierbar war, mit diesen Begriffen und dieser großen Aufgabe in Verbindung zu bringen, hatte sie einfach sechs Wochen verstreichen lassen. Sechs Wochen, in denen sie zwar gewissenhaft ihre Mathe- und Sachkundeaufgaben vor dem Fernseher erledigte, ansonsten aber hoffte, dass die Aufgabe »Blättermappe« einfach so aus ihrem Aufgabenheft verschwinden würde, wenn sie nur lange genug wartete. Saya, Hani und ich saßen auf den Stufen vor einem der Siedlungshäuser und lasen Zeitschriften, als Hani irgendwann fragte: »Müsst ihr auf dem Gymi auch Blättermappen machen?« Wir lachten sie aus und sagten, Quatsch, Babykram, Blättermappe, wir zeichnen Zellen und Gelenke, schau, und wir holten aus unseren Schultaschen, die wir bis zum späten Nachmittag, bis wir wirklich nach Hause gingen, mit uns herumtrugen, unsere klugen gymnasialen Bio-Hefte, und zeigten ihr Skizzen, die wir von der Tafel abgezeichnet hatten. Hani sah auf unsere Pantoffeltierchen und fing an zu weinen.

Habt ihr da draußen Ahnung von Bäumen? Geht ihr durch den Wald und erkennt das, was um euch herum wächst?

Wisst ihr, was auf dem Boden wächst, was Farn, was Reisig, was Harz ist und wie es riecht? Hört ihr Vögel und wisst dabei mehr, als dass es Vögel sind? Dann habt ihr zwar Plan von der Natur, Gratulation, aber null Plan, wie verloren Hani sich in ihrer Ahnungslosigkeit fühlte.

Sie hatte das mit der Mappe nicht aus Faulheit verdrängt, Hani war, wie gesagt, noch nie faul, sie hatte die Mappe nicht angelegt, weil sie sechs Wochen lang nicht wusste, wie und wen sie dazu fragen sollte. Und jetzt, wo die Abgabe anstand, hatte sie uns gefragt und wir hatten sie ausgelacht. »Na dann machen wir die Mappe einfach jetzt schnell«, hatte Saya gesagt und ihre BRAVO, die sie sich inzwischen selbst kaufte, zusammen mit dem Bio-Heft in den Rucksack gestopft. Sie war etwas verschämt, weil sie das Drama nicht direkt verstanden hatte, und daher erst recht voller Tatendrang. »Das geht ja eben nicht«, sagte Hani, »das ist doch das Problem, man muss die Blätter wochenlang pressen, das kann man heute nicht mehr machen.« Saya sah Hani an, als wäre sie eine enttäuschte Lehrerin. »Ich habe außerdem auch keinen Plan von Blättern«, sagte ich schnell. Hani schaute mich erleichtert an, das war die Aussage, die sie sich nicht laut zu treffen traute. Im nächsten Moment aber war sie wieder völlig panisch, denn wie hoch war die Chance, dass Saya irgendwas auf die Kette kriegen würde, wenn auch ich keinen Plan hatte? »Egal. Hauptsache, Hani hat morgen irgendwelche Blätter und nicht nix. Wir denken uns einfach was aus. Wenn wir uns beeilen, sind wir vor *GZSZ* fertig«, sagte Saya und spuckte auf den Boden. In dieser Zeit spuckten wir immer einfach so auf den Boden, das war wie ein Ausrufezeichen, das man endlich mal sah. Man musste nur aufpassen, dass man hinterher nicht reintrat. Wir gingen dann also durch den Wald, was megalangweilig war, und sammelten einfach alles. Hauptsache, es wuchs am Baum und war grün. Wir gingen mit Tüten voller Blätter, in unserer Wahrnehmung: voller Müll, zu Saya nach Hause, die von ihren Eltern erst einmal ausgeschimpft wurde. Und zwar in der Sprache, die mir so vertraut ist, dass ich sie immer, wenn ich sie zufällig irgendwo höre, mehr mit einem Zuhause verbinde als die Sprache, die meine Eltern und ich tatsächlich miteinander sprechen. Verstehen konnte ich Sayas Sprache natürlich weder damals noch heute. Es gab einen heftigen Wortwechsel, in Sayas Haushalt ging das als Streit durch, in unserem wäre das vielleicht sogar als ein angenehmes Gespräch verbucht worden. Am Ende saßen wir drei zusammen mit Sayas Eltern vor vier Büchern und blätterten in ihnen, während es draußen längst dämmerte. Die beiden Erwachsenen suchten in staubigen Lexika irgendwelche Abbildungen von Blättern, die wir dann mit unserem Müll verglichen, bevor wir das entsprechende Wort im Wörterbuch suchten, um den deutschen Namen des Baumes herauszufinden. So viel Arbeit für ein so unspektakuläres Ergebnis wie »Birke«. Sayas Mutter holte schließlich Bügelbrett, Bügeleisen und Löschpapier und bewies ihre große Cleverness. Wer ein Bügeleisen hat, braucht keine sechs Wochen zum Pressen der Blätter, sondern ungefähr dreißig Sekunden. Stumm saß Hani zwischen uns. Wir anderen hatten megagute Laune, waren ganz außer uns, Sayas Eltern unterhielten sich in ihrer Sprache und lachten. Mit Saya hatten sie zunächst geschimpft, weil man seine Hausaufgaben nicht erst einen Tag vor Abgabe machte, doch sie hatten mit dem Schimpfen bald aufgehört, weil sie schlaue Leute waren und die Situation nach und nach durchschaut hatten. Es ging hier ganz offensichtlich gar nicht um Sayas Hausaufgaben, sie hatte nur ihre Eltern irgendwie ins Boot holen wollen. Am Ende hatte Hani eine Blättermappe, in der vier der zehn geforderten Blätter klebten, und ein paar andere, die der Lehrer nicht genannt hatte. Saya bügelte weiter, als Hani längst mit dem Klebestift und dem Schnellhefter in ihrer Wohnung verschwunden war. Ich sah sie von hinten, als ich mich verabschiedete, als ich, nach getaner Arbeit und einem ereignisreichen Tag, endlich nach Hause ging. Sie stand wie eine Erwachsene am Bügelbrett und schwieg und bügelte stinkende Blätter, ohne Grund, ohne Sinn, in Gedanken versunken, noch den ganzen Abend lang, als könnte sie so nicht nur Hanis Biologie-Note, sondern die ganze verdammte Welt retten. *GZSZ* hatte sie an diesem Abend verpasst.

Jetzt baute Saya aus dem gespülten Zeug einen professionellen Turm des Trocknens und summte vor sich hin. Vielleicht war ja alles wieder gut, dachte ich, vielleicht war das alles, was sie gebraucht hatte, ein halber Tag alleine in meiner WG, ein schönes Gespräch mit nudelessenden Leuten, die nicht von Rassismus betroffen sind und eine Leichtigkeit mitbringen, die abfärbt. »Heute Nacht läuft eine ganz neue Doku über die Nazigruppe«, sagte sie da auch schon und fing an, die ersten Sachen mit dem schmierigen Küchentuch abzutrocknen, weil die Dachschräge keinen allzu hohen Turm zuließ, »die haben deren Eltern interviewt und Leute, mit denen sie aufgewachsen sind.« Sie drehte sich um und sah mich an, und ganz ehrlich, ihr Gesicht sah warm und liebevoll aus. »Wollen wir uns das nachher zusammen anschauen?« Natürlich nicht. Nazis und Nazi-Eltern? Wie schrecklich. Am Ende waren die sympathisch, was machte man dann? Ich nickte trotzdem, langsam. Sayas Handy vibrierte schon wieder. Hani rettete mich aus meiner Verpflichtung. »Ich fühle mich schlecht, Leute«, verkündete ihre schuldbewusste Sprachnachrichtenstimme, »ich will euch gar nicht versetzen, übermorgen fliegt Saya ja schon wieder, also anderer Vorschlag: Wir treffen uns bei mir um die Ecke, dann habe ich keinen so weiten Weg und wir sind an der frischen Luft. Ich kenne eine gute Bank, da kann man sitzen.« Saya hängte das Küchentuch über die Stuhllehne. »Na, halleluja«, sagte sie, »auf zur nächsten Baustelle.«

^^^

Was man zusammenfassen kann, ist, dass Saya mit Hani und mir nicht zufrieden war, weil ich *zu* weinerlich, Hani dagegen nicht weinerlich *genug* war. Dabei hatte Saya, als sie hierher geflogen war, eigentlich gedacht, sie besucht jetzt die beiden Ninja Turtles, mit denen sie die Welt retten kann. Wie sie auf diese Idee gekommen ist, verriet sie uns nicht. Es ist ja irgendwie auch schmeichelhaft, dass sie dachte, wir seien Ninja Turtles, aber ich fragte mich wirklich häufig, ob Saya sich ihre beiden Freundinnen eigentlich mal genauer angeschaut hatte. Saya war uns gegenüber verblendet, und ich würde den Teufel tun, das richtigzustellen. Wenigstens eine Person, die mich abfeierte. Die Vorwürfe, die Saya nach diesen Tagen in Sachen Weinerlichkeit gegen uns erhob, waren dementsprechend so lasch, dass wir sie nicht weiter kommentierten. Das mussten wir auch gar nicht, denn Saya hatte sehr konkrete Forderungen an uns: erstens, dass Hani ihren Job entweder kündigt oder vor ihrer Chefin auf den Tisch haut und sagt, was für sie falsch läuft, und zweitens, dass ich Lukas' Hilfe ablehne und von nun an Bewerbungen verschicke, in denen ich mich als der Hauptgewinn verkaufe, der ich bin. Als hätte ich das nicht ohnehin schon gemacht. Hani und ich waren so verwirrt über die Tatsache, dass Saya liebevoll unzufrieden mit uns war, dass wir uns kommentarlos in die Rollen fügten, die sie damit verteilt hatte. Wir hatten alles falsch gemacht, folglich waren wir nicht in der Position, uns um sie zu sorgen. Sie wiederum wirkte nach ihren Ermahnungen so zufrieden und entspannt, dass wir uns dafür alles hätten vorwerfen lassen.

Wir saßen auf der Parkbank, es roch nach Hundescheiße, und die Leute, die an uns vorbeigingen, schauten uns nicht an und unterbrachen ihre Gespräche kurz, bis sie an unserer Bank vorbei waren. Als spürten sie, dass wir uns über jeden Gesprächsbrocken, der uns erreichen könnte, lustig machen würden. Wir knackten Sonnenblumenkerne und erweiterten die Sammlung heller Schalen, die bereits unter der Bank lag und von vielen anderen guten Gesprächen anderer Freunde zeugte. Ich schaute Sayas Beine und dann meine an und stellte erstens fest, dass das für mich die vertrauteste Konstellation von Beinen auf einer Bank war, und zweitens, dass Saya im Leben immer alles absolut richtig machte. Was war eigentlich noch mal so falsch daran, dass sie diese Nazi-Chat-Protokolle las? Das waren immerhin Nazis, man muss seinen Feind doch kennen. Deswegen waren diese Protokolle überhaupt an die Öffentlichkeit gelangt: weil viele Menschen, nicht nur Saya, ein Interesse daran hatten, die Gefahr zu kennen, die sie umgab, alles daran war doch einleuchtend. Sie schien ja außerdem in der Lage zu sein, über diese Menschen zu lachen. Vielleicht hatte Saya sich nachts gegen die Wand geworfen, vielleicht hatte ich das aber auch einfach geträumt. Von so einem Phänomen hatte ich schließlich noch nie gehört, das musste ich mir doch eingebildet haben. Und falls nicht: Wer sagte denn, dass sie das regelmäßig tat? Vielleicht hatte es ja auch schon wieder aufgehört. Das mit meinem Mitbewohner und ihrem merkwürdigen Groll auf ihn wegen nichts und wieder nichts hatte ja auch aufgehört. »Boah, bin ich froh, dass wir doch noch mal raus sind«, sagte Hani, »entschuldigt mein Hin und Her.« »Hör doch endlich mal auf, dich ständig zu entschuldigen«, sagte Saya, und Hani nickte schnell und wollte weiterreden und fing an mit »Stimmt, sorry«. Saya verdrehte die Augen und ich fühlte mich gut. Ich saß zwischen den beiden wie ein Baby zwischen zwei Menschen, die für es da sind. »Ich wollte halt echt nicht raus, aber ihr habt geschrieben, dass ihr eh nur in der Küche sitzt und nichts macht, und das klang so verlockend, aber die Küchen in dieser Stadt sind immer zu weit voneinander entfernt.« Saya und ich sagten gar nichts, weil es eine zu banale Feststellung war.

In Hanis Leben war das alles andere als eine banale Feststellung. Wir hatten vor Jahren einmal über unsere frühesten Kindheitserinnerungen gesprochen, und Hanis frühe Erinnerung war zwar weniger spektakulär als die von Saya an die Flucht über die Berge, beschrieb dafür aber nicht weniger eindrücklich, wie sich die Dinge in einem einzigen Leben entwickeln konnten. Zu Hanis ersten Kindheitserinnerungen zählte, auf dem kalten gefliesten Küchenfußboden zu sitzen, während ihre Mutter und deren Schwestern rauchend am kleinen Tisch saßen und in schneller Sprache, mit rollenden Rs und kehligem Lachen von ihrem Leben erzählten. Hani verstand sie nicht, ihre Mutter sprach mit ihr in der Sprache ihres Vaters. Für Hani war das Gespräch der Tanten ein einziges Konzert, bei dem sie zwar die Töne und Melodien als solche erkannte, Titel und Texte aber nicht ausgehändigt bekommen hatte. Die Gespräche begannen heiter, alle redeten durcheinander, mal lachten alle, mal nur die Person, die gerade sprach, man gestikulierte wild, und wenn eine der Frauen ihren Blick auf Hani richtete, dann versetzte es sie in wildes Entzücken, man salbte Hani ein mit einer Freude und einer Fülle an süßen Phrasen. Dann aber, daran erinnerte Hani sich noch, gab es irgendwann den Moment, in dem die Stimmung kippte, in dem die Frauen ernster wurden, schließlich nur noch das Knistern der Zigaretten zu hören war und eine der Frauen weinte. Es war immer eine andere Frau, die weinte. Es waren immer die übrigen Frauen, die jetzt nacheinander und besonnen sprachen. Irgendwann stand jemand auf, um neue Zigaretten zu holen. Am Ende weinte niemand mehr und man redete wieder ganz normal. Nicht laut, nicht durcheinander, nicht weinend, nicht tröstend. Dann gingen die Tanten wieder, bevor die Männer nach Hause kamen. Manchmal, zu besonderen Anlässen, kamen die Tanten mit ihren Männern, und Hani war jedes Mal froh, wenn sie wieder gingen und der einzige Mann, der blieb, ihr schnauzbärtiger Vater war, der jedes Mal so wirkte, als wäre auch er froh, dass die Männer weg waren. Die Männer, die so gar nicht zu den lauten Tanten zu passen schienen, die sich nie um Hani scherten, die auf den Sofas saßen und mit tiefen Stimmen einander immerzu zuzubellen schienen. In Hanis Wahrnehmung hatten sie nie eine menschliche Sprache gesprochen. Wenn die Tanten und Männer gegangen waren, wurde ihr Vater manchmal ganz albern, lag mit ihr auf dem Küchenfußboden und sie schauten der Mutter beim Aufräumen zu. Als der Krieg kam, wurden die Treffen der Frauen sporadischer, abhängig von Sperrzeiten und Bombardierungen, aber sie fanden statt, auch wenn die Frauen nach und nach weniger wurden, weil sie das Land verlassen hatten oder kurzzeitig untergetaucht waren.

Später, in Deutschland, als sie bleiben durften, weil sie inzwischen anstatt des Krieges, der ihnen hierzu ursprünglich die Berechtigung gegeben hatte, gute Schulzeugnisse von Hani und ihrem Bruder vorweisen konnten, machte Hani ihre Hausaufgaben manchmal immer noch auf dem Küchenfußboden, während aus dem Wohnzimmer die Geräusche des einsamen Fernsehers zu hören waren. Die Mutter rauchte zwar nicht mehr in der Küche, Besuch hatte sie trotzdem ständig. Nicht von den Schwestern, die waren inzwischen über den Planeten verteilt und weinten nun entweder allein oder in fremden Küchen. Hanis Mutter hatte Besuch von der Nachbarin mit dem Kopftuch, von ihr und ihrer Großtante, von der jungen alleinerziehenden Mutter, die unter uns wohnte. Sie gingen zum Rauchen auf den Balkon, und weil sie sich auf Deutsch verständigen mussten und Hani alt genug war, um ihre Probleme zu verstehen, packten sie erst dort die richtigen und wichtigen Details aus. Durch die Glasscheibe erreichte Hani wieder nur ein Wirrwarr aus Satzmelodien, deren Inhalt für sie unwichtig blieb, denn die Melodien waren die gleichen wie damals auf dem Küchenfußboden und die Tränen liefen bei den Frauen zwar leiser und ohne die Selbstverständlichkeit der Tanten, aber sie liefen. Hanis Mutter schwieg meist, redete manchmal, lachte am Ende mit den Frauen und ging auch jetzt, wenn nötig, zwischendurch Zigaretten kaufen.

Als Hani alt genug war, um vor ihrer Mutter zu rauchen – wobei sie zu diesem Zeitpunkt in den meisten Familien als noch nicht einmal alt genug gegolten hätte, um überhaupt zu rauchen –, änderte sich ihre Perspektive von der des auf dem Boden sitzenden Kindes zu der einer der Frauen am Tisch. Selbst wenn sie und ihre Mutter keinen Besuch hatten, saßen sie dort und redeten, und es war Hani ein Rätsel, wie ihre Mutter es schaffte, hilfreiche Dinge zu sagen, obwohl Hani nie auch nur ansatzweise von einem Problem berichtet hatte. Wenn die Mädchen in der Schule Hani auslachten, die Jungs ihr wegen vorangegangener Geschichten die kalte Schulter zeigten und gleichzeitig versteckte Annäherungsversuche starteten, tat Hani natürlich den Teufel, ihrer Mutter davon zu erzählen. Wer macht das schon. Die Gespräche halfen trotzdem. Ihre Mutter erzählte von der und der Situation, von dieser und jener Person, von Verhältnissen, Intrigen, selbstbewussten Entscheidungen und davon, dass am Ende alles gut wurde, weil die Leute einfach gut waren und gute Menschen einander am Ende immer finden. So einfach war das und Hani ging am nächsten Tag erhobenen Hauptes zur Schule.

Irgendwann hatte Hanis Mutter die Zigaretten gegen Eukalyptusbonbons getauscht. In dem Neubaugebiet, in dem sie ihr geliebtes Haus gebaut hatten, waren die anderen Frauen zwar aufgeschlossen genug, gelegentlich zum Tee bei Hanis Mutter vorbeizuschauen, schienen jedoch niemals Probleme mitzubringen, über die man bei helllichtem Tage in den Räumen anderer Menschen sprach. So lief bei Hanis Mutter in der Küche nun also das Radio, in dem von Opern und Gesellschafts-Debatten die Rede war, ohne dass Hanis Mutter jemals in einer Oper gewesen oder eine Zeitung gelesen hätte, und es wurde nicht einmal ausgeschaltet, wenn die Stimmen und Gesichter der Tanten auf ihrem Smartphone erschienen und kurz die Illusion erzeugten, der Raum sei wieder voller menschlicher, lebender Körper.

Hani vermisste die Küche ihrer Mutter. Einmal natürlich, weil sie ihre Kindheit vermisste, aber auch, weil sie das Gefühl hatte, die Welt fiele in sich zusammen, wenn wir die Küchen nicht erhalten würden, und die Vorstellung, dass Saya und ich ohne sie in meiner Küche saßen, erschien ihr wie ein passiver Beitrag zum Untergang der Küchen.

Hani dachte also an Küchen und an ihre Mutter, und ich dachte an Autos, weil eine megateure Karre an uns vorbeischoss, als die Ampel auf Grün schaltete. Es musste wahnsinnig anstrengend sein, so zu fahren; wie anstrengend, wenn das zu deinem Alltag gehört, dich über dein Auto und deinen Fahrstil als der zu fühlen, als der du gesehen werden möchtest. Ich hatte mir immer gewünscht, eine von uns dreien würde endlich einfach ein Auto haben, wir würden im Sommer bei schöner Musik auf Landstraßen fahren und ernst und verträumt durch die Gegend schauen. Na gut, eigentlich träumte ich davon, dass ich mit einem einfühlsamen Jungen im Auto sitzen würde, ohne jemand anderen, aber weil mir das so unerreichbar schien, stellte ich mir die realistischere Version vor, in der Saya mit ihrem Nebenjob als Nachhilfelehrerin so viel verdiente, dass sie sich ein stilvolles Auto kaufen und uns, da wir uns zu erwachsen fühlten, um vor unseren Häusern zu sitzen, durch die Gegend fahren konnte. Dass wir lachten, uns unterhielten und nachts irgendwo im Kornfeld schliefen. Das haben wir nie gemacht, und keine von uns fährt gerne Auto, nicht einmal Saya, die doch sonst besessen ist von Kontrolle und Antrieb. Autofahren war ihr aber schlicht zu langweilig und Hani zu waghalsig.

»Ich gehe uns mal noch was zu trinken holen«, sagte Saya und stand auf. Keine Ahnung, woran sie die stillen anderthalb Minuten davor gedacht hatte, »Wünsche?« Hani und ich schüttelten die Köpfe. Erst als Saya ging, merkten wir, dass wir gerade so still gewesen waren. »Ich glaube, ich muss mich mal bei meiner Mutter melden«, sagte Hani, beinahe erklärend. Das reichte mir schon, um zu wissen, was die anderthalb Minuten seit der Aussage über die Distanz zwischen unseren Küchen in ihrem Kopf passiert war. Wir kennen uns eben schon sehr lange, ihr kennt die Baumarten auswendig, wir kennen uns gegenseitig auswendig, jeder setzt eben andere Prioritäten im Leben.

Ich will euch noch kurz was über Hanis Mutter verraten und dann erzählen, wie Saya vom Späti zurückkam. Jetzt freut ihr euch vermutlich, denn wenn es um Hanis Mutter geht, erzähle ich vielleicht ganz nebenbei, welcher »ethnischen Gruppierung« sie eigentlich angehört und warum diese der Grund war, dass ihre Familie fliehen musste und woher eigentlich genau, in welchem Jahr, damit ihr das abgleichen könnt mit den Sachen, die ihr damals so schrecklich betroffen in den Nachrichten verfolgt habt,

und den richtigen Wikipedia-Artikel dazu öffnen könnt, um sicherzugehen, nichts durcheinanderzubringen. Das alles erzähle ich euch jetzt aber natürlich nicht, ihr erfahrt nur das, was man über Hanis Mutter wissen muss, damit man sie als Heldin auszeichnen und im Abspann nennen kann. Hanis Mutter hat uns früher, wenn wir uns in ihrer Wohnung schön machten und schminkten, um dann am Lagerfeuer von Leuten stehen gelassen zu werden, die aufs Klo mussten und nicht wiederkamen, keine Verbote mitgegeben. So was wie »Kein Alkohol! Keine Drogen! Kein Sex!« hätte sie niemals gesagt. Sie gab uns nicht einmal freundlich gemeinte Anweisungen, wie wir unser Aussehen mit dem Kajalstift verbessern statt verschlechtern könnten, wobei ich mir nicht sicher bin, ob ich ihr das im Nachhinein wirklich so hoch anrechne. Sie sparte die Drogenthemen aus, weil sie vermutlich ahnte, was wir in welchen Mengen konsumierten. Sie nickte uns von dem kleinen Küchentisch aus zu, wartete, bis wir vor ihr standen, dann sagte sie: »Bleibt beieinander.« Das war ja auch im Grunde das einzig Wichtige. Eine besoffene Tochter, die mit dem größten Vollpfosten aller Zeiten schläft, war nicht das Problem. Das Problem war, wenn sie allein war. Wenn sie allein blieb, wenn sie allein versuchte, ihre Gedanken zu ordnen oder alleine nach Hause zu kommen. Hanis Mutter hat mir den Tipp fürs Leben gegeben, ich konnte saufen und kiffen und musste keine Angst haben vor dem, was passieren würde. Ich konnte mich gehen lassen, fallen lassen und wusste doch immer: Es ist kein grenzenloses Sichverlieren, denn am Ende stehen da Hani und Saya und bleiben bei mir.
»Grüß sie mal von mir«, sagte ich zu Hani und schob den Namen ihrer Mutter im Abspann weiter nach oben.

»Tolle Leute, die vom Späti dahinten«, sagte Saya, als sie sich nach einer halben Ewigkeit endlich wieder zurück auf die Bank setzte und so richtig gut gelaunt war. Es schien wirklich, als hätte der Tag sie ein wenig besänftigt und als hätte der ausgiebige Spätibesuch ihm das Sahnehäubchen aufgesetzt. Sie strahlte und der kurze Blick, den Hani und ich wechselten, machte deutlich, dass wir keine Ahnung hatten, ob unseren Sorgen damit nun ein Ende gesetzt werden durfte oder nicht.

»Was für Leute waren das, im Späti?«

»So Brüder!«

»Echte Brüder? Oder ist Brüder ein Kampfbegriff?«, fragte Hani. Saya lachte. »Beides«, sagte sie und erzählte endlich, »Zwei Jungs, beide so unser Alter, bisschen bullig, mit denen will man echt keinen Streit haben, sehen aus wie Zwillinge, sind aber nur Brüder. Dafür hat der eine von beiden gerade Zwillinge bekommen und der andere hat in der gleichen Woche auch ein Kind bekommen, und alle drei sind Jungs.«

»Die haben dich doch angelogen«, sagte ich.

»Nein! Echt, ich habe Fotos gesehen von den drei Babys, und es kommt noch besser. Die Bäckerei gegenüber, die auch eher so ein Kiosk mit Zeitschriften und Tabak ist, die gehört ihrem dritten Bruder, der sieht aber gar nicht aus wie die.«

»Hmm.«

»Aber das Schärfste ist: Die haben den Späti von ihrem Vater und dessen Bruder übernommen. Die zwei haben den Späti vor zwanzig Jahren eröffnet und *die* sind wiederum richtige Zwillinge.«

»Ich steig aus, zu viele Zwillinge«, sagte Hani.

»Das ist erblich, ist doch klar«, sagte ich, »das überspringt immer eine Generation.«

»Unwichtig«, sagte Saya, »was ich eigentlich erzählen wollte, ist was ganz anderes. Der Vater und der Onkel haben den Späti eröffnet, als hier nur der Abschaum gewohnt hat, nämlich Leute wie sie selbst. Kein Arsch hat sich für die Gegend rund um den Park da drüben interessiert und der Laden dümpelte halt so vor sich hin. Aber jetzt, wo alles saniert ist und die Yuppies, die reichen Kleinfamilien, Kinderläden und Start-ups kommen, jetzt, wo die Mieten steigen und der Flohmarkt im Park dahinten in Reiseführern beworben wird, jetzt, wo alle hier zum Chillen und Shoppen herkommen, nicht mehr nur der Abschaum, haben sie hier immer noch den einzigen Späti, nah am Park, nah an der S-Bahn-Haltestelle, und alle drei Brüder machen ordentlich Kohle, denn keiner sonst hat diesen Standort.« Wir stießen auf die drei Brüder und die Generation Brüder davor und danach an.

»So ein Imperium bauen wir auch mal auf«, sagte Saya.

»Nur dass wir keine Schwestern sind«, erwiderte ich.

»Pfff. Die Leute haben das doch eh noch nie auseinanderhalten können, ist also auch egal, oder?«, lachte Saya und dann stellten wir uns vor, wie es wäre, wenn wir ein Späti-Imperium hätten, eine ganze Straße voller Spätis: Wir würden verschiedene Geschichten darüber erzählen, wer von uns mit wem auf welche Art verwandt oder wahlweise verheiratet ist, wir würden immer wieder die Worte »Zwillinge« und »Drillinge« in den Raum werfen und, für besondere Kunden, unsere Smartphones zücken und Fotos von irgendwelchen Babys aus dem Internet zeigen. Wir dachten uns Namen für unsere Babys aus und stellten uns vor, wie wir unsere Kunden immer wieder korrigieren, wie wir sie zwingen würden, die Namen unserer erfundenen Babys zu wiederholen, die ihre Spargelzungen auszusprechen nicht im Stande waren, wie wir aber sehr viel Wert darauf legen würden, dass man die drei bis fünf Namen unserer Babys richtig ausspricht. Und während wir uns das vorstellten, zogen die Leute in den Wohnungen um uns herum die Jalousien herunter, um unser Lachen nicht hören zu müssen.

»Aber jetzt mal ehrlich, hat euch schon mal wer für Schwestern gehalten?«, fragte Hani. »Klar, ständig.« »Das habt ihr nie erzählt.« Natürlich nicht, Hani. Dann hätten wir dir ja erzählt, dass man dich und uns nie für Schwestern gehalten hat, und das brachten wir nicht übers Herz. Denn dann hättest du vielleicht auch ein paar andere, schmerzhaftere Dinge verstanden und davor wollten wir dich schützen. Außerdem haben wir es immer mal wieder am Rande erwähnt. »Ach so«, rief Hani jetzt und schlug Saya auf den Oberschenkel, »jetzt weiß ich endlich, welchen Späti du überhaupt meinst! Ja klar! Ich dachte, die beiden Jungs wären einfach ein Paar!«, und wir redeten weiter über Spätis und Brüder und Schwestern und Babys und Paare und verbannten unsere ernsten Stimmen wieder.

»Drüber lachen«, sagte Saya, »ich will viel öfter drüber lachen. Vorhin, mit deinem Mitbewohner und seiner Freundin, da konnte ich endlich so ehrlich über all den Mist lachen. Ich will das öfter machen, ich will nicht ständig wütend sein, ich will gar nicht ständig allen erklären, was sie schon wieder falsch machen, ich will wie so ein Robin und so eine Iris sein, die sich aussuchen, womit sie sich beschäftigen, und dann darüber lachen können.« Hani und ich wechselten einen kurzen Blick, den letzten vor dem Brand, und lehnten uns zurück. Es war also alles noch mal gut gegangen. »Man muss sich das doch eigentlich nur vornehmen, oder? Es ist doch nur eine Frage der eigenen Haltung.« Ich stellte mir zum zweiten Mal für heute Abend vor, wie Saya bei uns einziehen würde. Wie sie mit Robin Nudeln kocht, sich liebevoll beim Spülen um Hani sorgt, mir Tipps fürs Leben gibt und immer sanft vor sich hin summt, wenn sie nicht gerade Gegenstände und Lebewesen im Vorbeigehen segnet. Alles an dieser Vorstellung war falsch. Alles, denn ich hatte erst am Nachmittag diese Nazis im Fernsehen gesehen und noch immer die Bilder der Ermordeten vor Augen, wenn Saya summen und lachen würde, wer würde mich dann daran erinnern, dass ein Teil der Menschheit dabei war, Leute wie uns umzubringen? »Wir sollten langsam gehen, wenn du noch die Doku über die Terrornazis gucken willst«, sagte ich. Saya schaute mich irritiert an. Die Doku hatte sie vergessen. Ich weiß schon, manchmal mache ich einfach alles falsch.

^ ^ ^

Wir haben uns dem grauenhaften, entscheidenden Tag genähert, ihr aufmerksamen Leser. Seid ihr noch da? Ich bin noch da und ich weiß nicht warum. Warum bin ich überhaupt noch da? Ich habe hier gesessen und geatmet und geschrieben und aufgehört zu denken. Die letzten Stunden sind vergangen, und ich finde es unfassbar, wie Stunden einfach vergehen können, ohne dass Leute, die eben noch da waren, noch da sind. Es geht einfach weiter, nichts hört auf, das ist doch merkwürdig, das hat doch überhaupt keinen Sinn. Die Uhr ist pietätlos, nicht ich, nicht ihr, die Uhr ist die einzige Verräterin, sie könnte auf unserer Seite stehen, doch ihr ist egal, woran wir verzweifeln, ihr ist egal, was uns wichtig ist, sie macht einfach weiter und lacht uns für all das aus. Aber ich will nicht einsehen, dass sie stärker ist als ich, darum tippe ich, tippe ich schneller, als der Sekundenzeiger sich bewegen kann; ich kann, was der kann, über mich darf er nicht herrschen, er herrscht über euch, die ihr den Wecker stellt und ausschaltet und die Zeitung holen geht, die ihr auf euer Handy schaut und das Netz nach News durchsucht, ihr seid die Suchties, ich bin davon frei, ich bin die, die schreibt, und solange ich schreibe, bin ich die Uhr. Ich bin die Zeit. Deswegen schaue ich nicht mehr auf die Uhr, irgendwann wird es schon hell werden, irgendwann wird der Morgen kommen, irgendwann wird Saya schon aus dem Knast entlassen, so lange bestimme ich das Tempo und alles andere bestimme ich übrigens auch.

Ich wachte morgens auf und war überrascht, dass ich keinen Kater hatte. Man denkt die banalsten Dinge morgens. Auch an Tagen, an denen schreckliche Dinge passieren, wachen alle einfach auf und denken ganz normales Zeug. Dass man Glück hat, ohne Kopfschmerzen aufzuwachen, denn man hat am Tag zuvor die letzte Kopfschmerztablette hergegeben und müsste andernfalls jetzt erst mal in die Apotheke stiefeln. Dass man sich diesen Weg aber glücklicherweise sparen kann, da man nach drei Abenden mit den besten Freundinnen endlich wieder so viel Alkohol verträgt wie im ersten Semester. Das denkt man. Das dachte ich jedenfalls, als ich aufwachte.

Zur gleichen Zeit war Saya schon unterwegs zu ihrem Workshop. Sie würde eine Schulklasse in ihrer Berufsfindung unterstützen und hinterher ihre Fahrtkosten für den Besuch der Hochzeit von einer Schule begleichen lassen, die sich erhoffte, Saya würde den Schülern sagen, welche Ausbildung oder welches Studium zu ihnen passte. Doch Saya zog Workshops dieser Art, wie gesagt, so auf wie ihre Rassismuspräventions-Workshops: Alle Schüler sollten erst mal in Ruhe reflektieren, woher sie kamen und welche Kompetenzen in ihnen steckten, die in der Schule und in einer kapitalistischen Gesellschaft keinen Wert hatten, obwohl sie wertvoll waren. Erst am Ende teilte sie die Nachschlagebücher des Berufsinformationszentrums aus. Die Jugendlichen fragten regelmäßig, ob es die nicht online gab. »Klar«, sagte Saya dann, »aber ich gebe sie euch trotzdem so, sonst schaut ihr nicht rein.« Bei einem solchen Satz lachen Schüler normalerweise nicht, denn so was sagen nervige Lehrer, die sich für was Besseres halten. Bei Saya aber lachten die Schüler, denn sie beschlossen, dass Saya recht hatte, und waren darüber selbst überrascht. Wenn die Schüler lachten, wusste Saya, dass alles bestens gelaufen war.

Als ich aufwachte und mich darüber freute, keine Kopfschmerzen zu haben, fuhr Saya also gerade zur Schule und Hani nahm all ihren Mut zusammen und fing Carolin vor ihrem Büro ab. »Hast du heute Zeit für ein Gespräch?«, fragte sie und fühlte sich schäbig dabei, aufdringlich. Als würde sie sich wichtigmachen, eine Krankheit vortäuschen oder schlechte Arbeit hinter gespielter Geschäftigkeit verstecken. Sie tat das für Saya, dachte sie, damit Saya sich freuen würde, wenn sie später davon erzählte. »Ja, klar«, sagte Carolin und war dabei in erster Linie neugierig, was es mit dieser schüchternen und gleichzeitig entschlossenen Frage auf sich haben würde, und schlug eine Uhrzeit vor. Hoffentlich war Hani nicht schwanger, dachte sie noch, niemand könnte sie ersetzen, auch nicht für kurze Zeit, und noch eine Mitarbeiterin in Teilzeit würde den Rahmen sprengen. Hani ging mechanisch grinsend zurück in ihr Büro und hätte dort am liebsten gekotzt, ganz ohne Schwangerschaft.

Einige Stunden später saß ich in der Küche zwischen den Yogitees und schrieb Lukas. Dass ich unser Treffen sehr schön gefunden hätte, es mega nett von ihm sei, mir mit der Stelle helfen zu wollen und dass ich mich gerne bewerben würde, ob er mir die Stellenanzeige weiterleiten könne. Danach fühlte ich mich genauso gut und genauso leer wie nach dem Schreiben einer anbiedernden Bewerbung. Einerseits hatte ich etwas getan, das mich weiterbringen und zu einer Erwachsenen machen würde. Andererseits hatte ich mich verkauft, und zwar unter Wert, das war klar.

Zur selben Zeit speicherte Hani das gerade geöffnete Dokument, versetzte ihren Rechner in den Ruhezustand, erhob sich von ihrem Platz und strich ihren Rock glatt, um sich ins Büro ihrer Chefin zu bewegen und ein Gespräch zu führen, das sie von sich aus niemals gesucht hätte.

Zur selben Zeit hatte Saya Feierabend und machte sich auf den Weg zurück zu meiner Wohnung. Die Sonne schien und Saya war erschöpft. So wie man es ist, wenn man hoch konzentriert, inmitten einer Gruppe anspruchsvoller Jugendlicher, alles gegeben hat, um einen guten Job zu machen. Später wolle sie mal mit Geflüchteten arbeiten, hatte ein Mädchen gesagt, denn das mache ihre Mutter ehrenamtlich und daran habe sie gesehen, wie gut es ihr selbst gehe, wie viel sie selbst habe und wie viel sie geben könne. Wenn das Mädchen mit Schule, Studium und Jobsuche fertig sein würde, dachte Saya, würden die Geflüchteten von heute längst angekommen und keine Bedürftigen mehr sein, denen man Kleider sortieren und aushändigen musste. Aber es würde andere geben, dieser Berufszweig würde nicht aussterben. Sie hatte dem Mädchen gesagt, es solle ruhig bereits jetzt anfangen, strategisch zu denken und eine Fremdsprache lernen, die man dann brauchen würde. Arabisch, Kurdisch und Persisch stünden im Moment hoch im Kurs. Hätte uns das damals jemand gesagt, dachte Saya, als sie sich auf den Heimweg machte, statt immer so zu tun, als wären unsere Sprachen keine richtigen Sprachen, sondern eben eine weitere Abartigkeit, die wir pflegen, um unsere Mitmenschen zu ärgern.

Die Sonne schien und Saya ging zu Fuß zur Tram, die sie zur U-Bahn bringen würde. Die Sonne schien genauso erschöpft wie Saya, erschöpft davon, zu wissen, das Richtige zu tun. Ein anderes Mädchen hatte erwidert, sie würde, ginge es ihr um Geflüchtete, eher in die Politik gehen. Manche Leute würden ihr Leben geben, um auf dem Mittelmeer Menschen vor dem Ertrinken zu retten. Das sollten sie nicht tun müssen, das sollte Aufgabe der Politik sein. Saya war die Kinnlade heruntergeklappt. Solche Worte hatte sie nicht erwartet, und es lag wohl an Sayas euphorischem Nicken, dass die skeptisch schauenden Kids keine Diskussion darüber anfingen. Widerspruch hatte in der Luft gelegen, doch Saya hielt hier die Fäden in der Hand. Diese Diskussion würde es nicht geben. Dabei war es manchmal spannend, wenn sie doch aufkam. In einem anderen Workshop war Saya einmal nicht so schnell und dominant gewesen, und ein Schüler hatte einen Monolog darüber gehalten, dass die muslimischen Kulturkreise nicht zu dem hiesigen passten blablabla, dass die Flüchtlinge sich nicht integrieren wollten und kriminell waren blublublub, woraufhin ein anderer Junge nur trocken erwiderte, »Ist doch egal. Deswegen müssen die trotzdem nicht ertrinken.«

So einfach war das manchmal. Saya liebte ihre Arbeit. Auch an diesem Tag. Sie stieg in die Tram, gemeinsam mit einer Traube an Menschen, die alle Feierabend und Schulschluss hatten, und war sehr zufrieden. Großstadterfahren schlängelte sie sich durch, fand die Lücke zwischen denen, die sich beim Einsteigen miteinander unterhielten und somit wertvolle Zeit verloren, und entdeckte schon von Weitem den einen noch freien Sitzplatz, auf den sie sich setzen, auf dem sie durchatmen konnte. Jetzt war erst recht alles gut, auch wenn sie nur zwei Stationen fahren würde, im täglichen Großstadtkampf war der Sitzplatz die Währung, an der sich Erfolg und Erfahrung messen ließen. Vor Saya drängten sich Menschen dicht an dicht, in einer Ecke in Sayas Nähe stand ein Mann mit seinen zwei Töchtern. Er schaute geradeaus, während er die Arme um die Schultern der Töchter legte und sie an sich drückte, sodass die drei wie eine kleine, familiäre Insel aussahen. Die Töchter waren im Grundschulalter und schauten, als wüssten sie nicht, dass man mit Drängeln und Schieben an jene Sitzplätze kam, die ihnen entgangen waren. Die drei schauten einander nicht an, sie standen dort, als wäre das der einzige für sie vorgesehene Platz. Als hätten sie ihr Glück schon ausgereizt, indem sie hier, in diesem Land, in dieser Stadt, in dieser Tram stehen durften. Saya sah auf die Füße der drei, auf ihre Schuhe, billig und gepflegt, und fragte sich, welche Wege sie auf sich genommen haben mochten. Als der Mann, noch recht jung, wenige Jahre älter als Saya, ihren Blick bemerkte, erhob sie sich von ihrem Platz, machte eine anbietende Geste, zeigte auf die Kinder und er lächelte sehr kurz, bevor er abwinkte, als stünden sie bereits am für sie richtigen Ort. Vermutlich, weil ein einziger Platz bei zwei Kindern auch keine große Hilfe war. Viel wahrscheinlicher aber, weil sie sich dann durch die Personen, die zwischen ihnen standen, hätten durchschlängeln müssen, und das wiederum einen Aufwand für die Umstehenden bedeutet hätte, denen er nicht zur Last fallen wollte. Er wandte den Blick ab und drückte seine Töchter ein Stück näher an sich, als wäre das irgendeine Form von Schutz. Zwischen die drei und Saya schoben sich jetzt zwei junge Frauen, sodass Saya kaum noch etwas sah, sondern in einer Parfümwolke versank und einen Rucksack ins Gesicht gedrückt bekam, der nach Kunstleder und Primark roch. »Wenn sie heute schreibt, dann lasse ich sie warten«, sagte die dazugehörige Frau zu ihrer Freundin, »die kann mich mal, ich bin nicht ihr Knecht«, und beide Frauen lachten. Saya wich dem Rucksack aus und sah gerade noch, wie er sich in Richtung des einen kleinen Mädchens bewegte und ihr direkt ins Gesicht flog. Das Mädchen, in diesem Moment unendlich weit entfernt von seinem Vater, dessen Blick auf der Straße haftete, wich nicht aus, denn es gab keinen Ort, an den es hätte ausweichen können, und es sagte nichts und rührte sich nicht. »Achtung«, sagte Saya in ihrer freundlichen und bestimmten Workshopleiterinnen-Stimme, die sie erst Stunden nach einem Workshop ablegen konnte, und fing den Blick der jungen Frau ein, die zu ihr herunterschaute. Saya lächelte kurz, deutete auf den Rucksack und sagte, noch mal, erklärend, »Achtung mit Ihrem Rucksack.« Die junge Frau, die gerade mitten in einem Satz war, in dem es weiterhin darum ging, dass sie nicht der Knecht einer anderen Person war, drehte sich kurz zu den Mädchen und dem Vater um und schaute Saya schließlich verständnislos an. »Die Kleine hat Ihren Rucksack im Gesicht«, sagte Saya und fragte sich wie immer in solchen Situationen, ob sie nun eigentlich siezen oder duzen sollte. Die Tram hielt und einige Menschen stiegen aus, sodass sich das Gedränge vor Saya und den anderen etwas lichtete, die junge Frau rückte automatisch von den dreien ab und schaute erneut erst das Mädchen, dann Saya an. In ihrem Blick lag ein anstrengender Tag in einer Schule, die sie nicht interessierte, mit Menschen, die sie nicht schätzten, in einer Welt, die sie nicht verstand. Die junge Frau schaute zu Saya, sah ihren wachen Blick, ihre makellosen Gesichtszüge, dass ihre Haare glänzten. Dass ihre Haare schwarz waren, ebenso wie ihre Augen, ihre Augenbrauen, dass ihr Teint dunkler war als ihr eigener und das auch im Winter noch sein würde. Sie sah eine Frau, die sie nicht einordnen konnte, von der sie nur wusste, dass sie ihr hier, in dieser Tram, nichts zu sagen haben sollte. Denn die Tram war einer der wenigen Orte auf der Welt, an dem niemand automatisch einfach was zu sagen hatte. Sie schaute ihre Primark-Gefährtin an und schüttelte den Kopf, »Der Rucksack, ja?«, lachte sie und beide zogen die Augenbrauen hoch, denn das gehörte zum Kopfschütteln dieser Art dazu. Sayas Einschätzungsvermögen war im Gegensatz zu ihrer Stimme nicht mehr im Workshopmodus. Sie merkte nicht, dass die beiden, egal, worum es ging, diese Form, ihr Unverständnis auszudrücken, einstudiert hatten und jederzeit abrufen konnten. Saya bemerkte nicht, dass es nicht um den Rucksack oder das kleine Mädchen ging, sondern darum, sich nichts sagen zu lassen. Die beiden Frauen waren Freundinnen, weil sie sich zusammen besser zur Wehr setzen konnten. Gegen Lehrer, gegen Mitschüler, gegen Eltern. Gegen all diejenigen, die ihnen nichts gaben außer dem Gefühl, nichts zu können. Was Saya aber bemerkte, war, dass der Frau die Umstehenden völlig egal waren, und das machte sie rasend. »Also, ich nehme meinen Rucksack ab, wenn die Tram voll ist«, sagte Saya laut und bestimmt und mit der Aggression, die sie seit Tagen in sich trug, die schlagartig wieder da war, als wäre sie nie weg gewesen. Die beiden Frauen lachten. »Schön für dich«, sagte die eine, »ich lasse meinen Rucksack an, wenn die Tram voll ist.« Mit einem so billigen Konter hatte sie sich als Streitpartnerin für Saya disqualifiziert, weswegen sie sich im Stillen weiter ärgern und nichts mehr erwidern wollte. Die beiden Frauen schauten jetzt zu dem Mann mit den beiden Mädchen, die alle drei rein gar nichts von dem Wortgefecht mitbekommen hatten. Zum Glück. Sie musterten die beiden Mädchen, ihre langen, geflochtenen Haare, die verschiedenen Gesichter. Die junge Frau drehte sich wieder zu Saya, verständnislos und aufrichtig empört, »Wieso lassen Sie denn Ihre Töchter nicht einfach sitzen, wenn Ihnen das so wichtig ist?«, und damit war Sayas Selbstbeherrschung mit einem Mal zerschlagen. »Das ist doch nicht meine Tochter«, schrie sie, »meine Fresse, ist denn das zu viel verlangt, auf andere Leute zu achten?« Der Vater schaute etwas betreten in Sayas Richtung. Die beiden Frauen wechselten einen Blick, in dem deutlich wurde, dass es zwar minimal peinlich war, falsche Familienzugehörigkeiten zu unterstellen, dass ihre Annahme aber auch nicht ganz abwegig war, so, wie Saya aussah, und so, wie sie sich aufspielte. »Das ist doch nicht meine Tochter«, schrie Saya noch mal, »das sind drei Leute, die Bahn fahren dürfen, ohne eure Rucksäcke im Gesicht zu haben!« Die Tram hatte den U-Bahnhof erreicht und die Menschen stiegen aus, ohne dass man erkennen konnte, was sie von dem Ganzen hielten. Die beiden Frauen schauten sich an, lachten und schüttelten die Köpfe, was, wie Saya einmal mehr verstand, so was wie das letzte Wort war. Saya stieg aus und vermied es, zu prüfen, ob der Mann und die Mädchen irgendetwas von der ganzen Situation mitbekommen hatten. Das Letzte, was sie wollte, war, dass Menschen, die sich nicht mal eines Sitzplatzes würdig fühlten, auch noch erfuhren, dass sie Anlass dieser Eskalation gewesen waren. Am liebsten hätte Saya die beiden Frauen an ihren Nacken gefasst und ihre Köpfe gegeneinandergeschlagen. Natürlich so, dass keine von ihnen sterben und der Mann und die Kinder es nicht sehen würden, versteht sich.

Stattdessen stieg Saya in die richtige U-Bahn und fuhr in die falsche Richtung.

^^^

An einem anderen Ort schob währenddessen ein laut vor sich hin lachender Mann einen Kinderwagen samt Kleinkind vor sich her und redete ohne sichtbaren Gesprächspartner drauf los. Das Kind sah nicht verwahrlost aus, der Mann schon. Die Leute schauten den beiden hinterher, fragten sich, ob sie eingreifen sollten, und kamen zu dem Schluss, dass auch verwahrloste Opas manchmal auf ihre Enkelkinder aufpassen. Sie merkten sich sein Gesicht, falls die Polizei später fahnden sollte. Mit so einem Stadtteil haben wir es hier nämlich zu tun.

Life sah den Mann vom Café aus und nickte ihm zu. Er kannte ihn seit Jahren und wusste, dass er kein Fall fürs Jugendamt war. Seit Life und Anna Eltern geworden waren, tauschten sie sich mit dem Mann regelmäßig über Kitaplätze aus, er hatte eine erstaunliche Expertise, was die Betreuungslage im Kiez anging. Life wartete auf seine Ablösung, es war ein okayer Vormittag gewesen, keiner hatte genervt, weil der Cappuccino nicht heiß genug war, und dabei ignoriert, dass das die einzig richtige Temperatur für Cappuccino ist. Life hatte sogar genügend Zeit gehabt, immer wieder auf sein Handy und nach neuen Nachrichten über den Prozess zu schauen. Zwei Leute saßen seit Stunden an einem Tisch und stritten sich laut auf Englisch darüber, dass man Wespen nicht töten durfte. Sie waren auch schon laut gewesen, bevor sie sich stritten, und klangen wie die Leute aus amerikanischen Serien, die man sich aus Milieuzugehörigkeitsgründen in der Originalsprache anschaute. Life war sich sicher, dass die beiden nur so laut und affektiert, so leidenschaftlich künstlich miteinander sprachen, weil sie es so aus den Online-Serien kannten. Er fragte sich, wie viele Menschen sich wohl so hitzig ihre Argumente entgegenschleuderten und so künstlich emotional »you know« und »wait« und »like really often« sagten, weil sie sich das woanders abgeschaut hatten, und wie grauenhaft dieses Englisch für Muttersprachler klingen musste. Er stellte sich eine Welt vor, in der alle Deutsch sprachen, wie sie es bei *GZSZ* gelernt hatten, und damit auch noch angaben. Life hatte bis eben gar nicht gewusst, dass man Wespen nicht töten durfte und es mit einer Geldstrafe geahndet werden konnte. Es ergab aber Sinn, denn alle Menschen, die draußen saßen, hatten ständig allen Grund, sehr viele Wespen töten zu wollen, und doch sah er sie es niemals tun. Lifes Ablösung verspätete sich, wie immer. Wäre Life nicht Life, hätte er sie schon längst gefeuert. Aber das brachte er nicht über sich, sie war eine stets gut gelaunte Kellnerin, eine, die von den Gästen gemocht wurde, und so nahm er eben in Kauf, dass er wegen ihr so oft zu spät nach Hause kam. Wenn Anna nicht gerade in Mutterschutz wäre, hätte die Kellnerin vermutlich weniger Glück gehabt, aber im Moment war er der Chef hier und die eigene Überforderung glich er durch Selbstausbeutung aus. Doch dass die Kellnerin noch immer nicht auftauchte, machte ihn allmählich nervös, er war noch ungeduldiger als sonst und wollte endlich bei Anna und dem Kleinen sein. Weil man den kleinen Nikolai guten Gewissens als Schreibaby bezeichnen konnte, blieben sie die meiste Zeit zu Hause. Sie trauten sich nicht in das laute Draußen, sie fürchteten, dass das Baby aufgrund der Reizüberflutung nur noch mehr schreien, dass sie mal wieder alles falsch machen würden. Life sah Anna zu Hause auf ihn warten und sie tat ihm leid. »Habt ihr auch was anderes als Ramazzotti oder Jägermeister, das ist alles so Tuntenzeug«, sagte der alte Mann, der draußen zwischen den Wespen saß, und Life war bewusst, dass das die Situationen waren, in denen man intervenieren musste und er es nicht tat. »Sherry? Cognac? Irgendeinen

Schnaps?« »Ich habe nichts anderes als das, was auf der Karte steht«, sagte Life und obwohl daraufhin nichts passierte, wusste er, dass der Alte ihn als Verantwortlichen, als Schuldigen sah. Life tat gerne so, als wäre er nicht der Inhaber des Ladens, sondern irgendein Angestellter, was ohnehin dem entsprach, was seine Gäste von ihm dachten. Der Alte bestellte einen Cappuccino mit Schuss. Life fragte sich, ob er wohl ein berühmter Alter war, einer von diesen weißen Bundesdeutschen, die in den Neunzigern mal wichtig gewesen waren und jetzt nur noch die entsprechende Attitüde zur Schau tragen, aber nichts mehr zu sagen haben. Life hoffte, dass seine Ablösung endlich kommen und ihn von diesem Typen erlösen würde. Er brachte dem Mann seinen Cappuccino, er sah ihn nicht einmal an. Life ging wieder rein, schaute aus dem Fenster, schaute auf die Uhr und schrieb Anna, dass es etwas später werden würde. *Schade*, antwortete sie, *wäre nur wichtig, dass du den Teppich heute noch klarmachst, habe den heute endlich vertickt*. Es folgte ein Daumen-hoch-Emoji. Seit Anna in Elternzeit war, »vertickte« sie Dinge auf eBay Kleinanzeigen, das war so was wie ihr Zweitjob geworden, denn es war problemlos per Smartphone möglich. *Das schaffen wir*, schrieb er. Danach schrieb er noch mal: *Wir schaffen das*. Er wusste nicht, ob das witzig war. Draußen ging eine junge Frau an den Tischen vorbei und lächelte den Cappuccino trinkenden alten Mann an, etwas mitleidig, vor allem aber sehnsüchtig, als würde sie dabei an ihren lieben Opa denken und allen alten Opas dieser Welt alles Gute wünschen. Der Mann schaute ernst in seine Zeitung und reagierte nicht. Lifes Handy vibrierte. *Zweiter Prozesstag: Antrag auf Ausschluss der Öffentlichkeit stattgegeben*. Lifes Herz raste, sein Gesicht aber zeigte keine Regung. War doch klar. Von jetzt an würden sie alles später, alles über verschlungene Umwege erfahren. War doch klar. Er tippte auf die Meldung. Einer der Angeklagten sei so jung, er solle nicht unter falschen Vorwürfen zu leiden haben, hieß es. Die Medien hätten ihn vorverurteilt, so die Strafverteidiger, das Gericht habe die Aufgabe, politische Haltungen als Recht der Angeklagten zu betrachten und nicht zur Ausgangslage für Verurteilungen zu machen. Man müsse »sehr aufpassen, dass nicht die Gesinnung bestraft wird«. Selbst der Staatsanwalt hatte die investigativen Aufklärungsversuche der Presse und die öffentlich Stellung beziehende Nebenklage mit einem »permanenten Fliegengeschwirr« verglichen. Die Angeklagten hatten recht bekommen. Das Internet rastete aus. Life atmete tief durch und steckte das Handy in seine Po-Tasche. Das reichte für heute. Das reichte für immer. Ihm fiel der Post der Anwältin ein, in dem sie am Vortag noch angekündigt hatte, dass »wir« in diesem Prozess versuchen würden, Deutschland wieder zu vertrauen. So viel dazu. Dann hörte Life das Gepolter und das Gebrüll von draußen. Den alten Mann, der schrie, dass sie jetzt gefälligst aufhören solle, und die junge Frau, die schreiend antwortete, dass er die Fresse zu halten habe, während sie auf den Aufsteller des Cafés eintrat. »Sag mal, hast du sie noch alle?«, rief Life, als er vor die Tür gehastet kam und sie sah: tretend und brüllend, bis der Aufsteller mit einem Knall zu Boden fiel. Dann war es still. Erst, als sie laut durchatmete, sich erschöpft die Haare hinter die Ohren schob, erkannte er Saya. »Herrschaftszeiten«, rief der Alte, »macht man das jetzt so?« »Ja, das macht man jetzt so! Man macht, was man will! Lies mal lieber deine Zeitung, du Sackgesicht!«, schrie Saya, schien sich aber kurz zu beruhigen, als sie Life sah. Wobei unklar war, ob das an ihrer Überraschung lag oder daran, dass er sie nicht panisch oder verurteilend, sondern vielmehr aufrichtig interessiert ansah. »Du bist das ja«, sagte sie zu ihm, als er sich bückte und den Aufsteller wieder hinstellte – mit einer Ruhe, die sie nervte, weil sie ihre geballte Wut wieder zu neutralisieren schien. »Warum machst du so was?«, fragte er sie. Saya zeigte nur auf ihr Handy. »Ach so, ja«, sagte Life und nach einer Weile, »war doch klar, oder?« Saya schüttelte den Kopf. Dabei besänftigte es sie tatsächlich etwas, dass er wusste, was sie da eben gelesen und er wohl die gleiche Nachricht bekommen hatte.

Sie überlegte, ihm zu erzählen, was in der Tram passiert war, aber das würde zu lange dauern, die Geschichte ließ sich nicht gut erzählen. Das war ja eigentlich immer so, dachte sie, auch mit Blick auf die Geschichte mit Leo damals, solche Erlebnisse lassen sich nicht einfach so jedem erzählen, man kann sie eigentlich gar nicht erzählen, sie haben keine richtige Pointe, und Menschen, die nicht deine Vertrauten sind, wollen immerzu Pointen, sie wollen klare Storys, einen klaren Aufbau, eine Stimme aus dem Off, die zusammenfasst, was falsch und was richtig ist.

Life war schrecklich müde. Sie bekamen nicht viel Schlaf, seit der Kleine da war. »Hör mal«, sagte er, »wenn du deine Aggressionen abladen willst, dann doch nicht bei mir und unserem Laden.« Er prüfte den Aufsteller, strich mit der Hand an den Kanten entlang. Diese Dinger waren teuer, Anna und er hatten zwar kein hohes Startkapital gehabt, dafür aber eine unbedingte Liebe für Details. »Geh lieber zur Eckkneipe dahinten, das sind wenigstens richtige Arschlöcher.« Er deutete mit dem Kopf die Straße runter. Da erst verstand Saya, wo sie sich befand, dass sie hier schon einmal gewesen war, vorgestern Nacht, dass Eckkneipe ein anderes Wort für urig und authentisch war, Leute wie Life das aber nicht sagen würden. »Ja, Mann!«, sagte sie, »Nazis, oder?« Life nickte. Nicht unbedingt Nazis, dachte er, eher so die üblichen Rassisten, wahrscheinlich wählten die sogar links, aber das sagte er nicht, denn Saya schien gerade keine Lust auf Differenzierungen dieser Art zu haben. »Ich würde dann zahlen, wenn das genehm ist«, sagte der Alte und stellte seine Tasse langsam und würdevoll scheppernd ab. Wo solche Leute solche Moves nur immer herhaben, fragten sich Life und Saya zeitgleich und sahen sich zum letzten Mal in ihrem Leben. »Klar, sofort«, sagte Life. Saya ging ein paar Schritte auf den Mann zu und fegte seine Tasse mit einem treffsicheren Schlag vom Tisch. Dann machte sie sich in Richtung Eckkneipe auf und brüllte dabei etwas, das in Lifes Ohren wie »Altes Arschloch! Altes Arschloch!« klang, weswegen er ein bisschen lachen musste, doch er ging lieber schnell rein, denn er sah, wer am Ende der Straße stand und Saya entgegenkommen würde. Der Nachbar mit dem Sticker am Briefkasten. Life wollte nicht auch noch Zeuge dieser Begegnung werden. Das mochte schon wieder feige sein, aber er hatte wirklich keine Kraft mehr für Eskalationen und hier außerdem noch einen Job zu erledigen. Er ging wieder rein, um dem Mann ein paar Servietten zu holen.

^^^

Sich fertig zu machen hat immer etwas Feierliches. Ich erinnere mich daran, wie meine Mutter sich fertig machte, bevor wir zu Festen gingen. Wie sie mich und meine Schwester anzog, wir bekamen damals jede einmal im

Jahr ein schickes Kleid und das holte man dann endlich aus dem Schrank, unter der Plastikhülle hervor, und zog es an. Darunter eine weiße Spitzenstrumpfhose, also aus Spitzen-Imitat, versteht sich, und Lackschuhe. Über dem Kleid ein weißer Spitzenkragen, hallo, es waren immerhin die frühen Neunziger. Meine Mutter roch an diesen Tagen nach dem Make-up, das sie sonst nie auftrug, ihre Nägel schimmerten hell rosa, sie hatte sie lackiert, nachdem die Hausarbeit erledigt war, als die eigentlichen Vorbereitungen losgingen. Ich hatte mir immer eine Handtasche gewünscht, um sie zu solchen Anlässen zu tragen, aber nie eine bekommen. Saya hatte eine Handtasche, um die ich sie immer beneidete. Eine schwarze, längliche Handtasche, die mit kleinen schwarzen und einigen wenigen bunten Glasperlen bestickt war. Sehr stilvoll, kleine Saya.

Als Saya und ich uns gestern vor Shaghayeghs Hochzeit fertig machten, war mir also wieder sehr feierlich zumute. Dabei war ja nichts anders als an den Tagen zuvor, wir waren immer noch in meiner dreckigen WG und standen barfuß auf klebenden Holzdielen; inzwischen waren die meisten Klamotten, die Saya für die Tage bei uns dabeihatte, wild in meinem Zimmer verteilt und überall dort, wo sie sich seit Dienstag aufgehalten hatte, standen leere Gläser und Flaschen herum. Als hätte sie die Ordnung, die sie in unsere Küche und das Wohnzimmer gezaubert hatte, durch konsequentes Chaos in meinem Zimmer ausgleichen wollen. Alles war also wie zuvor, abgesehen von Sayas absurd guter Laune, die so gar nicht zu dem wirren Zeug passte, das sie erzählte, kaum dass sie zur Tür hereingekommen war. Sie zog die Sandalen aus, schaute mich durch ihre wild ins Gesicht hängenden Haare an und gab unzusammenhängende

Beschreibungen von Frauen in der Tram und alten, Kaffee trinkenden Penisträgern von sich. Und weil sie dabei so erleichtert und gut gelaunt aussah, lachte ich ein wenig und tat es als den üblichen Kram ab, den sie ja ab sofort mit guter Laune und Lachen verarbeiten wollte. Dass ich von keiner Gefahr ausging, lag vielleicht auch an ihrem Blick, der von so viel Normalität zeugte, als hätte sie gerade einfach nur stressige Weihnachtseinkäufe erledigt und dabei ein paar total abgefahrene Gedanken gehabt. Das hielt mich davon ab, irgendetwas dazu zu sagen. Ich weiß schon, das klingt absurd. Aber ich kenne Saya eben nicht erst seit gut dreihundert Seiten, so wie ihr, ich kenne sie schon mein ganzes Leben lang, und Erlebnisse wie die, von denen sie dann im Zimmer ausführlicher erzählte – unverschämte Frauen in der Tram, kleiner Ausraster vor Lifes Café –, hatte sie auch schon davor gehabt, was also hätte ich tun sollen?

Ich hätte fragen können, warum sie so irre lacht. Sie sah aus wie der Joker. Das hätte ich fragen können, stimmt. Aber ich hielt mich daran fest, dass eine irre grinsende Saya besser war als eine irre wütende, und um ehrlich zu sein, hatte ich auch einfach Lust, mich auf die Hochzeit zu freuen.

Und ich schwöre: Sie erzählte mir nicht, wie es nach der Eskalation vor dem Café weiterging, woraus ich schloss, dass sie danach eben einfach nach Hause gekommen war.

»Was ziehst du an?«, fragte Saya, als sie in ihrem Wanderrucksack verschwand und weiteres Zeug hervorholte, das sie auf dem Boden verteilte. Saya reiste mit viel Kleidung und mit noch viel mehr Büchern. Wann las sie die überhaupt. »Ein schwarzes Kleid«, sagte ich und schaute traurig in meinen Schrank. Ich vermisste meine Mutter eigentlich nie, aber der jährliche Service mit dem neuen Kleid war schon ziemlich gut. Saya schaute mich, einen Arm im Wanderrucksack, verständnislos an. »Ich habe nur ein schickes Kleid«, sagte ich entschuldigend, »und das ist schwarz. Passt zu jeder Gelegenheit. Was ziehst du an?« »Ein schwarzes Kleid.« Saya warf etwas, was nach hochwertigem Stoff und textilgerechter Wäsche aussah, auf mein Bett. Ihr schwarzes Kleid würde eindeutig besser aussehen als meins, aber wen wunderte das. »Ist das irgendwie respektlos, Shaghayegh gegenüber, dass wir uns keine Kleider extra für diesen Anlass gekauft haben?«, überlegte ich laut. »Quatsch«, sagte Saya, »ein weißes Kleid wäre das Einzige, was ihr gegenüber wohl wirklich respektlos wäre.«

»Geht sie in Weiß?«

»Klar. Wer heiratet, geht auch in Weiß. Wenn schon albern, dann richtig.«

»Warum gehst du überhaupt zur Hochzeit, wenn dich das alles so nervt?« Saya überlegte und sagte, »Um herauszufinden, warum sie heiratet. Wollen wir die Kleider tauschen?« »Absolut«, ich hatte damit eindeutig den größeren Gewinn gemacht, aber das sagte ich nicht. Mein Kleid würde an Saya eh besser aussehen, also war das auch egal. Hauptsache, wir trugen beide was Neues. Mit spitzen Fingern griff Saya zur Einladungskarte, überflog sie und fragte ohne aufzublicken, »Hast du dich bei Lukas gemeldet?« Ich nickte. Saya verdrehte die Augen und legte die Karte beiseite. »Ich hoffe, der Job bei seiner Oma ist wenigstens bombastisch.«

»Der Job ist doch nicht bei seiner Oma.«

»Woher willst du das wissen? Du hast ihn doch nicht mal gefragt, was für ein Job das ist.«

Ich hatte keine Lust darauf, dass Saya weitersprach und mir die Vorfreude, mit der ich mich ganz gut arrangieren konnte, nahm. Seit ich die Entscheidung getroffen hatte, Lukas' Hilfe anzunehmen, fühlte ich mich nämlich wunderbar und sah den Vertrag schon unterschrieben vor mir. Ich schaute mir die Hochzeitseinladung an. Sie sah edel aus, hochwertiges Papier, elegante Schrift, zarte Grafiken von Efeu und Eheringen. Ich las Theos Namen zum ersten Mal überhaupt und bemerkte erst jetzt, dass Theo ein Spitzname war und sein richtiger Name auf Ämtern vermutlich genauso wenig für Entzücken sorgte wie Sayas oder meiner oder eben Shaghayeghs. Sie hatten einen Spruch aus einem schlauen Liebesgedicht auf die Karte gedruckt, den ich schon beim ersten Blick auf die Einladung nicht weiter beachtet hatte. Ich drehte die Karte um und sah jetzt erst, dass auch dort etwas stand.

Wir sind durch schwere Zeiten gegangen und wir haben sie überstanden. Feiert an diesem Tag, dass wir die Sorgen der Vergangenheit ein für alle Mal hinter uns lassen. Feiert mit uns, dass wir uns haben.

»Äh, Saya, als ihr mit Shaghayegh Schnaps getrunken habt, hast du sie da eigentlich gefragt, was das hier heißen soll?«, ich hielt Saya, die wieder damit beschäftigt war, in ihrem Rucksack zu wühlen, die Karte hin. Sie überflog den Text, ohne mit dem Wühlen aufzuhören, und sagte, »Nein. Das habe ich noch gar nicht gesehen. Aber das kann man sich ja auch so erklären. Theo war krank! Bestimmt war Theo sehr krank und jetzt ist er gesund und vor lauter Glück wollen sie heiraten, jetzt verstehe ich das. Wie in Krankenhausserien, erst Nahtod, dann Love. Macht die Sache nicht besser, aber wenigstens nachvollziehbar.« Saya zog endlich ihren Arm aus dem Rucksack und hob ihn in die Höhe. Sie hatte die kleine Glitzerhandtasche gefunden, um die ich sie als Kind beneidet und die sie offensichtlich aufgehoben hatte. Immer noch schick, keine Frage. »Und jetzt schnicken wir, wer sie tragen darf.« Wir schnickten, ich gewann, und für einen kurzen Moment liebte ich alle und die ganze Welt.

^^^

Carolin war aufgeregt vor dem Gespräch mit Hani. Sie war oft aufgeregt und fragte sich dann, warum sie eigentlich in dieser Führungsposition gelandet war und wann allen um sie herum wohl auffallen würde, dass sie für ihren Posten eigentlich die absolute Fehlbesetzung war. Dass sie allein nur glückliche Zufälle und wohlwollende Menschen bis hierher gebracht hatten, wacklige Pfeiler also, auf die man eigentlich nicht bauen sollte, auch wenn sie erst mal hilfreich zu sein schienen. Früher oder später aber würde sie Fehlentscheidungen treffen, den ganzen Laden gegen die Wand fahren, Insolvenz anmelden und vor der ganzen Branche ihr Gesicht verlieren. Es war unvermeidbar, dass das eines Tages passieren musste, es war nur eine Frage der Zeit, bis alle ihre Fassade der Kompetenz durchschauen würden. Seitdem sie diese Stelle angetreten hatte, hatte sie wieder damit begonnen, ihrem Spiegelbild gut zuzureden. Das hatte sie zuletzt in der Pubertät gemacht. Natürlich war sie keine Chefin wie andere Chefinnen, dessen war sie sich bewusst, denn es ging ihr niemals um Macht und Ausbeute, es ging ihr allein um die geliebten Tiere und darum, dass sie ihre Mitarbeitenden bezahlen konnte. Nur manchmal, da nagte der merkwürdige Verdacht an ihr, dass sie die Tiere vielleicht gar nicht so sehr liebte, wie sie müsste oder wie es die anderen taten. Doch wenigstens dieser Zweifel ließ sich schnell abschütteln, wenn sie an ihre Tage auf der Rinderfarm dachte, an ihre drei Pferde und daran, wie viele Kunden sie in den vergangenen Jahren akquiriert und wie viele Tierleben sie damit aufgewertet hatte. Dass Carolin eine Chefin war, die auf Augenhöhe mit ihren Mitarbeitenden blieb, lag nicht nur daran, aus welcher Idee heraus ihre Agentur ursprünglich entstanden und gewachsen war, sondern auch daran, dass Carolin auf keinen Fall die alleinige Verantwortung für irgendwas haben wollte. Nach jahrelangem Leben in selbstverwalteten Häusern und Höfen aber wusste sie auch, dass die Dinge endlos dauerten, wenn man Gruppen über sie entscheiden ließ, deswegen musste es unbedingt jemanden geben, der über allem steht, und dieser jemand war sie. Der war sie, verdammt!

Sie streckte ihre Wirbelsäule durch und rutschte mit dem Hintern zum vorderen Teil des Stuhls, um gerade zu sitzen. Sie schluckte und zwinkerte zweimal wissend. Ihr gegenüber saß Hani. Hani, die, so vermutete Carolin, die Letzte sein würde, die Carolins Kompetenzen jemals anzweifelte. Carolin hatte das an Hani von Anfang an gemocht: ihre ganz offensichtliche Bewunderung für Leute wie sie. Es schien ihr sogar Spaß zu machen, andere zu bewundern. Das rührte Carolin, doch Rührung allein hätte nicht dazu geführt, dass sie sich damals derart für Hanis Anstellung einsetzte, erst recht nicht, da die anderen eher skeptisch waren. Sie sagten es nicht laut, aber es war offensichtlich, dass Hani sich in ihrem Habitus stark von ihnen unterschied, dass sie so gar nicht den gewohnten persönlichen Background zu haben schien. Carolin war an jemandem wie Hani interessiert, weil sie, im Gegensatz zu ihren Kollegen, die mit der Stelle einhergehende Intimität fürchten musste. Die Sekretärin war die Person, deren Büro direkt an ihres grenzte, die ihre Fehler und Fehlentscheidungen am schnellsten bemerken würde, die bei den meisten Telefonaten mithören könnte, die sogar an privaten Dingen – und Carolins Privatleben war ein einziges Fiasko, aber das gehört hier jetzt nicht hin – teilhaben würde, egal, ob Carolin das zu verhindern versuchen würde oder nicht. Hanis Position war nur die einer Sekretärin – aber die war verdammt mächtig, wenn die Chefin etwas zu verbergen hatte. Deswegen musste die Stelle unbedingt an jemanden wie Hani gehen.

Carolin sah Hani an. Sie sah für sie immer noch aus wie das junge Ding, das damals bei ihnen angefangen hatte, aufmerksam schaute sie durch Carolins Büro, das ihr zu gefallen schien. Sie schien sich so genau umzusehen, als würde sie sich merken wollen, was ein Büro eigentlich zu einem Büro machte. Sie war so süß, dachte Carolin. Und sie war definitiv schwanger. Sie wirkte seit Tagen unausgeschlafen, hatte einen leichten Glanz in den Augen, schien unkonzentriert. Das sah ihr nicht ähnlich. Carolin hatte Gespräche wie das vermutlich anstehende in der letzten Zeit häufiger geführt. Mit einem Mal zog sich in ihrer Magengegend alles zusammen und ihr Herzschlag verriet ihr, was sie sowieso schon wusste: Sie war in Panik. Wenn Hani gehen würde – Mutterschutz, Elternzeit, danach garantiert Teilzeit, wenn nicht, schlimmer noch: Kündigung! –, dann war Carolin aufgeschmissen. Sie hatte keine Ahnung, welche Aufgaben Hani inzwischen genau übernahm. Sie hatte lediglich beobachtet, dass die anderen Hani mehr und mehr Arbeit übertrugen, und dabei vor allem an sich selbst gedacht. Eine so schwer beschäftigte Sekretärin nämlich würde wohl kaum die Zeit finden, sie nebenbei zu entlarven. Das Konzept ging wunderbar auf, bald brachte niemand mehr Hani die anfängliche Skepsis entgegen, und Carolin konnte sich darauf verlassen, dass der Laden lief. Hani lächelte immer, also war doch alles prima. Wenn Hani gehen würde, müsste Carolin jemanden einstellen. Ob für kurze oder längere Zeit: Sie würde wieder mit den alten Unsicherheiten zu kämpfen haben, und am Ende würde sie jemanden bekommen, der nach acht Stunden die Bürotür hinter sich schloss, der sich strikt an seine unbedingt vorher mit Carolin abzustimmenden Aufgaben hielt und bei jeder Kleinigkeit zu ihr lief. Jemanden, dem der Tierschutz vielleicht etwas mehr am Herzen lag, aber das war Carolin egal.

Sie beobachtete Hani, die damit beschäftigt war, ihren Teebeutel mithilfe des Löffels auszuwringen und auf den Teller neben der Tasse zu legen. »Also, liebe Hani«, sagte Carolin und fand, dass ihre Stimme angemessen klang, angemessen seriös und angemessen einfühlsam, auch wenn sie eigentlich vor Panik platzen wollte, »was gibt es?« Hani schaute sie an, und Carolin legte viel Gutmütigkeit in ihren Blick, blinzelte noch einmal wissend und schickte ein Stoßgebet zum Himmel. »Ja, also«, sagte Hani mit ihrer kindlichen Stimme und hob die Teetasse mit beiden Händen an den Mund. Sie schaute Carolin nicht mehr an. Führte Hani eigentlich eine feste Beziehung? War sie nicht nur schwanger, sondern bald auch alleinerziehend? Egal, das würde nicht Carolins Problem sein, und doch würde es erklären, warum Hani nicht vor Freude strahlte. Andererseits, die letzten Kolleginnen hatten bei der Verkündung ihrer baldigen Auszeit auch nicht gestrahlt, sondern ausgesehen, als hätten sie aus Versehen den Mülleimer gefrühstückt. Sie hatten erst gestrahlt, als sie Carolins Büro wieder verließen. Es wunderte Carolin, dass die Kolleginnen, eine nach der anderen, vergessen zu haben schienen, wie man verhütet. Keine sprach davon, dass sie es in irgendeiner Form geplant hatte, schwanger zu werden, sie wirkten immer, als wären sie da aus Versehen reingestolpert und als würden sie sich jetzt diesem Schicksal fügen. Dabei entging Carolin, dass sie, wenn sie sich an ihrem Schreibtisch unbeobachtet fühlten, ihren Bauch streichelten, untereinander lachten und ihre Stimmen eine selbstzufriedene Aufregung bargen. In Carolins Augen war es eine absolute Selbstgefälligkeit, Kinder in eine Welt zu setzen, die definitiv keine weiteren CO_2-Keulen brauchte, aber so durfte man als Chefin natürlich nicht reden und deswegen gab Carolin sich jetzt Mühe, nicht mehr ganz so liebevoll zu schauen, sondern etwas strenger, denn Hani sollte jetzt verdammt noch mal endlich mit der Sprache rausrücken. »Ich wollte mit dir über meine Arbeit reden.« Carolin lachte. »Das habe ich mir gedacht, liebe Hani«, sagte sie. »Ich arbeite ja schon lange hier«, fuhr Hani fort, als hätte sie Carolin nicht gehört und das, was sie sagen wollte, auswendig gelernt, »ich arbeite schon lange hier und ich weiß nicht, ich glaube, ich mache meinen Job auch ganz gut, also, ich gebe mir auf jeden Fall wirklich sehr viel Mühe.« Dass ihr peinlich war, was sie da sagte, sah man ihr an. Carolin entspannte sich ein wenig. Hani war etwas merkwürdig, aber das hier hörte sich erst einmal nicht nach Schwangerschaft an. »Darüber habe ich heute auch nachgedacht«, sagte Carolin, »du gibst dir nicht nur sehr viel Mühe, du machst deinen Job auch einfach ganz wunderbar!« Carolin atmete durch, ließ die angespannten Schultern etwas sinken und fühlte, wie sich das, was sie gerade gesagt hatte, in ihr selbst breitmachte. »Du bist immer für alle da, denkst für alle anderen mit, du bist schnell und ordentlich in dem, was du tust, und wer mit dir Kontakt hat, mag dich.« Alles, was sie da aufzählte, stimmte, nichts davon sagte sie, weil sie dachte, Hani um den Finger wickeln zu müssen. Sie sprach weiter, »Als ich dir gestern zum Beispiel von dem Feedback unseres Fotografen erzählt habe, war mir wichtig, dich darüber zu informieren, dass ich sehr zufrieden mit dir bin. Dass du unsere Agentur nach außen hin präsentierst und dabei einen guten Eindruck hinterlässt. Diese Professionalität ist für uns sehr wichtig. Ich nehme das wahr, Hani, dass du an Stellen Verantwortung übernimmst, an denen sie dir niemand explizit aufgetragen hat. Deswegen bist du für uns so wertvoll.« Hani sah aus, als könnte sie nicht glauben, was sie da gerade hörte. Sie sah Carolin an, als hätte diese ihr gerade verraten, dass der liebe Gott übrigens doch existierte und sie außerdem zu einer gigantischen Götterparty einlud. Nach einer Weile fiel ihr ein, mit einem stimmlosen »Danke« zu antworten. Carolin nickte und schwieg, um ihre Worte weiter wirken zu lassen. Falls Hani mit dem Gedanken gespielt haben sollte, nach der Elternzeit nicht zurückzukommen, konnten ihre Worte vielleicht einen Richtungswechsel bewirken. Jetzt aber Butter bei die Fische: »Aber du bist wahrscheinlich nicht in mein Büro gekommen, damit ich dir nette Sachen sage«, lachte Carolin und merkte nicht, dass Hani ihr Lachen nicht erwiderte und sich sammelte, »also, wie kann ich dir helfen?« Hani nahm einen Schluck von ihrem Tee und verbrannte sich dabei die Zunge. Carolin lag falsch. Hani war aus zwei Gründen in ihr Büro gekommen. Einmal, weil sie es Saya versprochen hatte und dachte, wenn es Saya so dreckig ging, wie sie glaubte, dann würde es sie vielleicht besänftigen, dass ihre Ratschläge ernst genommen und befolgt werden. Außerdem war sie sehr wohl gekommen, um nette Sachen gesagt zu bekommen. Das war eigentlich alles, was sie brauchte. Nein, wenn Hani länger darüber nachdachte, und dafür musste sie so tun, als würde sie noch einen Schluck von dem viel zu heißen Tee nehmen, hatte sie eigentlich auch diese Sachen nicht hören müssen. Sie wusste all das bereits. Carolin musste ihr nicht die Absolution erteilen. Es war nett, das zu hören, aber nicht mehr. Immerhin sagte sich Hani selbst nach jedem Feierabend, nach jedem Aufräumen des Schreibtisches und Wegschmeißens des zur Gänze abgearbeiteten To-do-Zettels, dass sie sich nichts vorzuwerfen und jeden Cent ihres Gehaltes verdient hatte. Sie hätte am liebsten ihre Tasse abgestellt, sich bei Carolin für das Gespräch und diese Erkenntnis bedankt, um gleich darauf zurück an die Arbeit zu gehen. Aber Hani hatte Carolins Zeit beansprucht, wie konnte sie sich das eigentlich erlauben, Carolin hatte einen so vollen Terminplan und erwartete jetzt eine klare Antwort auf die Frage, »Wie kann ich dir helfen?« »Ich glaube, dass wir eine Gehaltserhöhung vereinbart hatten, die ich noch nicht bekommen habe, kann das sein?«, sagte Hani jetzt kurzerhand. Was? Geld? Vereinbarung? Hani bereute in der gleichen Sekunde, was sie gesagt hatte. Tatsächlich hatte man sich damals darauf verständigt, dass sich Hanis Gehalt an einer Tarifvereinbarung orientieren würde, und gemäß dieser Tabelle hätte ihr schon lange und mehrmals eine Erhöhung zugestanden. Doch wenn man sich nur an etwas »orientierte«, war nun mal die entscheidende Frage, wer sich da orientierte, und es reichte nicht, dass Hani diese Vereinbarung auf dem Schirm hatte, wenn sie damit alleine blieb. »Ja klar«, sagte Carolin und strahlte, »ja klar, du hast recht! Darüber wollte ich auch schon längst mit dir sprechen, gut, dass du das erwähnst!« Carolin hatte darüber natürlich noch nie nachgedacht und sie fand es überhaupt nicht gut, dass Hani das ansprach. Jetzt würde sie sich darum kümmern müssen, obwohl sie gar nicht mehr wusste, wie ihre Vereinbarung damals gelautet hatte und ob sie sich eine Erhöhung leisten konnten und ob das nicht bedeuten würde, dass alle anderen auch mehr Geld wollten, und dass es dann verdammt schwer werden würde, weiterhin ein fairer Arbeitgeber zu sein und von allen gemocht zu werden. Egal. Hauptsache, Hani blieb. Hauptsache, keiner nahm ihr Hani weg. Hani, die als Einzige immer wirklich wach zu sein schien. »Danke, dass du damit zu mir gekommen bist«, sagte Carolin und stand auf, um die Vertragsunterlagen rauszusuchen, denn das wirkte kompetent und geschäftig und kaschierte nicht nur ihre Ratlosigkeit, sondern auch ihre Freude. Am liebsten hätte sie Hani umarmt.

Wir ließen die Gläser klirren. »Gehaltserhöhung!«, rief Saya immer wieder, als wäre das der Anlass, zu dem sich die zweihundert Menschen auf der Wiese vor dem stilvoll geschmückten Festsaal versammelt hatten. Frisiert und aufgebrezelt, mit strahlenden Gesichtern und rot geschwollenen Augen. Wir sagten nicht »Prost« oder, wie wir es uns vor Jahren angewöhnt hatten, um uns über Kneipengänger lustig zu machen, »Zum Wohl«. Wir riefen »Gehaltserhöhung!«, stießen an und waren dabei so laut, dass die anderen Hochzeitsgäste sich zu uns umdrehten. Die, die selbst Spaß hatten, mit ihren Leuten zusammenstanden und lachten, redeten, rauchten und laut waren, nahmen uns entweder nicht wahr oder freuten sich mit uns, hoben manchmal selbst ihr Glas und riefen »Gehaltserhöhung!«, mit lang gezogenen Vokalen und falscher Betonung. Die, die unsicher herumsaßen, als hätten sie Angst, die Mafia würde gleich zur Party stoßen, blieben bei Seitenblicken und würden die Hochzeit vermutlich sowieso früh verlassen. Das jedenfalls dachte ich zu Beginn noch. Da wusste ich noch nicht, dass später alle Arm in Arm miteinander tanzen und grölen und den Spaß ihres Lebens haben würden. Da wusste ich aber auch noch nicht von dem grauenhaften Ausgang des Abends und dass es mich irgendwann hierher, an diesen Schreibtisch verschlagen würde.

Zu Beginn der Hochzeit also standen wir um schicke runde Tische herum, die man zu einem Sektempfang wohl unbedingt aufstellen muss, obwohl sowieso alle ihre Sektgläser in der Hand halten, aßen gesalzene Nüsse aus geflochtenen Körben und feierten Hani, die knallhart auf den Tisch gehauen und ihrer Chefin gesagt hatte, »So nicht. Entweder ihr gebt mir mehr Geld oder ich haue ab.« Saya kriegte sich gar nicht mehr ein. »Du bist so krass«, rief sie immer wieder, »dass du echt mehr Geld gefordert hast, wow, echt!« Dann hob sie erneut ihr Glas. Wir tranken gar nicht so viel, wir stießen nur immer wieder an. Hani hätte uns am liebsten alle Getränke ausgegeben, aber das ging natürlich nicht, denn wir tranken ja auf Kosten des glücklichen Paares. Stattdessen bot sie uns ständig Zigaretten an, und Saya und ich rauchten mit, als würden wir Hani damit für ihre heldinnenhafte Tat belohnen wollen. Wir rauchten zu dritt und sahen aus wie drei Frauen, die immer zu dritt rauchten, und das war schön, das passte in diese Hochzeitsgesellschaft, in der viele kleine Gruppen eine gute Zeit miteinander zu haben schienen, während sie auf das Brautpaar warteten. Hani trank etwas schneller und etwas mehr als wir und hoffte, dass Saya nicht weiter nachfragen würde, wie genau das Gespräch abgelaufen war und was genau Carolin dazu gesagt hatte, dass Hanis Arbeitsbedingungen problematisch waren. Denn dieser Teil des Gespräches hatte letztlich ja gar nicht stattgefunden, obwohl Saya sie ja vor allem deswegen dazu gedrängt hatte. Saya aber ist in diesem einen Punkt zum Glück so simpel gestrickt wie alle anderen Menschen auf der Welt: Sobald es mehr Geld gibt, ist alles gut. Sie fragte nicht, und ich fragte erst später, als Saya schon gegangen war. Ich versicherte Hani, dass das schon okay sei, wenn einem die persönliche Anerkennung doch eher egal und die Knete wiederum tatsächlich wichtig sei. Es fühlte sich dreckig an, das zu sagen, aber in meiner Situation war es die reine Wahrheit. Fragt mal die Leute im Jobcenter. Egal, als wir schon eine Weile an den Sektempfangstischen gestanden hatten, fuhr das Auto vor, ein schicker Oldtimer, schwarz glänzend, weiß geschmückt. Der Fahrer hupte und die Hochzeitsgäste fingen an zu klatschen und zu jubeln, sie machten dabei laute, schnelle Zungentriller und sorgten so für ein Freudengeheul, in das Saya sofort einstimmte und das Hani und mich verstummen ließ, denn wir konnten uns nicht mal ansatzweise erklären, wie man es fertigbrachte, mit der Zunge solche Geräusche zu erzeugen.

Das Brautpaar saß lachend im Auto und als es ausstieg, wurde es mit winzigen, weißen Zuckerperlen beworfen, die wie in Zeitlupe auf sie herabfielen, und erst sah es aus, als würden die Gäste auch noch mit sehr viel Geld um sich werfen, aber es waren nur Spielgeldscheine, die irgendeine ausländische Währung imitierten. Die Kinder in ihren Anzügen und Puffärmelkleidern stürzten sich kreischend auf die Scheine und ahnten noch nichts von der nahenden Erkenntnis. Shaghayegh lachte und strahlte, Theo nahm ihre Hand, hob sie in die Höhe und kriegte sich gar nicht mehr ein vor Lachen. Theos und Shaghayeghs Eltern kamen, küssten ihr neues und ihr altes Kind, weinten und hielten ihre Gesichter. Dann kamen die nächsten Verwandten, küssten und umarmten das Brautpaar, und ich schaute zu Saya, als sie sich gerade eine Träne von der Wange wischte. »Aha!«, sagte ich und hob meinen Zeigefinger, und Saya rief, »Gehaltserhöhung!«, und hob ihr Glas, und die Leute um uns herum riefen, »Gehaltserhöhung!«, und hoben ihre Gläser und dann hoben alle ihre Gläser und grölten und ich glaube, es hat noch nie jemand eine Hochzeit gefeiert, bei der so viel gegrölt und gelacht wurde, obwohl die meisten Gäste sich vorher nicht kannten und sich auch sonst niemals kennengelernt hätten. Shaghayegh sah aus wie eine Braut aus dem Brautmodenkatalog, nein, sie sah aus, als wäre sie im Fernsehen, weil sie gerade den britischen Kronprinzen heiratet; sie sah aus, wie Prinzessinnen aussahen, als ich ein Kind war, auf dem Teppichboden vor dem Fernseher saß, Chips aß und ein Abenteuer erleben wollte, das dann meinetwegen auch mit einer Hochzeit enden konnte. Selbst Saya schien vor Glück so gerührt zu sein, dass sie sich ihre Kommentare sparte. Auch darüber, dass Theo definitiv ein Becken voller Gold besaß, in das er regelmäßig sprang, denn diese Hochzeit kostete auf jeden Fall mehr als drei Jahre meiner Existenz und Shaghayegh war beim besten Willen nicht so reich, sich das leisten zu können. Saya kommentierte nicht, dass Theos Vermögen natürlich der Grund sein konnte, warum das alles hier gerade stattfand, und sie somit ihre Detektivarbeit als erfolgreich beendet bezeichnen durfte. Saya kommentierte auch die Tatsache nicht, dass Theo Schwarz war. Natürlich nicht, denn dazu gibt es auch nichts zu sagen, wir sind ja nicht ihr. Saya aber, für die »der Bräutigam«, von dem sie in den letzten Tagen so verächtlich gesprochen hatte, als wäre er das Privileg in Person, hätte sich ertappt fühlen können. Denn in ihrer Vorstellung war ein Bräutigam, der Theo hieß und eine Frau heiratete, ein weißer Mann. Vielleicht ein reicher oder ein kranker Mann, vielleicht ein Mann, von dem Shaghayegh schwanger war, wahrscheinlich ein langweiliger Mann, sonst würde er nicht heiraten – das war in Sayas Vorstellung ganz klar gewesen. Sie hätte jetzt eine Runde über ihre eigenen Vorurteile nachdenken können, aber auf die Idee kam sie nicht. Wir sind eben doch manchmal wie ihr. Stattdessen wischte sie sich schon wieder eine Träne weg und lachte, als Hani ihr ein Taschentuch anbot. Die übrigen Gäste näherten sich nach und nach dem Brautpaar, hielten sich dabei aber strikt an die unausgesprochene Reihenfolge, die sich daraus ergab, wie nah man dem Paar stand, familiär wie freundschaftlich. Ich sah mich um und stellte fest, dass ich niemanden kannte außer Shaghayeghs Eltern, die ja mal meine Nachbarn gewesen waren. Sie waren schon immer nett und hatten Saya, Hani und mich begrüßt, als wohnten wir noch immer Tür an Tür, als wären wir noch immer Kinder, zu erzählen hatten wir uns danach leider trotzdem nichts. Aus irgendeinem Grund hatte ich gehofft, dass Shaghayegh weitere Leute aus der Siedlung einladen würde. Leute aus unserer Kindheit, an die ich mich verschwommen erinnere und die ich jetzt wiedersehen würde. Wir würden uns umarmen und über die Wiederbegegnung freuen, darüber staunen, was aus uns geworden ist, und dann distanziert und trotzdem liebevoll über den Ort reden, an dem niemand je sein wollte und der uns trotzdem eine glückliche Kindheit beschert hatte. Wir würden resümieren, wie das mit dem Verfall damals angefangen hatte und wie merkwürdig der Gedanke doch war, dass einige wenige geblieben waren und noch immer dort wohnten. Wir kennen sie nicht, sonst könnten wir sie fragen, ob sie inzwischen Brandmelder in ihren Wohnungen angebracht haben, einfach so, zur Sicherheit. Dass wir sie nicht kennen, ist vielleicht auch der Beweis dafür, dass das strategische Ausbluten-Lassen der Siedlung erfolgreich war. Wir verbünden uns nicht, vor uns muss man keine Angst haben. Dementsprechend war auch niemand aus der Siedlung auf Shaghayeghs Hochzeit. Aber wir drei waren da.

Als wir dem glücklichen Paar gratulierten, drückte uns die Braut lang und fest, eine nach der anderen. Sie mochte uns nicht unbedingt. Sie hatte immer schon gefürchtet, dass wir sie einmal blamieren würden, und uns manchmal dafür verachtet, dass wir nicht in der Lage waren, uns so zu verhalten wie alle anderen. Immer falsch angezogen, immer laut lachend, immer mit einer unlogischen These irgendwen in die Ecke argumentierend. Das war in Ordnung, solange man unter sich war, fand sie, aber vor allen anderen war es ihr unangenehm. Jetzt, in diesem Moment, umarmte Shaghayegh uns und war erleichtert, dass wir gekommen waren, denn wir standen für einen Teil von ihr, für den hier sonst niemand stand und der trotzdem zu ihr gehörte. Shaghayegh schien Saya ein wenig fester zu umarmen als Hani und mich, und Saya gab Shaghayegh einen Kuss auf die Wange, was wie gesagt eine absolute Saya-Seltenheit ist, zumindest nüchtern. Wir gingen zurück zu den anderen Gästen, wo wir so lange herumstanden, bis eine der Brautjungfern ein niedliches Spiel anzettelte, bei dem das Brautpaar ein herzförmiges Loch aus einem Stoffbanner schneiden musste, durch das Theo Shaghayegh anschließend trug – denkt euch den Rest. Es war eine Hochzeit wie aus dem Lehrbuch, wie aus dem Bilderbuch-Lehrbuch, nur eben noch ein bisschen besser. Als wir alle endlich die Sektgläser abstellten, um uns in den geschmückten Saal zu bewegen, schienen die Gäste vor lauter Euphorie bereits ein wenig müde. Langsam stellten sie sich in die lange Schlange, die sich vor dem Eingang gebildet hatte, niemand sprach, nur die letzten Raucher blieben auf der Wiese zurück, nahmen ein paar schnellere Züge, um sich ebenfalls gleich einreihen zu können, und beendeten ihre Gespräche. Weil Saya, Hani und ich noch immer ein wenig ratlos waren, welche Rolle wir bei dieser Hochzeit überhaupt spielten und welchen Stellenwert wir in der Hierarchie der Gäste einnahmen, ließen wir vorsichtshalber alle anderen vor und reihten uns erst mit den letzten Rauchern ein.

Uns folgten zwei Männer, die weder zu Theo noch zu Shaghayegh so richtig zu passen schienen, weder vom Alter noch von ihrer Ausstrahlung, die sie zwar freundlich, aber auch etwas distanziert wirken ließ. Hani schaute die beiden an, wie sie ihre Zigaretten ausdrückten und ihr leise gemurmeltes Gespräch zu Ende brachten, und der Anblick der beiden bestätigte das, was sie schon damals, als sie die Hochzeitseinladung erhielt, vermutet hatte. *Feiert an diesem Tag, dass wir die Sorgen der Vergangenheit ein für alle Mal hinter uns lassen,* das war für jemanden mit Hanis Geschichte leicht zu entschlüsseln, und sie hatte sofort erkannt, dass die Freude, die das Brautpaar zeigte, echt und dass die Erleichterung, die in ihren Gesichtern steckte, zugleich eine existenzielle war. Hier heiratete man nicht, weil man es nun einmal so tat, sondern um überhaupt zusammenbleiben zu können, und vor allen Dingen, um hierbleiben zu können. Hani lächelte die beiden Männer an, als sie so tat, als müsste sie noch mal zum Aschenbecher, denn sie erkannte sie als diejenigen, die Feste wie diese unterstützten, deckten, die im Vorfeld für die notwendigen Informationen und juristischen Absicherungen gesorgt hatten. Menschen, die eigentlich ein völlig anderes, unbesorgtes Leben führen könnten und stattdessen anderen halfen. Hani lächelte die beiden Männer an, aber sie lächelten nicht zurück, denn erstens konnten sie ja nicht wissen, dass Hani verstand, was kein anderer verstehen konnte, und zweitens sahen sie Hani gar nicht.

Wir betraten schweigend das Treppenhaus des Festsaals. Hani stellte sich vor, sie würde Saya erzählen, dass sie, im

Gegensatz zu ihr, jetzt tatsächlich herausgefunden hatte, warum die beiden heirateten. Sie stellte sich die Ratlosigkeit vor, die daraufhin in Sayas Blick liegen würde und die wir sonst nur von weißen Menschen kannten, die zum ersten Mal davon erfuhren, dass sie weiß sind und deswegen Vorteile genießen. Nicht in dem Moment, in dem sie es erfahren, sondern in dem Moment, in dem sie es verstehen. In dem sie ihre eigene Sichtweise und die eigenen Erfahrungen als zweitrangig einordnen müssen, was sie sonst nicht gewohnt sind. In dem sie anerkennen, dass sie zwar zu den Guten gehören, dass es aber Leute gibt, die viel mehr Ahnung von der Beschissenheit der Dinge haben, weil sie die am eigenen Leib erleben, jeden Tag, ohne Verschnaufpause. Sayas Gesicht wäre das einer Person, die wusste, dass sie es im Leben gut getroffen hatte, diese Tatsache jedoch vergessen hat. Denn mit ihrem deutschen Pass war es für sie bisher leicht gewesen, zu reisen, zu lernen, zu verurteilen und sich über ein vermeintliches Deutschsein lustig zu machen – und dabei zu vergessen, wie all das gelaufen wäre, wenn sie diesen Pass und die Sicherheit nicht gehabt hätte. Hani legte Saya eine Hand auf die Schulter, aber Saya merkte es nicht, und Hani erzählte ihr auch nicht von ihrer Erkenntnis.

Stattdessen vibrierte in diesem Moment mein Handy und der Name auf dem Display sorgte wieder für das Herzrasen von früher. Lukas hatte geschrieben, mir eine Mail weitergeleitet, er habe die Bekannte seiner Mutter schon kontaktiert, sie freue sich sehr auf meine Bewerbung, er habe nicht bedacht, dass die Stelle nicht hier in der Nähe war, aber nicht gewusst, ob das für mich ein Kriterium sei. Falls ja, tue es ihm leid, und so weiter, »in jedem Fall viel Glück!«, schrieb er. Als ich das Dokument im Anhang öffnete, hörte ich mich lachen. Ich lachte laut. Laut und kurz. Als Nächstes hätte ich gerne geweint. Ich kannte diese Stellenausschreibung. Danke, Lukas, lieb von dir. Es war die Stelle beim Migrationsdienst. In Nordbayern. Ich steckte das Handy zurück in die glitzernde Kinderhandtasche und war froh, dass Saya und Hani nichts mitbekommen hatten. Als es leise donnerte, drehten wir uns noch einmal um. In der Ferne sahen wir dunkle Wolken aufziehen, noch aber waren sie zu weit weg, als dass sie uns wirklich interessieren mussten. »Wird langsam Zeit für ein bisschen Regen«, sagte der eine der beiden Raucher und ich nickte. Dann gingen wir schweigend nebeneinander die Treppe hoch. Wir würden den Rest des Abends im Saal verbringen.

^^^

Was jetzt kommt, ist hässlich und passierte wenige Stunden später. Es ist hässlich und es tut weh, denn Life, Anna und Nikolai waren glücklich, noch nicht einmal besonders glücklich, sie waren einfach auf der Welt und einverstanden damit. Das Gewitter war kurz gewesen und bereits abgeklungen. Im Fernsehen lief eine Serie, die sie schauen wollte und die er hinnahm, weil er parallel dabei war, den Teppich zu flicken, so wie sie parallel dabei war, Nikolai zu stillen. Er hatte vorschlagen wollen, noch einmal spazieren zu gehen, jetzt, wo das Gewitter vorbei war, aber der Teppich musste bis zum nächsten Tag geflickt sein, Anna freute sich diebisch über die 15 Euro, die sie mit ihm verdienen würden. Also kümmerte er sich sofort darum und stellte sich auf einen weiteren Abend zu Hause ein. Dass es durchaus Arbeit war, auf dem Sofa zu sitzen und das warme Kind an den warmen Körper zu schmiegen, hatte er inzwischen verstanden, es aber auch immer noch nicht so *richtig* verstanden. Er hatte es inzwischen zumindest akzeptiert, auch wenn es ihm schwerfiel, etwas als Arbeit anzuerkennen, bei dem man sitzen und fernsehen und Online-Verkäufe managen konnte. Als er sich umsah und den fremden Geruch zuzuordnen versuchte, schaute sie nicht einmal auf. Gerüche, Geräusche, Lichter, die Großstadt ist immer voller Rätsel, selbst wenn du in deiner eigenen Wohnung sitzt. Als er aufstand und sagte, »Hier riecht es doch nach Feuer«, merkte Anna kurz auf. Das Kind hatte aufgehört zu trinken und schaute aus seinen merkwürdigen, leeren Säuglingsaugen durch die Gegend. Alles an diesem Wesen wirkte auf Anna so selbstbewusst und trotzdem hilflos, die Bewegungen der Ärmchen, als wären Marionettenfäden daran befestigt, die Geräusche, die es machte, das Glucksen, der weiße Tropfen, der an seiner Wange klebte. Sie hob den warmen, runden Körper über ihre Schulter, klopfte dem Kleinen auf den Rücken und sagte, »Ich rieche nichts.« Erst als das Kind leise gerülpst und sie ihre Brust wieder bedeckt hatte, half sie ihm, dem Geruch, den sie immer noch nicht wahrnahm, nachzugehen, um sich möglichst schnell wieder hinsetzen zu können. Sie gingen durch die Zimmer, alles war still, der Fernseher auf Pause geschaltet, und nur um alle Eventualitäten ausschließen zu können, öffnete sie, das Baby auf dem Arm, die Wohnungstür. Was ihr entgegenschlug, war die Gewalt, die dich zu Boden reißt, die dir deine Daseinsberechtigung nimmt, die dir in die Magengrube boxt und dir die metallene Stiefelkappe in den Schritt rammt. Stellt euch alle Ängste vor, die ihr haben könnt, all die Panik, in all ihrer Unvermitteltheit, verwandelt sie in eine schwarze, harmlos anmutende Rauchwolke, dann wisst ihr, was Anna und Nikolai hier entgegenschlug. »Feuer«, sagte Anna erst, »Feuer!«, schrie sie dann und lief an Life, der nicht verstand, vorbei, griff im Vorbeigehen nach ihrem Smartphone und eilte mit Nikolai auf den Balkon. In die Dunkelheit, in die Kälte, die auf das Gewitter gefolgt war. Es folgte ein kurzer Moment des Durchatmens, als Life endlich auch auf den Balkon kam, die Tür zuzog und verstanden hatte. Dann kam die Angst zurück. Anna lehnte sich über die Brüstung, das Baby auf der Schulter, Life wollte es ihr abnehmen, sie drehte sich zu ihm und sagte, »Nein.« Durch das Fenster hinter ihm sah sie, dass ihr Wohnzimmer bereits in dem gemächlich eindringenden Rauch verschwand, dass es so simpel sein würde. So simpel. Das Sofa, auf dem sie eben noch gesessen, der Teppich, den er eben noch geflickt hatte, die Wassergläser, die Pfirsichkerne, wurden einfach erfasst von der Wolke, die zum lautlosen Töten gekommen war. Life griff nach Annas Smartphone und rief die Feuerwehr, brüllte in den Hörer, stritt sich mit jemandem. Er solle sich mal beruhigen, hörte er, die Feuerwehr sei doch schon längst unterwegs, »Mach mal keinen Stress, Kollege.« Für den Mann am Ende der Leitung gab es den Stress ja auch nicht. Den Stress, zu wissen, dass diese Rauchwolke dich meint. Den Stress, deine mutige Frau mit der Angst im Gesicht und dem Kind über der Schulter neben dir stehen zu sehen. Den Stress, den winzigen Körper, der dein Wiegen braucht, um einzuschlafen, nicht vor dem Tod schützen zu können. Den Stress, dich in diesen Zeiten schon wieder auf weiße Uniformierte verlassen zu müssen.

Als die Schreie von unten kamen, war das Wohnzimmer kaum noch zu erkennen. Die Wohnung bestand aus Rauch.

Anna hatte bei ihrer Flucht auf den Balkon vergessen, die Wohnungstür wieder zu schließen. Sie berieten sich hektisch, über das alarmierende Säuglingsgeschrei hinweg, über die Schreie, die aus den drei unteren Stockwerken kamen. Sie kommunizierten, ohne zu wissen, wie, Anna drehte sich nicht mehr zum Fenster um, sie brüllte nach unten, in Richtung Nachbarn, die sie nicht kannten, denn niemand grüßte sich im Treppenhaus. Die Leute aus den unteren Stockwerken standen ebenfalls auf den Balkons, allerdings zu acht oder zu neunt statt zu dritt, und schienen Anna etwas zu fragen, sie riefen, aber Anna verstand ihre Sprache nicht und sie wiederum verstanden das, was Anna nach unten rief, nicht. Life dagegen konnte nicht aufhören, in das verrauchte Wohnzimmer zu schauen. Ihre Sachen wären unbenutzbar, wenn sie das hier überlebten. Wenn man nur die Wohnungstür wieder schließen würde, könnte man wenigstens ein paar Dinge retten. Nikolai weinte, das kleine Gesicht verzerrt zu einem der drei Gesichtsausdrücke, zu denen er in der Lage war. Unter den Dingen, die gerade eingeräuchert wurden, waren ausgerechnet seine die Wertvollsten; die Vollholzwiege, die Biomatratze, sie hatten alles neu gekauft. Life schaute auf Annas Smartphone. Es war eine halbe Ewigkeit her, dass er die Feuerwehr gerufen hatte. Sie war nicht da. Sie würde so schnell auch nicht da sein. »Mach mal keinen Stress, Kollege«, hatte der Mann am Telefon immer wieder gesagt und damit vor allem klargemacht, dass sie sich selbst keinen Stress machen würden. Life fragte sich, in welcher Sprache die Nachbarn von unten wohl gesprochen haben mochten, als sie bei der Feuerwehr angerufen hatten. Ihm fiel ein, dass er am Telefon pflichtbewusst seinen Nachnamen genannt hatte, obwohl er das intuitiv hatte umgehen wollen. Er schaute zu Anna, die geradeaus starrte, leicht in den Knien wippte und Nikolai das Lied vorsang, das ihr Vater ihr zum Einschlafen vorgesungen hatte. Sie sang in einer Sprache, die die des Vaters zu imitieren versuchte, denn Anna war deutschsprachig aufgewachsen, dieses Lied aber gab es nicht auf Deutsch. Nikolai wurde ruhiger und Anna sah aus wie ein Schuckel-Roboter. Die Feuerwehr kam nicht. Das Zimmer hinter ihnen war verschwunden. »Ich gehe da jetzt rein, schließe die Wohnungstür und öffne die Fenster«, sagte Life zu Anna, brüllte es, doch sie starrte nur und sagte schließlich, »Bleib hier, da kann man nicht mehr rein.« »Unsere Sachen«, sagte er. »Das war's mit unseren Sachen«, sagte sie, »die Feuerwehr kommt doch gleich, die müssen doch gleich hier sein.« Life war überzeugt, dass Anna sich irrte. Dass die Feuerwehr sich Zeit ließ. Dass die gleichen Leute, die Panik bei brennenden Häusern für Stressmacherei hielten, diejenigen waren, die darüber rätselten, ob man Menschen, die nach Europa flohen, vor dem Ertrinken retten sollte oder nicht. Wenn sie uns dort ertrinken lassen, lassen sie uns hier verbrennen, dachte Life mit einer plötzlichen Klarheit. Anna hingegen war sich sicher, dass jedes Geräusch, jedes Gepolter, jeder durch den Hof hallende Ruf zur Feuerwehr gehörte, die jetzt eintreffen musste. Sie dachte, dass es keine wirklich wertvollen Sachen waren, die sie in der Wohnung hatten. Dass sie immer in Gefahr gewesen waren, egal wo sie wohnten, dass sie sich aber nie in Lebensgefahr befunden hatten und es auch jetzt nicht waren. Anna realisierte, dass die Schreie um sie herum lauter wurden, dass wiederholt etwas Schweres von den Balkons über ihnen zu Boden fiel und dumpf aufschlug und dass sie es schaffen würde, darüber nicht weiter nachzudenken. Dass sich um sie herum alle falsch verhielten, dass Life sich in seiner Sorge um die Sachen in der Wohnung falsch verhielt und allein sie selbst wusste, was zu tun war, sie realisierte, dass sie langsam wieder zu ihrer Ruhe fand, dass der Moment, in dem die Feuerwehr eintraf, näher rückte, je länger sich das elendige Warten zog. »Je länger, desto besser, je länger, desto eher«, sagte sie vor sich hin. Nikolai war zu ihren Bewegungen und ihrem Mantra eingeschlafen. Wenn es am Ende doch sein musste, dachte sie, weiter vor sich hin murmelnd, würde sie springen, ganz einfach würde das sein, sie würde Nikolai dabei mit ihren Armen schützen und auf ihrem Rücken landen, Nikolai würde es überleben, so oder so, das war das einzig Wichtige, »Die Feuerwehr kommt, glaube ich«, sagte Anna, weil sie das nächste Poltern durch den Hof und das Vorderhaus hörte, doch da hatte Life seinen Entschluss bereits gefasst. Er hatte ein letztes Mal durch das Wohnzimmerfenster geschaut, den Wert der Besitztümer überschlagen und sich an die Erbstücke seiner Mutter und die Kiste mit den Tagebüchern aus Annas Kindheit erinnert. »Ich bin gleich wieder da, ich beeile mich«, sagte er, zog sich das Shirt über die Nase, öffnete die Balkontür und verschwand. Anna blieb mit dem schlafenden Kind und ihrer Klarheit auf dem Balkon zurück und stimmte erneut das Lied an. Bis sie verstand, dass die dumpfen Schläge nicht die Feuerwehr ankündigten. Sondern von den unten aufprallenden Körpern stammten.

»Haushaltsunfälle, massenweise. War bestimmt eine Pfanne. Wenn das Fett in der Pfanne Feuer fängt, darfst du sie niemals unter Wasser halten. Niemals. Das Feuer wird dadurch nur weiter angefacht, Wasser und Feuer sind eben nicht die Gegensätze, für die man sie dir als Kind verkauft hat. Worauf es in Wirklichkeit ankommt, ist schlicht und ergreifend Sauerstoff«, sagte der nette, entfernt verwandte Onkel von Theo, als die Nachricht über den Brand nicht mehr nur eine Zeile auf unseren Handys war, sondern, untermalt von sanfter Musik, Gesprächsthema an den weiß gedeckten Hochzeitstischen. Er war einer dieser lehrerhaften Onkel, aber weil er freundlich schien und trotz seiner Lehrerhaftigkeit aufmerksam dem folgte, was andere zu sagen hatten, verziehen wir ihm seine Art, hörten zu und schielten dabei immer wieder unauffällig in Richtung Tanzfläche, um zu prüfen, ob sich dort nach dem kollektiven Gruppentanz und der Unterbrechung durch die Tortenpause noch mal was regte. Die Gäste waren entweder alt und deswegen schon gegangen oder betrunken und auf der Suche nach einem Grund, um weiter wach zu bleiben. Hani, Saya und ich hatten die Torte nicht gebraucht und uns fast über die Pause geärgert. Das heißt, Hani und ich hatten uns fast geärgert. Saya war still und nicht zu durchschauen. »Der Pfannendeckel rettet dein Gesicht, deine Haut und deinen Körper, du legst ihn auf die Pfanne, als würdest du Dampfnudeln machen, und erstickst damit die Flamme, was irgendwie ironisch ist, denn ihr Plan war es ja, *dich* zu ersticken.« Der Onkel lachte. Er hatte als Feuerwehrmann gearbeitet, zwar nicht in Deutschland und nicht in diesem Jahrhundert, aber Feuer ist ein Thema, das du nicht mehr loswirst, wenn du einmal damit zu tun hattest. Du riechst es überall, du witterst die Gefahr und du fühlst dich verantwortlich, sobald jemand dieses Element noch immer nicht verstanden zu haben scheint. Der Onkel hielt uns mit seinem Exkurs davon ab, uns weitere Gedanken über den tatsächlichen Brand zu machen. Wir waren noch zu sehr mit den chemischen Prozessen des Feuers beschäftigt, um über das nachdenken zu können, was unsere Displays gerade angezeigt hatten: *Größte Brandkatastrophe seit dem Zweiten Weltkrieg – mehrere Tote und Verletzte.* Brandkatastrophe klang erst mal nach Unfall und bei Unfällen musste man nicht wie sonst reflexhaft hoffen, dass keine nicht-weiße Person Schuld auf sich geladen hatte und damit die nächste vermeintliche Legitimation weiterer Stimmzugewinne der Nazis lieferte. Wir hatten die Wahl, ob wir betroffen sein oder die nächste Runde Schnaps holen wollten, ob wir diese Neuigkeit als gehaltvolles Gesprächsthema betrachten wollten oder nicht. »Wenn es im Treppenhaus brennt und du die Wohnungstür öffnest, gibst du dem Feuer, was es braucht. Du gibst ihm Sauerstoff«, sagte der Onkel und seufzte. Er schaute uns drei höfliche Zuhörerinnen an, als hoffte er, dass wir niemals derartige Türen öffnen würden, »das ist der Kamineffekt.«

Die Mieter aus der Bornemannstraße hatten wenig Interesse an Details dieser Art. Sie saßen in einem alten Linienbus, in dem man sie ärztlich versorgte; sie waren im Rettungswagen auf dem Weg Richtung Klinik; ihre Körper wurden vom nassen Hofpflaster gelöst; sie wurden im Treppenhaus und in den Zimmern, vor den Wohnungstüren gefunden und identifiziert. Die meisten waren nicht den Flammen zum Opfer gefallen, sondern durch den Sturz aus dem

Fenster oder bei der Flucht durchs Treppenhaus gestorben. Auf »Kultur- und Mentalitätsprobleme« sei das Ausmaß der Katastrophe zurückzuführen, so die Feuerwehr in den ersten Stunden nach dem Brand. Man habe Anweisung gegeben, in den Wohnungen zu bleiben und die Türen geschlossen zu halten. Auf diese Art sei man selbst bei einem sich schnell ausbreitenden Brand verhältnismäßig sicher. Die Mieter hätten diese Warnungen nicht verstanden, sich nicht an sie gehalten. Viele von ihnen hätten versucht, sich durch das Treppenhaus nach draußen zu retten, und seien dabei erstickt. In Zukunft werde man die Flyer zur Brandprävention auch in andere Sprachen übersetzen lassen. Als Brandursache wurden innerhalb kürzester Zeit Kinderwagen ausgemacht, die im Treppenhaus standen und vermutlich, so die Feuerwehr, vorsätzlich angezündet worden waren. Einen Hinweis auf einen ausländerfeindlichen Hintergrund gebe es derzeit nicht. Dieser sei zwar zunächst vermutet worden, da die Opfer verschiedener Herkunft seien und in der Wohngegend überwiegend Menschen mit ausländischen Wurzeln lebten. Grundsätzlich kämen aber verschiedene Ursachen und Motive für die Brandstiftung infrage: Eifersucht, Rache sowie Fälle von Versicherungsbetrug seien in der Vergangenheit häufiger vorgekommen, es könnten aber auch mit Feuer spielende Kinder gewesen sein. Die Gegend gelte als sozialer Brennpunkt.

»Wo, hast du gesagt, steht das Haus?«, fragte Saya und atmete nicht. Ihr Gesicht war weiß, so weiß, wie ich es noch nie gesehen hatte. Saya wurde rot, wenn sie sich ärgerte, blutrot, wenn man sie dabei nicht ernst nahm, niemals aber wurde sie blass. Sie sah aus, als hätte sie etwas gegessen, das man unter keinen Umständen zu sich nehmen, nicht einmal berühren sollte.

»In der Bornemannstraße«, las ich vor, »kenne ich nicht. Muss in irgendeinem Bezirk im Nordwesten sein.«

Saya hustete, stieß mit der Hand an ihr Glas, bemerkte nicht, dass sie Wein über den Tisch verschüttete, stand auf und ging.

»Ah, klar«, sagte Hani, »da waren wir doch neulich. Die Kneipe nach der Party.«

Saya hörte das nicht mehr. Sie hatte es aber ja auch so schon gewusst.

^ ^ ^

Was Hani und ich gedacht haben? Nichts Weltbewegendes. Wir fanden es schade, dass Saya so früh geht, wo doch die letzten Tage eigentlich das Vorspiel für den heutigen Abend sein sollten, an dem wir es so richtig hätten krachen lassen können. Wir hatten es auch krachen lassen, mit lauter, mit trötender, ringelnder Musik, ausgelassenem Tanzen, Menschenketten, die sich rhythmisch durch den Raum bewegten, lachenden Gesichtern. Wir wischten uns die Schweißperlen von der Stirn und winkten schüchtern der Vergangenheit. Aber das war nur ein Teil dieser Feier gewesen und plötzlich war es doch eher erbärmlich, jetzt hier neben dem auskunftsfreudigen Feuerwehronkel zu sitzen. Während Hani und ich uns fragten, ob wir in den vergangenen Tagen in Bezug auf Saya nicht doch irgendetwas hätten anders machen sollen, versorgte uns der Onkel mit Details, die er wiederum für relevant hielt, weil sein Handy ihm weitere Neuigkeiten über den Brand geliefert hatte. Der Mann musste ein anstrengendes Leben führen. Immer, wenn jemand eine neue Information in die Runde gab, fühlte er sich dazu berufen, etwas Erklärendes beizusteuern. Alle anderen in der Runde, die mittlerweile aus Hani, mir und zwei namenlosen Verwandten von Shaghayegh bestand, sahen ihn dabei stumm an, denn alles andere wäre unhöflich gewesen, und doch war nicht zu übersehen, dass wir alle etwas peinlich berührt waren. Das, was er da tat, war so aus der Zeit gefallen. Er war vielleicht einer der Letzten seiner Art, einer Art, die an Tischen saß und referierte. Aber an seinem liebevollen Blick, den er nach der fünfzehnten Information über den Kamineffekt in die Runde warf, konnte man erkennen, dass er das noch nicht wusste. Er wusste nicht einmal, dass das, was er da tat, alle anderen Gespräche verhinderte und wir gar nicht so dankbar waren, wie unser Nicken ihm suggerierte. Dass wir, im Gegenteil, Mitleid mit ihm hatten, dass wir das, was er da tat, aus emanzipatorischen Gründen ablehnten und gleichzeitig aus gesellschaftskonformen Höflichkeitsgründen tolerierten. Ehrlich gesagt, sorgte sein Monolog aber auch für eine gewisse Normalität. Dass Saya gegangen war, konnte so dramatisch schon nicht sein, dachte ich, sonst würde ja nicht alles einfach so weitergehen. Nichts an ihrem Abgang war dramatischer als all der andere Kram, den sie so tat und sagte. Die Musik änderte sich, man räumte nach und nach die Kuchenteller ab und die Hochzeitsgäste bewegten sich wieder zur Bar. Der Onkel schwieg schließlich und schaute zu den Leuten an der Theke, bis er sich von jetzt auf gleich verabschiedete und schlafen ging. Als böten wir ihm keine ausreichende Unterhaltung mehr, dachte ich und stellte mir vor, dass auch er sich die ganze Zeit gelangweilt hatte und sich fragte, warum niemand außer ihm das Gespräch am Laufen hielt.

»Ich versuche mal, Saya anzurufen«, sagte Hani, griff nach ihrem Handy und legte es nach einigen erfolglosen Anrufversuchen zurück auf den Tisch. Ich reagierte nicht einmal, wir schauten uns an und beobachteten dann wortlos die Leute, die langsam wieder zu tanzen begannen. »Sie ist bestimmt schlafen gegangen«, sagte ich, und obwohl ich mich nur allzu gut an die letzten Nächte erinnerte, tat ich, als wäre das ein Grund zur Erleichterung, »oder sie musste kurz allein sein und kommt gleich wieder.« Hani und ich blieben also sitzen, denn uns fiel nichts Besseres ein, als auf Sayas Rückkehr zu warten. Die Alternative wäre gewesen, Shaghayeghs Hochzeit einfach zu verlassen, und das brachten wir nicht über uns. Doch das Trinken machte ohne Saya keinen Spaß und das Tanzen sowieso nicht, und weil Hani und ich niemanden kennenlernen wollten und uns vor weiteren Onkeln fürchteten, schauten wir beide permanent auf unsere Handys.

Bis meins Stunden später, als das Brautpaar sich gerade verabschiedete, tatsächlich klingelte.

Es war Jella, Sayas Anwältin.

^^^

Hallo, mein Name ist Kasih R., ihr werdet mich mit Flüchtlingen, die ihr aus dem Fernsehen kennt, verwechseln und meinen Namen falsch oder aus lauter Scham überhaupt nicht aussprechen. Ihr werdet alles, was ich sage, ein wenig anzweifeln und euch vergewissern, dass ihr es besser wisst. Ihr habt vielleicht recht, genauso wie ich. Ich habe recht, und ich habe beim Schreiben manchmal gelogen, okay, aber ich habe trotzdem recht, denn lügen und recht haben, das schließt sich nicht aus, auch bei mir nicht. Meine Freundin, meine engste und älteste Freundin, wurde eingeknastet, das habe ich schon geschrieben, die Zeitungen berichten über sie, das Internet tobt, alle hassen sie, und wenn ich mir das alles so durchlese, dann scheint es mir ein Wunder, dass meine Freundin und das Internet erst jetzt aneinandergeraten sind, denn alles, was im Internet passiert, sieht danach aus, als wäre es dafür gemacht, Leute wie Saya auseinanderzunehmen. Ein digitaler Gerichtshof, in dem jeder noch so elendige Versager urteilen darf, eine Arena, in der das Publikum der Gegner ist. Aber Saya wird das nicht mitkriegen, ich habe keine Ahnung, wie Gefängnisse in der echten Welt, jenseits amerikanischer Serien, aussehen, aber ich bin mir ziemlich sicher, dass es neben dem Recht auf eine Anwältin nicht auch noch so was wie ein Recht auf das Prüfen der Lage im Internet gibt.

Ich habe die Lage im Internet geprüft und sofort wieder damit aufgehört. Ich bin nicht Saya, ich bin nicht süchtig danach, mir vor Augen zu führen, wie sehr uns Menschen, die mit der Hand in der Hose vor ihren billigen Computern sitzen, hassen.

Stattdessen habe ich online nach der Siedlung gesucht. Keine Ahnung, wieso. Vielleicht, weil ich es noch nie getan habe. Das erst jetzt zu tun, war auch das einzig Richtige, denn es hat sich was getan, die Siedlung wurde verkauft, renoviert und reanimiert, und wenn man weiterrecherchiert, findet man tatsächlich aktuelle Wohnungsanzeigen. Ich schaue mir die Details und Zahlen an und stelle mir vor, wieder dort hinzuziehen, öffne die Fotogalerien und fühle mich, als wäre ich in meine eigene Vergangenheit eingebrochen. Leere Räume, ich kann sie riechen, den süßen Moder der, trotz Renovierung, billig verarbeiteten Wände, den ranzigen Essensgeruch im Treppenhaus, ich spüre die nackten Füße auf dem Teppichboden, den Frühjahrswind, der durch die offenen Fenster weht. Da wohnen bald Menschen wie wir früher und sind in Sicherheit. Kinder, die ihre Schlüssel an einem Wollfaden um den Hals tragen. Teenager, die vor den Häusern knutschen und dabei so nah an der Hauswand stehen, dass ihre Eltern sie aus den Stockwerken darüber nicht sehen können. Erwachsene, die die Nachbarschaft beobachten und sich immer wieder, trotz aller Veränderungen, vergewissern, dass sie für ihre Familien nach wie vor sicher genug ist. Nicht unbedingt sicher, aber sicher genug.

Irgendwo in diesen Wohnungen schlafen vielleicht gerade Freundinnen beieinander und lachen sich in der Bettwäsche von *My little Pony* kaputt. Erzählen sich Witze und sind überrascht, wie gut sie sind, wenn man sie laut ausspricht, machen sich über andere lustig und wiederholen Sprüche und Wörter, die sie ihnen in den Mund legen. Lachen so leise, wie man eben lachen kann, in die Decke hinein, und sind sich sicher, noch nie etwas Lustigeres gehört zu haben, bis sich die dunkle Spanholztür öffnet und eine müde Mutter, ein müder Vater in einer Sprache zu ihnen spricht, die jedes Kind, unabhängig seiner Herkunft, versteht, und die Freundinnen die Luft anhalten, damit sie nicht ausgerechnet in diesem Moment losprusten. Bis die Tür sich wieder schließt und man doch nicht mehr so richtig lachen kann. Schade um den Witz.

All das passiert gerade in diesen Wohnungen, die ich leer und verlassen in demselben hasserfüllten Internet finde, in dem man Saya jetzt ausschlachtet. Ich will an diese Wohnungen denken und nicht an die Wohnungen, die ich dank Saya und ihrem Interesse für das Leben der Nazis sehen musste. Wohnungen von stinkenden, faulen Nazis mit stinkenden, faulen Nazi-Eltern, die ihre hässlichen Kinder lieblos großgezogen und vernachlässigt haben und jetzt auch noch im Fernsehen davon erzählen. Aber auch sie haben weiße Plastikgardinen vor ihr ungeputztes Fenster gehängt und es zu Weihnachten mit einer einzigen bunten Lichterkette geschmückt, die ständig die Farben wechselte und blinkte und dem Zimmer für einige Wochen im Jahr eine gewisse Gemütlichkeit verlieh, wenn man dazu die Jalousien runterzog, das Licht löschte und sich auf die Heizung setzte. Denn auch die Nazi-Kids hatten keine sauber in die Wand eingelassenen flachen Heizkörper, sondern richtige metallene Heizungskisten, die breit genug sind, dass zwei Kinder auf ihnen sitzen, fernsehen und Cola trinken können. Ich denke nicht gerne an diese Nazi-Wohnungen, aber wenn ich an sie denke, komme ich nicht drum rum, sie irgendwie gemütlich zu finden, und vielleicht war das ja auch etwas, was Saya so faszinierte. In ihrer Kaputtheit glichen diese Kindheiten unseren mehr als die unserer Kommilitonen, Mitbewohner und Partner. Aber das würde Saya niemals so sagen und ich würde sie niemals darauf ansprechen und dass ich darüber schreibe, liegt daran, dass ich mich langsam auf das Ende dieser Geschichte zubewege, das ich irgendwie hinauszuzögern versuche. Ich würde jetzt nämlich lieber noch etwas länger über Naziwohnungen nachdenken als über die Wohnungen, in denen die

Flammen zu Rauch und der Rauch zu Tod wurde, in denen Menschen erstickt sind, bevor sie verbrennen konnten, aus denen Menschen sprangen, weil sie ohne Papiere im fünften Stock wohnten oder der Ehemann nicht mehr aus der verrauchten Wohnung zurückkam. Aus denen Menschen sprangen, weil sie dachten, durch den Schutz des eigenen Körpers das Kind im Arm retten zu können, auch wenn sie selbst den Sturz nicht überleben würden. Weil Springen das Letzte ist, was du selbstbestimmt tun kannst. Du hast die Sprache, die sie dir durch die Megafone entgegenbrüllten, sehr wohl verstanden. Du hast ihr nur noch nie vertraut.

Als ich von der Hochzeit nach Hause kam, suchte ich Sayas Notizbuch, das nur deswegen auf dem Wanderrucksack lag, weil es nicht in ihre schicke Handtasche gepasst hatte. Ich brauchte nur noch ein letztes Puzzleteil, um zu verstehen, was passiert war, nachdem Saya vor Lifes Café randaliert hatte. Nachdem sie erfahren hatte, dass der Prozess gegen die Nazigruppe unter Ausschluss der Öffentlichkeit stattfinden und das Desaster des staatlichen Versagens damit im Verborgenen seine Fortsetzung finden würde. Nachdem Saya einen Mann daraufhin als »altes Arschloch« bezeichnet und seine Tasse vom Cafétisch gefegt hatte und bevor sie zu mir nach Hause gekommen war, um mit mir um ihre Kinderhandtasche zu schnicken.

Saya stand vor der Kneipe und hatte einen Stein in der Hand. Einen schönen, rechteckigen, roten Backstein, der sich rau und schwer anfühlte, und ein angenehmer Schauer überkam sie, als sie den Stein anhob und sich an die Bewegungen des Kugelstoßens zu erinnern versuchte. Das Ladenfenster war so hässlich wie die Kneipe, es war nichtssagend, alt, so ein Fenster, an dem man vorbeiging und dachte, dass der zugehörige Laden entweder schon tot war oder bald sterben würde. Wirklich kein Ort, an dem man Bier trinken sollte, dachte Saya noch, und fragte sich, wie sie so betrunken gewesen sein konnte, da reinzugehen. Kein Wunder, dass Life und ich an dem Abend früher heimgegangen waren, was war da nur mit ihrem eigenen Sensor losgewesen? Sie holte aus.

»Na, na«, sagte er, »hat dir Chrissis Bier nicht geschmeckt oder was.« Saya wollte sich nicht umdrehen. Vor ihrem geistigen Auge hatte sie all ihre Wut bereits von sich geschleudert, hatte sich das Fenster in viele kleine Scherben auf dem Bürgersteig verwandelt – das allerdings hatte eher ungute Assoziationen geweckt, statt die Vorfreude weiter zu steigern. Dass sie sich schließlich doch umwandte, lag an der merkwürdigen Süffisanz in seiner Stimme. »Und du bist Chrissis Türsteher, oder was?«, fragte Saya und erkannte ihn genau in dem Moment, in dem er sie erkannte. Sein Gesichtsausdruck änderte sich, verwandelte sich von dem eines charmanten Mitbürgers zu dem eines angeekelten Hausherrn. »Werd nicht gleich hysterisch und erklär mir lieber mal, was du hier machst oder ob ich die Polizei rufen soll.«

»Was willst du der Polizei denn sagen?«

»Dass du randalierst. Dass du vandalierst. Dass du rechtschaffene Menschen in rechtschaffenen Läden bedrohst und die Ordnung störst.« Saya lachte laut. Jemanden, dessen Worte man nur geschrieben kannte, plötzlich leibhaftig vor sich zu haben, war schon absurd genug; auch noch dieser ideologischen Hirnlosigkeit gegenüberzustehen, gab ihr den Rest. »Patrick Wagenberg, du kennst ja ganz schön viele tolle Wörter«, sagte sie nun, »kanntest du die schon immer oder lernt man die zu Hause, im Internet, von den anderen Arschlöchern?«

»Woher kennen Sie meinen Namen?«, antwortete Wagenberg und nahm eine gerade Haltung ein. Erkannt zu werden, konnte gefährlich sein, war zugleich aber auch eine Auszeichnung. Wenn das passierte, hatte man es in der Bewegung zu was gebracht, war man für den Feind gefährlich geworden. Gefährlich, weil man die Wahrheit aussprach, weil man für den Schutz der eigenen Leute und gegen den Verfall hiesiger Werte eintrat. Auf die Idee, dass Saya im Flugzeug seine Bordkarte gecheckt hatte, um dann nach ihm zu recherchieren, kam er natürlich nicht. Dass sie die christliche Moni Stein aus dem Internet war, checkte er natürlich erst recht nicht, wie auch. Saya musste lachen, weil Wagenberg sie auf einmal gesiezt hatte, »Das Internet, mein Freund«, sagte sie, »ist ein Ort, der auch was mit der echten Welt zu tun hat, weißt du? Wenn du im Internet mit deinem Klarnamen auftrittst und deinen Schwanz raushängen lässt, dann erkennen die Leute dich und deinen Schwanz auch in der echten Welt.« Wagenbergs Mundwinkel zuckte, er dachte noch über eine schlagfertige Antwort nach. Das Gespräch hätte auf der von Saya gewählten Ebene bleiben, sie hätten sich wunderbar streiten können: ein Schlagabtausch zwischen zwei Menschen, die sich offen hassten. Sayas Stimme war bereits so laut, dass sich im Fenster hinter ihr die Gardinen rührten. Dann aber sah sie das kleine bunte Abzeichen an seiner hässlichen Jacke und war verwundert, dass es sie verwunderte. Rechtsradikale Haltungen waren gängig und allgegenwärtig, und trotzdem, diese offensichtliche und beinahe naive Zurschaustellung machte sie fertig. Es war das Zeichen der Nazigruppe, die gerade vor Gericht stand. Die standen vor Gericht, Saya saß vor den Fotos der Toten, und irgendwo verdiente jemand Geld damit, Merchandise an Versager zu verkaufen. Da stand also ein echter Paradenazi vor ihr, sie hatte noch immer den Stein in der Hand und die Wut vom Nachmittag im Bauch, die Wut vom Vortag und vom Vorvortag, von einer Million Tage. Ein naheliegender Impuls wäre gewesen, den Stein noch einmal anzuheben und ihn auf Wagenbergs Kopf krachen zu lassen. Saya würde den Rest ihres Lebens damit verbringen, sich zu fragen, warum sie diesen Impuls ausgerechnet in diesem Moment nicht hatte. Warum sie diesen Schädel voller Hass nicht einfach zertrümmert hatte. »Du stinkst nach Scheiße!«, schrie sie stattdessen, machte einen Schritt auf ihn zu und riss ihm das Zeichen von der ehrwürdigen Brust. Sie schmiss es auf den Boden, es klimperte unschuldig und während sie mit dem Fuß drauf trat, in der irrsinnigen Annahme, dadurch einen metallenen, winzigen Anstecker zerstören zu können, schrie sie weiter, »Du stinkst nach zu wenig geliebt werden und nach kein Geld haben, keine Zukunft haben, du stinkst nach Zeugung im Suff und sich zu spät um die Abtreibung kümmern.« Der Paradenazi sah Saya an, er stand wie erstarrt und versuchte sich daran zu erinnern, dass er und seine Leute stärker waren als der Feind, da sie nicht dem primitiven Volk entwuchsen, in seinem Kopf lief ein Tonband bekräftigender Phrasen und Weisheiten, die das Bild der hysterischen Muslimin akustisch unterlegten. Es wäre ein Leichtes gewesen, sie mit einem Mal wegzupusten, aber es war helllichter Tag und die Zeiten, in denen man sich erlauben konnte, auf diese Art Schlagzeilen zu machen, waren vorbei. Saya missverstand sein Schweigen. Wie hätte sie ahnen können, dass sie es hier mit jemandem zu tun hatte, dem man den Befehl gegeben hatte, in der Öffentlichkeit allenfalls durch gute Manieren und offene Freundlichkeit aufzufallen, nachdem er früher derjenige gewesen war, der Menschen durch die Straßen jagte, wenn sie auch nur wagten, zu existieren. Saya schloss aus seinem Schweigen, dass ihre Worte zu lasch waren, dass sie das Ego ihres Gegenübers nicht treffen konnten, denn er schien gar keines zu haben. Also trat sie noch einen Schritt näher an ihn heran und tauschte das Brüllen gegen ein Flüstern, ein Zischen, »Patrick Wagenberg, du bist in echt ja viel schweigsamer als im Internet. Weil du dich immer noch fragst, warum ich eigentlich Deutsch kann? Ist doch komisch, dass ich Abitur habe und du nicht, oder? Wo meine Gene doch das Land fluten und verdummen lassen, weil sie darauf ausgerichtet sind, Ziegen zu hüten, während deine Gene, entschuldige bitte, worauf noch mal spezialisiert sind? Ach so, stimmt ja, darauf, Kriege zu verlieren!« Saya lachte und freute sich über die Regung in Patricks Gesicht. »Komisch, dass ich dir den Arbeitsplatz wegnehmen könnte, wenn ich wollte, du aber gar keinen Arbeitsplatz hast. Ist nicht schlimm, keinen Arbeitsplatz zu haben, Paddy, wirklich, dein Vater und mein Vater saßen damals bestimmt nebeneinander beim Arbeitsamt und waren traurig. Ist es das, was dich so neidisch macht, ja? Dass ich schlau und reich bin, während du genauso versagst wie dein Vater und dessen Vater vor ihm? Ist dir mal aufgefallen, dass du und deine Freunde immer dann den nächsten Mordfall oder Vergewaltigungsfall für eure Zwecke ausschlachtet, wenn einer von uns gerade ein Tor für Deutschland geschossen hat? Dass ihr immer nur auf unsere Erfolge antwortet? Dass ihr Häuser abfackelt, die hart arbeitenden Leuten gehören, während ihr selbst euch kein Eigenheim leisten könnt, weil kein Mensch mit euch Geschäfte machen möchte? Dass ihr Inhaber in ihren Läden erschießt, weil ihr selbst nie den Arsch hochkriegen würdet, euch eine eigene Existenzgrundlage zu schaffen? Dass ihr Synagogen und Moscheen und Shishabars mit euren Knarren stürmt, weil wir es da drin gemütlich haben, während euer einziger Gemeinschaftsort ultra hässliche Kneipen samt Stamm-Alkis sind? Dass ihr Leute direkt nach dem Abi erschießt, weil sie am Ende eure Kinder unterrichten könnten? Warum wohnst du hier, Patrick Wagenberg, warum belästigst du die Leute hier mit deiner Existenz? In diesem Stadtteil ist kein Platz für Leute wie dich, hast du das nicht verstanden? Dieser Stadtteil nämlich ist einer unserer Erfolge, vor denen du dich so fürchtest. Hier wohnen Leute wie wir, hier wohnen nur Leute wie wir, wir besitzen hier die Spätis, die Shishabars, die Frühstückscafés und die Gemüseläden, und Leute wie du verirren sich hierher und können nachts nicht mehr einschlafen, weil ihnen plötzlich klar wird, dass sie niemanden haben, keine Community im Rücken, keine Zärtlichkeit unter Fremden, ihr habt nichts, weil ihr noch immer eure Nazigene weitervererbt, während wir es uns in den Parks und auf den Bänken hier so richtig gemütlich machen. Am Ende zündet ihr eure dummen Nagelbomben, weil ihr mit eurer Einsamkeit nicht klarkommt, oder ihr fangt die nächste Diskussion darüber an, dass wir Parallelgesellschaften gründen und nicht aus unseren Gettos rauskommen, dabei machen euch unsere Gesellschaften und Gettos Angst, denn wir könnten uns ja mal verbünden gegen eure Scheiße, wir könnten ja Banden bilden, uns gegen die Verbreitung eurer Ideologie wehren oder es einfach schlicht und ergreifend schöner haben als ihr. Dann fangt ihr wieder an, loszuheulen und uns zu erschießen. Je stärker wir werden, desto mehr zündet ihr an, aber weißt du was, du kleines Arschloch, ihr seid am Ende. Wir sind so was von stark, so was von viel stärker als ihr, denn unsere Gettos wachsen am Ende immer irgendwo nach und wir arbeiten für Zeitungen und schreiben darüber und wir sitzen im Bundestag und streiten darüber und wir melden Demos an und brüllen darüber, während du das Internet hast und da ein paar erbärmliche Mörder bejubelst. Ihr habt verloren, alle miteinander, ihr habt verloren, so viele Häuser kannst du mit deinem kleinen Feuerzeug gar nicht anzünden, um dem was entgegenzusetzen, dafür ist es schon zu spät. Aber du weißt ja nicht mal, wie die Sache mit dem Abfackeln funktioniert, du kriegst es noch nicht mal jetzt hin, mir einfach eine reinzuhauen, du altes Arschloch.«

Dann ging sie. Sie ging schnell, immer schneller, denn ihr wurde allmählich klar, was sie da gerade getan hatte. Sie hatte einen aggressiven Bullen gekitzelt, ohne zu wissen, worauf sie dabei gehofft hatte. Dass er explodieren würde, wie sie selbst gerne mal explodieren würde? Saya fing an zu rennen und lachte, ein Hochgefühl im Bauch, der Boden trug sie wie ein Band, das ihr helfen wollte, so schnell wie möglich wegzukommen. Ganz weit weg von Patrick Wagenberg, der Kneipe und dem Haus. Sie rannte, ohne sich umzudrehen, und hoffte, dass er keine Waffe hatte, um ihr hinterherzuschießen. Er hatte keine Waffe und er folgte ihr nicht. Er folgte ihren Worten, die ab jetzt in seinem Kopf in Endlosschleife laufen würden, stundenlang, bis in den Abend hinein.

^^^

Es ist Samstagmorgen, 5:58 Uhr. Draußen ist es hell und klar, der Tag will, dass man sich in ihn verliebt, er tut harmlos und als würde er etwas Neues, Unvorhergesehenes, noch nie Erlebtes mit sich bringen. Etwas Neues, Unvorhergesehenes, noch nie Erlebtes wäre gewesen, wenn Saya gestern Patrick Wagenberg getötet oder zumindest verletzt, wenn Saya Patricks Haus in der Bornemannstraße tatsächlich angezündet hätte. Aber an den meisten Tagen passiert nichts Unvorhergesehenes, das habe ich ja von Anfang an gesagt.

Seit einer Stunde kursieren zwei Fotos im Internet: eines von der zwanzigjährigen Saya, betrunken, auf ihrem Abiball, das die Rechten unhinterfragt als ein aktuelles Foto verbucht haben, und eines von dem ernsten, bürgerlich-anbiedernd dreinblickenden Patrick W., der seit gestern Abend spurlos verschwunden ist und den die Rechten deswegen als weiteres Todesopfer des Brandes betrauern. Nachbarn und Anwohner haben nachmittags einen Streit der beiden beobachtet und schon zu früher Stunde die Polizei alarmiert, nur deswegen konnte Saya, als sie die Hochzeit verließ und in die Bornemannstraße lief, sofort erkannt und verhaftet werden. In den letzten Stunden wurde Saya also von einer IS-Anhängerin zu einer linksautonomen Nazihasserin, die durch den Feminismus radikalisiert wurde. Wenn ich es nicht besser wüsste, ich würde es glauben, nach all dem, was man dazu findet. Weil ich es besser weiß, habe ich gerade laut gelacht. Es hat sich nichts geändert.

Und ihr so? Bei Leuten wie euch ist man sich ja nie ganz sicher, welche Absurditäten ihr für wahr haltet und welche nicht, ob und was ihr uns glaubt und was ihr Leuten wie Saya zutraut und was nicht. Habt ihr gedacht, Saya hätte das Haus in Brand gesetzt? Seid ihr entsetzt, dass ich euch das unterstelle? Das tut mir leid. Aber man kann euch nun mal nur halb vertrauen; eigentlich will man es und tut es meistens auch. Aber dann weiß man trotzdem nicht, ob ihr von den Morden an nicht-weißen Personen eigentlich schon gehört habt, die uns nächtelang wach hielten und uns unsere Läden schließen ließen. Ob ihr eigentlich von den niedergebrannten Häusern wisst, wegen denen wir uns damals Walkie-Talkies zulegten und heute in jeder neuen Wohnung Rauchmelder anbringen. Oder ob ihr bei all diesen Vorfällen gerade im Urlaub wart. Am Mittelmeer vielleicht, so schön, die Füße nacheinander in das kalte Wasser zu setzen, einfach mal die Seele baumeln zu lassen, toll.

Falls ihr aber wiederum von Dingen wisst, von denen wir noch nie gehört haben, also, falls ihr jemals davon gehört habt, dass Nazis Ausländer ärgern und Ausländer daraufhin die Nazis töten und ihre Häuser in Brand setzen, dann lasst es mich wissen.

Saya zumindest ist weder IS-Anhängerin noch Rächerin der Unterdrückten, Saya schlägt nicht zurück, sie hat auch keinen Rückschlag in Planung. Saya schreit, während alle anderen gerade woanders sind. Ihr Körper wurde noch nie verletzt, nicht von Gefängniswärtern, nicht von ausländischen Geheimdiensten, nicht von anderen Kindern, nicht von Männern, nicht von Fremden, nicht von Nazis. Jetzt gerade, in dieser Sekunde, rammt sie ihn ohne Vorwarnung mit einem Mal gegen die Wand meines Zimmers. Mit einem Schlag, der Knochen zerspringen lassen müsste, doch nichts an ihr zerspringt, nichts an ihr geht kaputt, ich lasse die Tastatur schweigen und drehe mich zu ihr um. Sie liegt im Bett und schläft. Hani neben ihr hebt kurz den Kopf, ihre Haare stehen zu allen Seiten ab, sie rückt näher an Saya heran, vergräbt einen Arm unter dem Kissen, legt den anderen Arm um Sayas Körper und zieht sie zu sich heran.

Auf meinem Handy erscheint eine Pushnachricht zum Prozess. Mir wird schwindelig: Es wird der größte Prozess seit Gründung der Bundesrepublik, ein gigantisches nationales wie internationales Medienaufgebot wird erwartet. Seit zwei Tagen ist es außerdem amtlich: Die rechtsterroristische Gruppe, die jahrelang im Untergrund gelebt und vorzugsweise muslimische Menschen, vorzugsweise muslimische weibliche Menschen, getötet hat, hatte einen Chat mit anderen Nazis, der jetzt geleakt und öffentlich gemacht wurde. Arschlöcher unter sich. Mörder und ihre Gehilfen unter sich. Die rechtsterroristische Gruppe erwarten viele Jahre in Untersuchungshaft und ein langes Bangen um das Urteil. Aber das wussten wir doch schon alles, das haben wir doch alles schon gehört, seid ihr noch da? Hört ihr noch zu?

Vor einer Stunde wurde ein Zitat veröffentlicht, von dem man jetzt schon sagt, dass es in die Geschichte eingehen wird, eine Anwältin der Nebenklage, die selbst von Rassismus betroffen ist, postete: *Deutschland, du hast bis heute versagt. Deutschland, du kannst ab heute versuchen, dein Versagen aufzuarbeiten. Ab heute werden wir versuchen, euch zu vertrauen.* Sie weiß wohl selbst, dass die Antwort darauf Morddrohungen sein werden, so wie immer, so wie beim letzten und beim vorletzten Mal. Warum glaubt ihr mir überhaupt, wenn ich sage, dass das Zitat vor einer Stunde veröffentlicht wurde, ihr kennt das Zitat doch schon längst, ich habe doch schon geschrieben, dass Saya es vor ein paar Tagen als Statusmeldung hatte, dass Life den Inhalt sogar schon als widerlegt betrachtete, kurz bevor er starb, aber ich schwöre, ich sehe die Seite ja vor mir, das Zitat ist erst vor einer Stunde veröffentlicht worden, obwohl ich darüber schon geschrieben habe, wie kann das sein, ich weiß, dass ich sehr viel wusste, aber wie konnte ich das wissen? Jemand antwortet unter dem Post, ich bin es nicht: *Jede große Herausforderung beginnt mit dem ersten Schritt. Jeder Prozess mit seinem ersten Tag.* Der erste Tag des Prozesses ist heute, auch wenn sich alles immerzu wie eine Wiederholung anfühlt. Ich nehme den Spielgeldschein von der Hochzeit in die Hand und überlege, welche ausländische Währung hier eigentlich imitiert wird, und dass heute Donnerstagmorgen sein muss, nicht Samstagmorgen, während der Schein sich wieder in Luft auflöst. Warum habt ihr mir eigentlich geglaubt, wenn ihr die ganze Zeit skeptisch wart, wieso wart ihr mir gegenüber eigentlich skeptisch, wo ich es doch war, die euch ständig entlarvt hat. Habt ihr wirklich geglaubt, Saya wäre eingeknastet worden?

Heute ist nicht nur der erste Prozesstag, heute ist auch mein Treffen mit Lukas, der mir die durchzechte Nacht ansehen wird. Mein Treffen mit Lukas, das wir gestern an der Feuertonne auf dem alten Fabrikgelände, vor dem besetzten Haus, vereinbart haben. Bei dem es selbstverständlich nicht um ein ominöses Job-Angebot gehen wird. Bei dem wir vielmehr über unsere Beziehung reden werden, natürlich, bei dem er noch einmal und in Ruhe sagen wird: »Es tut mir leid.« Er wird sagen, dass das alles hätte anders laufen müssen und dass er es nicht rückgängig machen kann – »Selbst wenn ich das wollte.« Ich werde zuhören und ihn verstehen und ich werde sagen, »Ich würde es auch gerne rückgängig machen.« Denn die Welt da draußen macht mir Angst, und es war schön, einen Freund zu haben, den die Welt nicht so sehr in Panik versetzt, denn er ist von alldem zwar betroffen, aber nichts davon ist dafür da, ihn zu treffen, und Lukas wird sagen, dass meine Angst berechtigt ist, dass er an den Abenden, an denen wir die Frau im Yoga-Kurs beobachtet haben, gewusst hat, dass ich recht habe, und trotzdem widersprochen hat. »Weil ich mir gewünscht habe, dass du dich irrst«, wird Lukas sagen, und ich werde antworten, »Ich kann mich dabei nicht irren, das ist mein Alltag, ich bin die Frau, die im Yoga nicht korrigiert wird, obwohl sie alles falsch macht, ich kenne mich mit diesen Dingen aus, ich bin hier die Expertin.« Lukas wird sagen, »Ich weiß. Ich wollte dir noch etwas sagen«, und ich werde Angst haben, dass er jetzt von seiner Diplomarbeit und seiner Mutter und dem Job anfängt, aber er wird stattdessen sagen, »Die Yogalehrerin hat gedacht, dass sie die Frau nicht anfassen *darf*. Sie dachte, dass Frauen wie sie zwangsläufig einem undurchschaubaren Glaubenskreis angehören, der Berührungen immer verbietet.«

»Igitt. Das ist nicht besser«, werde ich sagen und mich schütteln und dann fragen, »wenn nicht mal ich das weiß, woher weißt du das dann?«

»Von mir selbst? Aus meinem Alltag?«

»Von deinem Alltag als Yogalehrerin?«, werde ich fragen und Lukas wird lachen und sagen, »Ja.« Und Lukas wird nach dem Lachen sagen, dass er da ist, auch wenn wir kein Paar mehr sind, aber dass er da ist und dass andere da sind, dass ich nicht allein bin und Saya auch nicht. So nämlich wird unser Treffen laufen, und es wird Jahre dauern, bis mir auffällt, dass Lukas und ich Freunde geblieben sind, obwohl wir auf diese Phrase verzichtet haben.

Ich drehe mich zu Saya, die allein im Bett liegt, denn es ist ja Donnerstagmorgen und Hani hat, wie ihr wisst, gar nicht bei uns geschlafen, in der Nacht nach der Party auf dem Fabrikgelände, denn sie musste ja am nächsten Morgen arbeiten. Hani hat in ihrem eigenen Bett geschlafen, wenn ihr euch richtig erinnert, damit sie in Ruhe duschen und mit ihrem Fahrrad ins Büro fahren kann. Nur habe ich euch verschwiegen, dass Hanis Bett nicht in einer Wohnung im Stadtteil nebenan steht, sondern in einem anderen Land. Genau wie ihr Fahrrad und ihr Büro und ihr Pflaumentee und ihre Chefin und die Kollegen, die sie und ihre Sorgfalt und Freundlichkeit ausnutzen. Als der blutrünstige, schonungslose Krieg in Hanis einstiger Heimat für beendet erklärt worden war, schickte man Leute wie sie und ihre Familie zurück, ganz gleich, wie gut ihre Noten waren. Habt ihr ernsthaft geglaubt, jemand hätte sich jemals für Hanis gute Noten interessiert? Hani, ihre Eltern und ihr Bruder haben damals Abschied genommen, ihre wenigen Möbel vor das Haus gestellt, ihre Bücher und Spielsachen verschenkt und sind in die USA ausgewandert, wo sie mehr Perspektiven und Sicherheit hatten als in ihrem alten Land, in dem die Verräter von damals noch immer Verräter waren, auch wenn sie einander nicht mehr in so großer Zahl umbrachten. Hani ist zu einer Erinnerung geworden, die ich um die Realität ergänze, wenn ich ihren Namen in der Suchleiste eingebe und sie und ihr neues Leben auf einer riesigen Anzahl an Fotos wiederfinde. Das Gesicht eines Teenagers, das zu dem einer jungen, Nostalgie-Filter-verhangenen Frau geworden ist, inmitten ihrer Familie. Ihr Gesicht neben den Gesichtern ihrer Kinder, sie blicken in die Kamera und Hani scheint Deutschland und uns vergessen zu haben.

Mein Handy vibriert und ich lese mit halbem Auge eine Nachricht von Robin: *Internet funktioniert wieder, keiner muss mehr seine Zeit mit Lesen verschwenden! Legt los! Streamt!*

Die kommenden Tage werden wir streamen, natürlich, denn die kommenden Tage werden uns sonst fertigmachen, werden uns mit Bildern und Neuigkeiten aus dem Prozess zukleistern, für die wir nicht die notwendige Kraft haben und von denen wir uns mit Serien ablenken müssen, die um Jahrzehnte fortschrittlicher scheinen als unsere Realität. Die uns auch dann ablenken werden, wenn wir von dem Brand erfahren, dem größten in der Nachkriegszeit, der nächsten Zäsur in unserer Chronik. Wir werden mit dem Fahrrad durch die Stadt fahren, um uns auszupowern, bis uns die roten Ampeln stoppen, wir werden am Ende verschwitzt vor dem Haus stehen und um Menschen weinen, die wir nicht kennen, wir werden das Bild von Life, Anna und Nikolai nicht vergessen können.

Aber die kommenden Tage sind die kommenden Tage und noch wissen wir von nichts. Noch kennen wir das Bild von Life, Anna und Nikolai und auch die Gesichter der anderen Toten nicht.

Vielleicht ist es wirklich zu viel verlangt, dass ihr mir vertraut und glaubt, ich habe ja mindestens so viel gelogen wie ihr in eurem Leben. Aber die Bilder, guckt euch die Bilder an, wenn sie in ein paar Tagen kursieren, schaut euch die Gesichter an. Die sind echt.

Ich schalte mein Handy und den Computer aus und lege mich neben Saya, rutsche nah an sie ran, vergrabe den einen Arm unter ihrem Kissen, lege den anderen Arm auf ihren Arm, strecke ihn noch ein Stück weiter aus und halte sie, so fest ich kann.

Aus Verantwortung für die Umwelt hat sich der
Verlag Kiepenheuer & Witsch zu einer nachhaltigen Buchproduktion
verpflichtet. Der bewusste Umgang mit unseren Ressourcen,
der Schutz unseres Klimas und der Natur gehören
zu unseren obersten Unternehmenszielen.

Gemeinsam mit unseren Partnern und Lieferanten setzen
wir uns für eine klimaneutrale Buchproduktion ein,
die den Erwerb von Klimazertifikaten zur Kompensation
des CO_2-Ausstoßes einschließt.

Weitere Informationen finden Sie unter:
www.klimaneutralerverlag.de

Verlag Kiepenheuer & Witsch, FSC® N001512

1. Auflage 2021

Umschlaggestaltung und -motiv:
Nurten Zeren/zerendesign.com
Gesetzt aus der Joanna
Satz: Buch-Werkstatt GmbH, Bad Aibling
Druck und Bindung: CPI books GmbH, Leck
ISBN 978-3-462-05276-3